Van Gogh
ou
l'enterrement dans les blés

DU MÊME AUTEUR

AUX MÊMES ÉDITIONS

Vestiges
roman
coll. « Tel Quel », 1978

La violence du calme
coll. « Fiction & Cie », 1980

CHEZ D'AUTRES ÉDITEURS

Ainsi des exilés
roman
Denoël, coll. « Les lettres nouvelles », 1970

Le grand festin
roman
Denoël, coll. « Les lettres nouvelles », 1971

Virginia Woolf
essai
La Quinzaine littéraire, 1973

Le corps entier de Marigda
roman
Denoël, coll. « Les lettres nouvelles », 1975

Les allées cavalières
roman
Acropole, 1982

Fiction & Cie

Viviane Forrester
Van Gogh
ou
l'enterrement dans les blés

biographie / Seuil

Seuil, 27, rue Jacob, Paris 6ᵉ

CE LIVRE EST LE CINQUANTE-CINQUIÈME TITRE
DE LA COLLECTION « FICTION & CIE »
DIRIGÉE PAR DENIS ROCHE

ISBN 2-02-006444-8.

© AVRIL 1983, ÉDITIONS DU SEUIL.

« Si j'avais élevé la voix dès le début, au lieu de me taire dans toutes les langues du monde », s'écriait Van Gogh, dont on ne sait s'il fut un peintre, un cri, la solitude même, « … voyant passer la noce du beau monde, les amoureux de son temps, les peignant, les analysant, lui — le mis-de-côté », écrit-il d'un autre peintre, des peintres morts, des peintres dits fous, des peintres suicidés.

De Monticelli, en l'occurrence, qui peignait le Midi « en plein jaune, en plein orangé, en plein soufre », et dont Vincent semble avoir imaginé, en Arles, vers 1887, opérer la Résurrection. « Nous chercherons à prouver aux bonnes personnes que Monticelli n'est pas mort avachi sur les tables du café de la Canebière, mais que *le petit homme vit encore.* » Ce Monticelli, aujourd'hui bien oublié, mais dont on peut reconstituer la biographie, la Passion, à travers des bribes, des fragments épars dans les lettres de Vincent qui, dès le début de son séjour en Arles, annonce qu'il a « toujours eu la prétention de continuer la besogne » commencée par l'autre ici.

Quelques mois plus tard, en plein désastre, entre deux internements, après s'être volontairement mutilé l'oreille et avoir été enfermé pour cela, avant de l'être à nouveau à la requête des habitants d'Arles, « ces vertueux anthropophages », et puis de l'être encore, à sa demande à lui, égaré de solitude, Vincent insiste toujours auprès de Théo, son frère : « Ecoutez, laissez-moi tranquillement continuer mon travail, si c'est celui d'un fou, ma foi, tant pis… Je travaille d'arrache-pied du matin au soir pour te prouver que bien vrai nous sommes sur la trace de Monticelli… »

Pourquoi cet acharnement à prolonger, à remplacer la vie d'un autre « un peu toqué, beaucoup même », à rechercher la trace de celui qui est « mort assez tristement et probablement en passant par un véritable Gethsémani » ? Pourquoi Théo semble-t-il pris à témoin comme s'il avait chargé Vincent d'une mission ? Et pourquoi cette obsession de le perpétuer, ce Monticelli, au point d'écrire à Wilhelmine, la sœur naïve, provinciale, demeu-rée en Hollande, loin des émois de ses deux frères : « Eh bien moi, je suis sûr que je le continue ici *comme si j'étais son fils ou son frère*. Qu'est-ce que cela fait qu'il y ait ou non une résurrection lorsque nous voyons immédiatement surgir un homme vivant à la place d'un homme mort. Reprenant la même cause, continuant le même travail, vivant la même vie, mourant la même mort ? »

A qui Van Gogh songe-t-il alors ? A Monticelli ? Il le croit. Mais n'a-t-il pas lui-même repris (ou usurpé) la vie d'un autre Van Gogh et qui s'appelait Vincent Wilhelm Van Gogh ? Non pas celui au sujet duquel on a tant écrit, non pas celui qui en neuf années s'est appris lui-même à ne pas peindre mais à inventer la peinture, non pas celui d'une certaine légende qui masque une vie dont les affres proviennent d'origines si brutales et dont la solitude fut si âpre, la souffrance si intense, la pauvreté si barbare, la ferveur si prodigue, qu'aucune légende, aucune toile jamais ne les traduiront : seuls l'indiqueront, peut-être, la voix rauque de ses lettres ou, peut-être, le coup de revolver tiré sur cette vie, mais laquelle ? Sur ce corps qui tombe dans un champ de blé.

Non. Pas ce Vincent Wilhelm Van Gogh là — mais, qui sait, le même ? et que Vincent confond dans ses fantasmes avec Monticelli —, cet autre Vincent Wilhelm Van Gogh, dont on n'eut le temps, à son propos, que d'établir un acte de décès et de graver son nom sur une pierre tombale, avec la date de sa naissance qui fut à la fois celle de sa mort : Vincent Wilhelm Van Gogh, mort-né le 30 mars 1852.

Alors, de Vincent Wilhelm Van Gogh, le peintre, né le 30 mars 1853, « surgi » un an jour pour jour, après son homonyme et qui, chaque dimanche, tout enfant, passait devant sa tombe en allant écouter leur père, le pasteur, prêcher dans la petite église de Zundert, au milieu du cimetière, cette tombe où son propre nom était inscrit et presque la date de sa naissance et déjà celle d'une mort — alors, oui, de Vincent Wilhelm Van Gogh, le peintre, faudra-t-il s'étonner si, très jeune, après avoir été marchand de tableaux dans une entreprise quasi familiale, à La Haye puis à Londres, il est saisi là d'une crise mystique, et va renoncer à son métier, voulant suivre la trace, cette fois, de son père : devenir pasteur. « Les hommes comme Pa sont plus beaux que la mer. » Ce père qu'il détestera plus tard et qu'il assimilera au « rayon noir ».

Et sera-t-on surpris par le leitmotiv de ses méditations d'alors : « Qui me délivrera de ce mort ! » ou « Qui me délivrera du cadavre de ce mort ! », lui, à qui Pa écrivait, recopiant pour son fils cet extrait d'un poème : « Qui nous délivrera pleinement, pour toujours/Du corps de ce mort sous le joug tout ployé ! »

La passion pour son autre frère Théo, né quatre ans après lui, l'osmose, la fusion de ces deux frères mais aussi leurs antagonismes équivoques, l'ambivalence de leurs échanges permanents, fébriles, leur passion mutuelle, généreuse et vampirique, inaltérable et toujours menacée, ne pourrait-on les lier, entre autres, au besoin que chacun d'eux, mais surtout Vincent, avait d'un écran vivant au petit mort, au « petit spectre » si menaçant, si fascinant et pourtant tenu secret. Cette nécessité, ce désir d'un frère en vie : « Il est bien agréable de sentir que l'on a encore sur la terre un frère qui se promène, qui est vivant », s'accroît chez Vincent lorsque son père, qui faisait, sans doute, figure d'intercesseur, d'exorciseur un peu inquiétant, perd son aura, se dévalorise à ses yeux — et chez Théo, lorsque ce père, Théodorus, mourra.

Désir inconscient, terreur, culpabilité inconscientes, au point que *pas une fois* dans *toute* la correspondance de Vincent, l'existence si furtive, mais si pesante du premier Vincent n'est évoquée. Pourtant quel appel étrange, par exemple, de Vincent à Théo, après une visite de celui-ci dans le Borinage, un pays de mines où Vincent tente enfin de prêcher, attiré surtout par « ceux qui travaillent dans les ténèbres, dans les entrailles de la terre, tels les ouvriers des mines », dans ce pays où « la vie est

9

concentrée sous la terre, non dessus », comme celle du premier Vincent. Là, les deux frères se sont réconciliés après l'un de leurs nombreux mais brefs différends, et Vincent d'écrire à Théo, qui semble entendre cette langue et cette gouaille : « Il vaut mieux, n'est-il pas vrai, que nous restions quelque chose l'un pour l'autre, plutôt que de nous comporter comme des cadavres, d'autant plus que cela frise l'hypocrisie, sinon la niaiserie de faire le cadavre avant d'avoir acquis le droit à ce titre par un décès légal... Ainsi donc, les heures que nous avons passées ensemble nous ont convaincus que nous appartenions encore au royaume des vivants. »

Nous verrons comment, sans en être conscients, les deux frères s'uniront leur vie durant pour faire front au fantasme qu'ils ignorent et qui hante surtout Vincent et pour, ensemble, « demeurer au royaume des vivants ».

Peut-être Vincent était-il seul marqué du sceau de cette vie morte dont, à son insu, il pense être au mieux le remplaçant, au pire le meurtrier, mais toujours l'appendice, au point de se sentir à jamais un intrus, un fragment. « Il est meilleur », écrit-il à tout bout de champ, « que je sois comme n'étant pas », « il s'agit donc de s'éclipser ». Lorsque le critique d'art Aurier publiera un superbe article (le premier paru sur Van Gogh et vers la fin de sa vie, lorsqu'il sait être un peintre et quel peintre il est), voilà Vincent qui s'affole, s'attriste et dans une lettre au critique éminent qui braque sur lui la lumière, proteste : « Je me sens mal à l'aise lorsque j'y songe que plutôt qu'à moi ce que vous dites reviendrait à d'autres. Par exemple à Monticelli surtout... Sur mon nom paraissent s'égarer des choses que vous feriez mieux de dire de Monticelli... Votre article eût été plus juste si (vous aviez) avant de parler de moi fait justice pour Gauguin et Monticelli. *Car la part qui m'en revient ou reviendra demeurera, je vous l'assure fort secondaire*[1]. »

A propos de Van Gogh, Gauguin se souviendra, encore interloqué, longtemps après son séjour en Arles, bien après le suicide de « l'ami Vincent », que « Degas faisait son désespoir,

1. Souligné par Van Gogh.

Cézanne n'était qu'un fumiste, songeant à Monticelli, il pleurait ».

Monticelli... « Sur mon nom paraissent s'égarer des choses... » Cette crainte douloureuse d'usurper à nouveau, la certitude d'être toujours et à jamais « le second » et sa terreur plus tard d'un autre usurpateur, ce nouveau venu, ce « compagnon forcé » : le fils de Théo et de sa femme qu'ils s'obstineront à nommer Vincent Wilhelm Van Gogh, circulent, véhémentes, dans toute la correspondance à travers les années.

Au sommet de ses forces de peintre, acquises à travers toutes les formes d'obstacles et dépassant l'obstacle qu'est la peinture même, alors qu'il est interné dans un asile, près d'Arles, à Saint-Rémy, et qu'il songe « d'accepter carrément mon métier de fou comme Degas a pris la forme d'un notaire », il se décourage, tout en se sachant maître comme jamais de ses techniques, tout en continuant de peindre à perte de vie ce qu'il aperçoit à travers les barreaux de l'asile à Saint-Rémy : « Le vrai Midi, je laisse cela comme de juste pour des gens plus complets, plus entiers que moi. Je ne suis moi bon que pour quelque chose d'intermédiaire et de secondaire et effacé. »

De secondaire, encore !

Terreur d'être le survivant, terreur de se montrer, d'être en vue seul. La culpabilité, les remords insituables dont il souffrira toute sa vie mais, en particulier, vers la fin lorsque paraîtront ces crises où il ne parviendra pas « à se défendre » il ne saura contre quoi, le minent. Mais aussi le sentiment d'une souffrance intraduisible, incompréhensible pour lui lorsque, comme au début de sa vie, avant de se rendre dans le Borinage, il se sent à son tour devenu le remplaçant du premier Vincent, mort, enterré : « Mais les hommes sont souvent dans l'impossibilité de rien faire, prisonniers dans je ne sais quelle cage horrible, horrible, très horrible. On ne saurait toujours dire ce que c'est qui enferme, ce qui mure, ce qui semble enterrer, mais on sent pourtant je ne sais quelles barres, quelles grilles, des murs. »

Ceux qu'il retrouvera des années plus tard à l'hospice d'Arles puis à l'asile de Saint-Rémy, comme s'ils lui avaient été, dès avant, bien avant, promis.

Le souvenir du premier Vincent qui fut aussi le premier-né et

11

le premier mort de cette cellule familiale, la hantait sans doute, mais il ne semble pas qu'on le mentionnait jamais. Si le drame atteignait directement Vincent, il devait se rabattre (fantasmes, effrois, remords) sur Théo à travers son frère aîné, qui l'avait choisi pour « mon frère au double sens du mot » ! Théo dont la vue lui était indispensable, la chaleur et l'échange. Et le don.

Théo, employé modèle de la firme de tableaux reprise à des Van Gogh par Goupil, puis à Goupil par Boussod et Valadon, mais que les peintres continueront, tout comme Vincent et Théo, à nommer Goupil. Théo impliqué dans l'aventure impressionniste, au point nerveux du marché de l'art à la fin du XIXᵉ siècle, et qui tentait contre le gré de ses employeurs et la réticence du public, mais souvent avec succès, de promouvoir les peintres, les écoles nouvelles dont il percevait la valeur en tant qu'esthète, en tant que commerçant. Théo harassé dans un Paris fiévreux, entretenant, grâce à son salaire, Vincent entièrement, mais aussi partiellement ses parents, ses sœurs jusqu'à leur mariage (et l'une d'elle, Wilhelmine, ne se mariera pas) et le petit frère Cor. Théo, tiraillé entre Boussod-Valadon et les « peintres aux abois » ; commerçant avisé mais gauche ; Théo qui, exposera Monet, détourné par lui de chez Durand-Ruel, et qui vendra Degas, Renoir, Sisley, Camille et Lucien Pissarro, Redon, puis, à partir des deux années passées à Paris par Vincent, les amis qu'il lui amène : Toulouse-Lautrec, Signac et surtout Gauguin.

Gauguin ! A la mort de Théo, pleuré par tant de peintres, Gauguin, affolé, affiche auprès de son ami Emile Shuffenacker, un cynisme qui ne fera pas long feu : « Examinons la situation de sang-froid, il y a peut-être à tirer parti, si l'on est habile, du malheur Van Gogh ! »

Il déchantera vite : « Tout a raté... la maison Goupil ne veut plus entendre parler de nous. C'est un vrai désastre ! » A Emile Bernard, il avoue : « Le coup de folie de (Théo) Van Gogh est un sale coup pour moi. Je suis rousti. » Des années plus tard à son ami Monfreid, il raconte, au passé déjà, que « Théo Van Gogh de Goupil seul a su me vendre et créer une clientèle. Pas un aujourd'hui ne sait tenter l'amateur. » « Avec Théo Van Gogh, on en voulait. »

Mais Théo ne saura tenter personne (ou deux « amateurs » seulement) pour acheter le travail de Vincent. Etait-ce impossible encore ? Ou bien qui, des deux frères (à tour de rôle peut-être), ne le désirait pas ? « Il n'y a que Théo Van Gogh qui avait pu me faire si bien accepter aux amateurs d'ici. C'est fini, ils sont plus rétifs que jamais », se lamentait Camille Pissarro, vieux, délaissé par son public, incapable parfois de payer son loyer et que Théo avait suivi, aidé, avec ferveur et délicatesse. Fini ? L'année suivante Pissarro connaîtra à nouveau le succès. Mais, ce sera surtout le moment où, après la fin tragique de Vincent, la résistance à son œuvre faiblira. C'est le début, après la mort des deux frères, de la gloire pour Van Gogh. Mais qui des deux (ou des trois) fut Van Gogh ? Théo ou Vincent... ou Vincent ?

Théo tellement offert, Théo accaparant, Théo sacrifié, manipulé, vengeur ; Théo, lui, « secondaire ; Théo dévoré, dévorant. Théo dont la fragilité égalait celle de son frère mais qui n'avait pas sa puissance créatrice et s'appuyait lui aussi sur l'autre pour respirer. Qui, d'ailleurs, des deux frères vampirisait l'autre ? Théo avait-il besoin d'être ce pélican offrant ses entrailles, cette mère nourricière, et tenait-il férocement à la dépendance de son frère qu'il entretenait entièrement ? Désirait-il, avant tout, conserver son œuvre, sa vie sous sa férule, tout en s'impatientant de cette force parasitaire, de cet être à l'exigence féroce, à l'existence précaire ? Vincent le soupçonnait de ne pas vendre, de ne pas montrer ses toiles exprès. Quels duels insoupçonnés ont-ils menés, quelles jalousies, quelles amertumes de part et d'autre, quelles revanches ont joué dans leur tragédie ?

Nous allons les voir appuyés l'un sur l'autre, oscillants, maintenus par leur passion mutuelle, par la fougue de Vincent, la patience de Théo dans leur vie ardente, malheureuse, construite sur la « production à deux » d'une œuvre qui les labourait, les détruisait, les maintenait entiers, galvanisés : « Si morte que paraisse la vie », écrivait Vincent, « l'homme doué de foi, d'énergie, de chaleur, intervient, fait quelque chose, part de là ; enfin il brise, il endommage, disent-ils ; laisse-les dire ces théologiens glacés ».

Cette vie étrange, cette construction fine et compliquée,

fervente et sauvage, incestueuse et pudique, nous la verrons s'effondrer lorsque arrivera une femme, Jo Bonger, la fiancée puis l'épouse de Théo et qui, malgré elle, et elle-même victime et piégée dans la tragédie fraternelle, détruira le couple, le duo des frères, déclenchant la folie de Vincent évincé, acculé à la pauvreté totale, déserté, forclos — et conduit au suicide.

Mais Théo qui, toute sa vie, avait suivi la route de Vincent, sauf à se faire peintre comme le lui avait, un temps, intimé son frère ; Théo qui, pour une fois, réussissait ce que l'autre en vain avait désiré être et qu'il n'était plus capable d'envisager à présent : un époux, un père ; Théo, pour une fois vainqueur, croyant s'être arraché pour une fois aux fantasmes de Vincent, sera terrassé sans délai et reprendra le chemin de son frère. Devenu fou quatre mois après le suicide de Vincent, il mourra six mois après lui, le 25 janvier 1891.

Ensuite ? Ensuite, comment ne pas songer à ce « titre de décès légal » : des lettres immenses sur une immense façade de la ville d'Amsterdam, cette sorte d'enseigne de grand magasin, qui annonce le musée « Vincent Van Gogh ». Ces lettres, qui désignent-elles ? Quel Vincent ? Et pourquoi pas Théo ? Pour qui, ce bâtiment dérisoire en regard de l'homme si démuni, si éconduit, si seul, qui gît, inconsolé, sous une dalle d'Auvers-sur-Oise, dans un de ces champs de blé où il allait auparavant s'enfouir avec tant de volonté, tant de bonne volonté, pour y peindre et faire s'animer le don furieux, singulier qu'il avait de fusionner avec la vie, tous les éléments de la vie, et pour tenter d'oublier la désolation de n'être pas aimé. « Est-ce vivre qu'être seul ? »

Aujourd'hui, le regard des foules balaie les traces de son exclusion : ces toiles qui mettent sa solitude à la merci de la multitude, laquelle s'en repaît sans la reconnaître. Et sans le reconnaître. « Et bien des peintres meurent ou deviennent fous de désespoir ou paralysés dans leur production parce que personne ne les aimait personnellement. »

Le 27 juillet 1890, Vincent Van Gogh, en plein travail, en plein après-midi, en plein soleil, en plein champ, planète, univers de blé, devant une de ses toiles qui tentent de « mettre

14

en bocal le chaos », tombe transpercé d'une balle de revolver. Il mourra le 29 juillet. Mais qui a conduit la main de Van Gogh à changer d'instrument et à dévier de la toile vers lui ? A détruire son modèle ? Qui a tué Vincent ?

Nul ne devrait oser nommer « un Van Gogh » aucune de ces surfaces peintes à vif, blessées, jouissantes où, sans trêve, un homme tente de naître en vain, et crée au prix de « dépenses extraordinaires même en sang et en cervelle » les lieux d'une naissance possible. Le lieu où ça vit. Le lieu où il n'est pas. Où nous ne sommes pas. Ses toiles signent une absence.

« Je ne suis pas un Van Gogh », affirmait-il, songeant à sa famille. Mais, depuis, son nom se confond avec ses tableaux — et leur valeur marchande. Et l'on s'amuse à se le rappeler s'écriant, exaspéré : « Quoi ! une toile que je couvre vaut davantage qu'une toile blanche ! » ce qui, toute sa vie, se révéla matériellement inexact. Je dis que l'on ne réparera jamais le désespoir, l'humiliation qu'il éprouvait, et la terreur, tandis qu'il produisait ces « Van Gogh », signés « Vincent ». Et que l'on peut prétendre, en effet, avec lui, qu'il n'était pas un tableau, pas un Van Gogh. Il était pire et plus.

Ne nous leurrons pas : l'exclusion de Van Gogh est irrémédiable, inguérissable. Les musées, les demeures bourgeoises, il n'y appartient pas davantage qu'aux hospices, aux asiles. Il sait échapper aux tombeaux.

« Il faut être mort plusieurs fois pour peindre ainsi », écrivait-il de Rembrandt, voulant dire qu'il faut, pour atteindre à un certain travail, avoir ressuscité, donc su naître vivant. Ce qui est interdit et tenu pour obscène.

Vivant. Parmi les dormeurs qui aiment, assoupis, entrouvrir un œil et révérer l'objet laissé par celui qui est mort, évacué, mais qui a su vivre malgré les interdits ; celui qui, désarmé, a su faire l'expérience de ce qui leur fait mal, assumer ce qui leur fait

16

peur, qu'ils jugent si voisin du stupre, et que leur long sommeil, du berceau à la tombe (ils l'appellent leur vie) leur permet d'oublier.

L'objet, déchet sacralisé de la vie d'un autre, d'une vie maudite alors, maintenant exorcisée, on en affronte le stupre présumé dont on se croit même par cela libéré ; libéré du désastre et de la jouissance. Et libéré du peintre « maîtrisé » dans tous les sens du terme. C'est ignorer la maîtrise de ce peintre, celle de l'homme déchaîné.

Le cri de Van Gogh est indépassable, dont les toiles sont le résidu. Les dormeurs supportent ces effigies ; ils n'entendent pas le cri. C'est une question d'oreille ! Ils croient voir les toiles ? Les toiles les regardent et ils sont transparents.

On a tôt fait avec ces figures de « Grands Hommes » ignorés de leur temps, comme Van Gogh, et si dédaigneusement, de ne plus voir en eux, devenus célèbres, mythiques après leur mort, qu'un nom, une œuvre, un destin. Il n'y a pas de « destin ». C'est chaque jour, à chaque heure, chaque minute et dans l'ignorance de la seconde suivante qu'ils ont vécu au sein de la banalité ambiante — et dans la détresse d'en être bannis ; bannis de ces structures tièdes, protectrices, mais refusées car elles ne supportent pas le danger de la connaissance — ni la fragilité de ceux qui vont, lucides, à ce danger et qui ont, pourtant, d'autant plus cruellement besoin de ces refuges interdits. C'est dans le vertige quotidien qu'ils ont vécu les affres du désir, la jubilation, ses intermittences, les valeurs oscillantes, les défaillances du talent, le malaise et la culpabilité de croire à soi, de ne pouvoir faire autrement, ce qui signifie assister à sa différence, l'assumer, mais non point avoir confiance en soi. Bien au contraire, c'est souvent partager avec les autres, éprouver plus que les autres le dégoût, l'inquiétude, le mépris qu'ils ont envers celui qui pourrait toujours, tel Proust, se désigner comme « Moi, l'étrange humain ».

Ils se débattent dans l'ignorance de ce que représentera leur nom, leur œuvre et dans l'horreur de vivre « ce destin » qui deviendra plus tard une anecdote, une rubrique d'encyclopédie ; ils se débattent piégés hors du piège où la société convie à ces exercices de la mort codés par les lois, seule forme d'existence

17

tolérée, qui oblitère la terreur de la différence et permet de glisser, anesthésié depuis toujours, vers la mort, au lieu d'y basculer vivant.

Van Gogh a travaillé « avec toute la gravité que puissent donner les efforts de pensée assidûment fixée pour chercher à faire aussi bien qu'on peut ». Il l'écrit, cela, avant de se suicider... A cette simplicité poignante, peut-on rien ajouter ? Oui. Il faut insister. Dire et redire que le travail de Van Gogh n'est pas un « triomphe » de l'humanité, mais un exemple superbe de sa défaite. De sa démission. Et de ses ruses. Car des hommes comme Rembrandt, Artaud, Hölderlin, Nerval, Pasolini, tant d'autres, et comme Van Gogh, ne sont pas des marginaux et n'ont pas créé malgré la société, mais délégués par elle, afin qu'ils mettent en pratique les interdits qui l'encerclent, afin qu'ils commettent, hors de ses crimes familiers, les actes criminels au regard des codes et qu'ils localisent dans des « œuvres », vite aseptisées par les médias, la malignité de ce qui, autour de ces zombis, demeure encore vif et menaçant. Et, dans ces « œuvres », la société, ses zombis pourront prétendre se reconnaître à leur degré véritable, qui serait l'exception.

Voici Van Gogh, débutant tardif, tout surpris de son ardente vocation : « Je sens en moi une force que je voudrais développer, un feu que je ne peux laisser éteindre, que je dois attiser, sans savoir à quel résultat j'aboutirai ; je ne serais nullement étonné si le résultat était triste. » C'est à la fin de l'année 1882.

En juillet 1890, après avoir « accompli » en huit ans l'œuvre que l'on sait, cet homme et non pas ce « génie », cet homme de chair, de sperme et de sang écrit dans cette dernière lettre, retrouvée par Théo dans la poche de son frère, tandis qu'il procédait à la toilette funéraire : « Eh bien mon travail à moi, j'y risque ma vie, et ma raison y a sombré à moitié. »

Mais sa vie, non, sa vie ne se résume pas entre ces deux phrases, elle ne se réduit pas à sa recherche, elle ne s'absorbe pas dans ses toiles. Il y a eu la peau de Van Gogh, les espoirs blessés, l'élan constant, le dynamisme inouï, l'érudition, les haltes rares dans l'apaisement, l'étude sans fin, les coercitions toujours ambivalentes, l'appel, les protestations, jamais l'abdication, même, et surtout, dans le dernier geste. Il y a eu le pas solitaire de Vincent dans sa chambre, dans des cellules, de Vincent sur les chemins, de Vincent parmi les blés ; il y a eu l'homme hanté, certes, mais il y a eu, au premier degré, celui qui attendait l'autre et d'accueillir tout bêtement... quiconque : « Tel a un grand foyer en son âme et personne ne vient jamais s'y chauffer... On sent des vides, là où pourraient être amitiés et hautes et sérieuses affections... et une marée de dégoût vous monte. Et puis on dit : " Jusqu'à quand, mon Dieu ! "... mais voilà, que faire, entretenir ce foyer là-dedans... attendre patiemment pourtant avec combien d'impatience, attendre l'heure, dis-je, où quiconque viendra s'y asseoir — demeurera là, qu'en sais-je ? »

Mais les chaises resteront vides, qu'il peindra à l'exemple de l'illustrateur anglais Fildes, dont l'impressionnait une gravure : *la Chaise vide de Dickens,* dessinée un jour que Fildes était venu rendre visite à l'écrivain, sans savoir celui-ci mort depuis la veille. « Des chaises vides, il y en a partout et il y en aura davantage encore. Des chaises vides seront abandonnées tôt ou tard. »

Chaise vide de Pa, venu lui rendre visite à Amsterdam et devant laquelle il se sent « malheureux comme un enfant » (il a vingt-cinq ans) après avoir vu son père s'éloigner en train.

Chaise vide : la sienne — ou bien serait-ce celle du premier Vincent, cette vacuité antérieure à sa propre naissance ? Derrière cette chaise-là, peinte au temps du séjour en Arles de Gauguin — et lorsqu'il devine et craint son départ imminent —, et au moment où il apprend les fiançailles de Théo, on peut observer une caisse remplie, sans doute, d'oignons. Une caisse qui ressemble singulièrement à un cercueil, un petit cercueil, un cercueil d'enfant ; et c'est sur cette caisse (ou sur ce cercueil ?) que le peintre a signé (ou inscrit ?) « Vincent ». Vincent ? Lequel ?

Fauteuil vide de Gauguin ; chaises demeurées vides d'une femme ou de ces peintres avec lesquels il eût tant désiré travailler en communauté ; chaise bientôt vide du facteur Roulin, son seul ami véritable. Etrange chaise de *la Berceuse,* ce tableau « incompréhensible » selon lui, où est assise une femme qui n'est pas une berceuse et qui ne berce rien. Il l'a peinte cinq fois, immobile, statique, sans rien qui vibre en elle, pas le

19

moindre rythme. Résignée. Ou intraitable? Avec une corde entre les doigts, sans berceau attaché à la corde — ou un double cordon ombilical (la corde part du ventre et forme un angle arrondi ouvert vers le bas, sur le haut duquel les mains sont posées à plat l'une sur l'autre) sans vie le prolongeant — énigmatique, absente en tant que berceuse. En somme, annulée.

Et puis, chaise demeurée vide de Théo — et de ce vide naîtront les lettres — mais bientôt vide même de l'image du frère, vide de sa disponibilité à ces lettres lorsqu'il sera marié. Théo, à qui d'Arles, en pleine fièvre de travail, Vincent écrit : « Je ne ferais rien de rien sans toi... ne nous montons pas le coup pour ce que nous produisons ainsi à nous deux mais prenons nos pipes de part et d'autre sans trop nous tourmenter jusqu'à la mélancolie de ne pas produire séparément et avec moins de douleur » pour, ensuite, de l'asile, constater : « maintenant que tu es marié, nous n'avons plus à vivre pour de grandes idées mais, crois-le, pour des petites seulement ».

Parfois, sur ces chaises, viendront s'asseoir les fous des asiles, les médecins. Des chaises vides, un chevalet garni.

Il ne faudrait pas oublier, cependant, le passage d'une femme Sien (ou Christin) à la voix laide, au corps chaud, au visage grêlé par la petite vérole, et que l'on s'accorde encore à réduire sous l'étiquette de « prostituée », prolongeant ainsi l'impression de scandale un peu folklorique provoqué par le seul couple véritable formé par Vincent, et qui demeure lié à la légende de celui-ci comme preuve de son originalité bohème, de son instabilité sociale, de son excentricité agressive, pitoyable ou sympathique, selon ; alors qu'il s'agissait tout simplement d'un homme et d'une femme qui s'étaient rencontrés.

Chaise de Sien, à La Haye, bientôt vide, après deux ans, de par les pressions de l'entourage de Sien comme de celui de Vincent ; de par la volonté de Théo, la trop faible insertion de Vincent et, sans doute, l'affolement de la femme ; d'ailleurs, c'est assise sur le sol que Sien pose nue, les seins flasques, enceinte d'un autre, repliée sur elle-même dans l'attitude grave, et comme vigoureuse d'une femme qui se pense, se résume, sur le dessin célèbre qui s'appelle *Sorrow*.

Sorrow... Chagrin, peine. La marque du destin? Non. Pas

selon Vincent. Il n'aimait pas le malheur. Même s'il y courait droit, en allant, sans trêve, au plus vif de lui-même ; en ne se pliant pas à ce qui fait dévier à la fois de la douleur et de l'exactitude : l'accommodement au modèle, à l'un des modèles d'avance donnés de soi.

Au contraire, sans arrogance, mais intrépide, il a cherché à s'atteindre lui-même, à parcourir, à découvrir les lieux véritables de son existence, cela par n'importe quel moyen ; le meilleur se trouva être la peinture (en fin de compte, seulement).

Ce qu'il y a d'exceptionnel à vivre ainsi, ce qu'il y a d'interdit à aller, désarmé, au pire : soi, il ne le comprendra que peu à peu, et peut-être jamais tout à fait, même acculé au désastre, tant lui paraît naturel de l'être, naturel de désirer, de refuser sans stratégie, sans compromis : « Un idéal de simplicité rend la vie plus difficile et celui qui l'a, cet idéal, il n'arrive, comme c'est mon cas, qu'à ne pas pouvoir faire ce qu'il veut », remarque-t-il, étonné, ignorant (ou bien indifférent au fait) que la simplicité de la vie, sa gratuité dénoncées, c'en est fini des minauderies, des édifices, des marchés qui fondent nos civilisations. Lesquelles, pour se défendre de ces hurluberlus funestes qui les menacent, ont des pièges bien rodés où sont venus se fracasser avant d'être embaumés, déifiés, rendus enfin utiles, un nombre dérisoire mais un nombre terrible de ces êtres distraits. « Gérard de Nerval, Edgar Poe, Baudelaire, Lautréamont, Nietzsche, Arthur Rimbaud ne sont pas morts de rage, de maladie, de désespoir ou de misère, ils sont morts parce qu'on a voulu les tuer », affirmait Antonin Artaud, qui aurait pu, à cette liste s'ajouter lui-même et ajouter Vincent.

Vincent qui, un an avant de se tuer, écrit de l'hospice d'Arles, où il est interné, à sa sœur Wilhelmine : « Il est fort probable que j'aie encore beaucoup à souffrir. Et cela ne me va pas du tout à vrai te dire, car dans aucun cas je désirerais une carrière de martyr. Car toujours j'ai cherché autre chose que l'héroïsme que je n'ai pas, que certes j'admire dans d'autres, mais que je te le répète, je ne crois *pas* être mon devoir ou mon idéal. »

Il lui décrit d'ailleurs les tableaux qu'il vient de peindre dans et de cet hospice même où il est interné : « L'un, une salle, une très longue salle, avec des rangées de lits blancs... Et, comme

21

pendant, la cour intérieure. C'est une galerie à arcades... et sous la galerie, des orangers et des lauriers-roses... C'est donc un tableau tout plein de fleurs et de verdure printanière. Trois troncs d'arbres noirs et tristes cependant la traversent comme des serpents. » (Il y aurait long à dire sur ce trio sinistre !)

Jamais il n'arrêtera de peindre ; tout le sert : tout et tous deviennent modèles, les gardiens, les malades, les médecins, les salles grillagées dont il omettra les grillages, les paysages — et surtout un faucheur — aperçus à travers les barreaux de sa cellule ; il omettra les barreaux. « Je trouve ça drôle, moi, que j'ai vue ainsi à travers les barreaux de fer d'un cabanon. »

Ce faucheur, il veut le peindre « en plein soufre », comme peignait Monticelli. « Un petit faucheur, un champ de blé jaune et un soleil jaune. Ça n'y est pas et pourtant j'ai encore attaqué cette diable de question de jaune. » Cette question du jaune — celle des tournesols aussi — liée à Monticelli, au premier Vincent, à la mort. La mort, traitée par un ressuscité. Soleil !

Cette toile commencée en juillet 1889, interrompue par une crise due, sans nul doute, à l'annonce de la grossesse de Jo, mariée à Théo (la naissance est pour février, date de la prochaine crise), il la reprend, une fois encore remis, et l'annonce ainsi : « L'étude est toute jaune, terriblement empâtée, mais le motif était beau et simple. J'y vis alors dans ce faucheur — vague figure qui lutte comme un diable... l'opposition de ce semeur que j'avais essayé auparavant. » Et c'est une frénésie solaire où les jaunes confondus, perdus les uns dans les autres font de l'ensemble une éblouissante disparition. Le faucheur jaune, comme liquéfié dans l'embrasement jaune, apparaît à peine, indéterminé, tel un souvenir ou un projet qui tente de se dessiner, aussitôt happé, mêlé à la fusion générale, à cet or triomphal plus engloutissant que ne seraient les ténèbres.

« Ouf — le faucheur est terminé », écrit bientôt Van Gogh. « C'est une image de la mort telle que nous en parle le grand livre de la nature... Eh bien », poursuit-il quelques lignes plus loin, d'ailleurs inconscient du lien entre les deux phrases, dans cette même lettre à Théo, le traître, le Semeur auquel s'oppose le Faucheur, « eh bien, tu sais ce que j'espère, c'est que ta famille soit pour toi ce qu'est pour moi la nature ». Et ce vœu funeste ne s'arrête pas au trio futur, au couple qui insiste malgré les protestations véhémentes de leur frère, pour nommer Vincent Wilhelm Van Gogh cet enfant à venir et remettre en circulation, réincarner cette histoire démentielle qui exclut, qui annule Vincent le second, comme il lui a semblé avoir lui-même éliminé le premier. Non, ce vœu, il l'adresse aussi à sa mère : « J'ai bien pensé de faire le faucheur encore une fois pour la mère car je crois qu'elle comprendrait. »

Elle, la seule à se souvenir consciemment du décès d'un premier Vincent ; à connaître le remord de n'avoir su le faire vivre et, peut-être, d'en avoir fait naître un autre, exterminateur définitif du premier. Il faut savoir que Moe (Vincent et Théo appelaient ainsi leur mère), plus âgée de trois ans que son mari, s'était mariée à trente-deux ans et que cette naissance tragique, alors qu'elle était « mère » pour la première fois à trente-trois ans, avait dû être un choc irrémissible pour elle et pour Pa.

Elle comprendrait donc le faucheur et ses jaunes torrides. Ce faucheur qui lutte « comme un diable » et contre lequel elle a dû lutter, elle aussi, et lutte peut-être encore. Ce mort, en plein soleil. Ce soleil mort-vivant.

Ce mort inéluctable enfin représenté surgi dans la fournaise jaune, confondu avec la masse incandescente du ciel, du soleil et des blés, et supprimant d'un geste déterminé, puissamment désinvolte, ce dont il est partie intégrante. Faucheur non plus scellé sous la pierre d'un tombeau.

Autrefois, presque au début de cette histoire (très brève, il faut s'en souvenir, et que son intensité, ses itinéraires incroyablement chargés d'inventions, d'événements, de sensations déchaînés semblent dilater dans le temps), autrefois, alors que Vincent espérait devenir pasteur et ne songeait pas à être peintre, il s'était souvenu, en Angleterre, d'avoir été impressionné à Paris, lorsqu'il vendait encore des tableaux, par le pasteur Bersier qui s'était écrié au cours d'un sermon : « Qui nous délivrera du cadavre de ce mort » d'une voix « qui fit, je crois frissonner toute l'église », et cela faisait écho à la voix d'un autre pasteur qui avait, lui aussi, prononcé « qui nous délivrera de ce cadavre ». Cette voix, c'était celle de Pa « dans un sermon (quand j'étais chez nous en avril), mais Pa le disait sur un ton

23

plus doux, d'autant plus pénétrant, et il a ajouté — son visage était celui d'un ange — " Les bienheureux là-haut disent : ce que vous êtes maintenant je l'étais avant tout ceci ; et ce que je suis, vous le serez un jour " ».

On devine *qui* Vincent entendait à travers la voix d'un père devenu ange, identifié au premier Vincent. Un ange discrètement inexorable et qui ne se gêne pas pour promettre à ceux qui ont pris sa place qu'ils ne perdent rien à attendre ! Ni pour user de « l'organe » de son père et y faire passer sur un ton benoît ses messages angéliques et rusés.

Il n'est donc pas téméraire de penser que Moe, du moins dans les fantasmes de son fils Vincent l'imposteur, avait non seulement empêché la naissance du premier Vincent, raté sa vie, permis sa mort, mais, qu'en lui substituant un autre enfant le jour anniversaire de sa naissance (qui était aussi celui de sa mort), en laissant l'autre accaparer jusqu'à son nom, elle avait privé de repos le petit cadavre ni né, ni mort, ni vivant, sans cesse ressuscité, gobé, lâché par son successeur et ne parvenant même pas au statut de « disparu » : constamment réveillé par le frère intrus qui surveillera le mort, lui-même guetté par le revenant. A moins que le frère vivant ne devienne le revenant lui-même, prédateur sans frein.

Une bien lourde histoire, insoutenable. Et si fatigante. Vincent, dans sa lassitude souhaite envoyer ces vœux de mort aux autres protagonistes, les témoins, les accusateurs, les complices, qu'il voudrait aider le faucheur à faucher !

On imagine aussi l'euphorie timide du peintre, son espoir furtif devant ce jaune bouleversant, cet or plus qu'or, cette lumière plus que lumière, lorsqu'il voit sa vie si troublée produire un tel éblouissement : « Peut-être m'arrivera-t-il une chose comme celle dont parle Eug. Delacroix (qui disait) : " J'ai trouvé la peinture quand je n'avais plus ni dent ni souffle ". »

Et cet espoir encore, celui d'un regret possible, l'espoir d'un temps où la vie reprendrait ses espaces normaux : où Saint-Rémy, l'asile concentrationnaire, semblerait n'avoir été qu'une épreuve, une étape, et ce faucheur le souvenir doux et vieilli d'une période insolite mais, en somme, favorable, dont il aura la nostalgie : « Et moi je me vois d'avance le jour où j'aurai quelque succès regretter ma solitude et mon navrement d'ici, lorsque je vis à travers les barreaux de fer du cabanon, le faucheur dans le champ en bas. »

Ce jour ne viendra pas. L'année suivante, en juillet, un an après la crise due à l'annonce d'un troisième Vincent — le second se donnera la mort, évincé.

Le succès ? Il sera pour les marchands, les institutions, les investisseurs. Et, il faut bien le dire, pour Jo, pour Vincent III. Quant à Vincent, Théo, ils en auront fini de lutter comme le faucheur ou le premier Vincent.

A Saint-Rémy, on visitera ces lieux carcéraux où le peintre, abandonné, avait « choisi » de se faire enfermer au moment du mariage de Théo qui, en fait, ne lui laisse aucune autre solution. Ces lieux-là, Vincent les décrit dans sa première lettre adressée à Jo, la nouvelle belle-sœur : « Quoique continuellement on entend ici des cris et hurlements terribles comme des bêtes dans une ménagerie... Il se pourrait bien que je reste ici assez longtemps, jamais j'ai été si tranquille qu'ici et à l'hospice d'Arles pour pouvoir peindre un peu. »

L'imagine-t-on, pourtant, lucide, *trop* lucide, *trop* productif, *trop* vivant et, surtout, *innocent,* pénétrant devant le révérend Salles, son ami, son correspondant auprès de Théo ou des administrations, dans ces salles où désormais il allait mêler ses membres, sa vue, son ouïe et chacune de ses heures, chacun de ses pas, de ses trajets, à ceux d'indigents (il en était un) délirants, mis sous garde, séquestrés jour et nuit : « Il est resté avec moi jusqu'à ce que je parte et quand j'ai pris congé de lui, il m'a remercié chaleureusement et a eu l'air quelque peu ému en pensant à la nouvelle vie qu'il allait mener dans cette maison. » Cette lettre du révérend Salles, c'est Jo qui la cite, attendrie, dans les souvenirs qu'elle écrivit sur Vincent, le beau-frère fou, parasite, devenu monument ; elle évite bien d'autres citations possibles et qui accusent cruellement le nouveau couple. Mais Jo se souvient d'une suite : de la dernière promenade en été, au soleil, à Auvers, en juin 1890 ; Vincent avait quitté Saint-Rémy quelques semaines plus tôt : « Nous avons déjeuné en plein air et après le déjeuner nous avons fait une longue promenade. La journée était si paisible, tranquille, si heureuse, que personne n'aurait pu soupçonner combien tragiquement, quelques semaines plus tard, notre bonheur allait être détruit à jamais[1]. »

Ils étaient quatre promeneurs ce jour-là : Théo, le Semeur, auquel s'opposait le Faucheur. Jo, l'opposition à cette Berceuse qui n'avait rien à bercer ; à cette Moe qui, pourtant, espérait, peut-être, par elle, Jo, être exorcisée ; car Jo, Vincent le répétera souvent, était « le désir de la mère », de cette mère qui rajeunissait à soixante-dix ans, comme se repaissant des angoisses de son fils, le double malvenu, et du rétablissement, qu'elle ne devinait pas précaire, d'une généalogie perturbée. Et puis les deux Vincent. Le peintre, qui vient d'initier son petit homonyme aux joies de la campagne et de la vie animale, mais qui écrira quelques jours plus tard : « Puisque vous avez bien voulu le nommer après moi, je désirerais qu'il eût l'âme moins inquiète que la mienne, qui sombre. » Et le quatrième, en ce jour lumineux : le petit Vincent tout neuf, le nouvel usurpateur, le vengeur si longtemps redouté, incarné cette fois — mais innocent.

Tout est innocence dans cette affaire-là ! Sauf, peut-être... mais un rien, moins que rien : un souffle ! Le signe qu'ici, quelqu'un, et plus d'un, peut-être, se savait vivant. Vincent ignorait-il que, pour éviter « l'héroïsme et le martyre », mieux eût valu ne pas écrire et, surtout, ne pas mettre en pratique : « Il s'agit de souffler de son souffle tant qu'on en a le souffle » ? Ignorait-il que pour être épargné, il s'agit de dormir, presque sans respirer ?

---

1. *Verzamelde Brieven*, Amsterdam, 1973.

« La plupart sont endormis et préfèrent ne pas être réveillés. Il faut bien que ces dormeurs puissent continuer à dormir et se reposer... Voici ce que je pense de toi : tout compte fait, tu es réveillé. Tu ne dors pas », écrit Vincent à Théo.

C'est vrai. Théo veille aussi, et chacun d'eux, pour leur perte (ou bien, au contraire, payant le prix voulu pour réduire au mieux la perte qu'est, en somme, la vie), tiendra l'autre en état d'alerte. « Dans la peinture on risque fort de sombrer. Etre peintre équivaut en quelque sorte à être une sentinelle perdue », remarque Vincent. Et Théo deviendra la sentinelle, parfois défaillante, de cette « sentinelle perdue ».

Guetteurs vigilants, tous deux, qui, de cette affaire de mort, d'engendrement, de naissance ont, dès l'enfance, une expérience, une connaissance d'autant plus aiguë qu'ils n'en sont pas conscients ; ils ne le sont pas, en tout cas, des faits qui sous-tendent leur périlleux souvenir.

Qui a tué Vincent ? Mais n'est-ce rien que de se trouver, dès la naissance, mort symboliquement ? De porter le nom d'une survivance suspecte, scandant une disparition ? De ponctuer, de prolonger un drame le jour anniversaire de ce drame ; de sembler, en naissant, commémorer une mort, narguer un mort, et participer à une sorte de crime dont on sera toujours la trace et l'écho ?

N'est-ce rien de naître comme le substitut gaffeur d'un enfant décédé, qui est votre homonyme et ne fut jamais qu'un défunt — sauf à devenir ange, un ange bien inquiétant. N'est-ce rien d'avoir à représenter d'emblée cette absence d'un autre, à colmater un deuil et parodier une résurrection ? N'est-ce rien de

27

savoir que l'on n'est rien que le remplaçant de cadavres, que des cadavres futurs viendront remplacer ? Ou même, mieux que de le savoir, d'en avoir fait d'emblée l'expérience !

N'est-ce rien que cette naissance intempestive et sacrilège, escamotée par un mort, au point qu'à peine né Vincent fut un intrus, une présence erronée et que, pour exister, il dut sans jamais défaillir (mais il défaillait) tenter à nouveau sa naissance.

Quelle lutte aussitôt s'annonce pour combattre l'ombre de l'autre, pour écarter l'accusation de forfaiture, pour ne pas devenir le double d'un fantôme. Et comme il fut nécessaire, cet autre frère, comme on comprend la joie du jeune Vincent lorsqu'il revient d'Angleterre en Hollande et qu'il peut écrire à Théo : « C'est pour moi, certains jours, une chose merveilleuse que de me dire que nous avons de nouveau la même terre sous les pieds, que nous parlons la même langue. »

Ce frère, lui aussi menacé, mais à moindre degré, à plus de distance ; il a quatre ans de moins que Vincent (cinq ans de moins que le premier Vincent), entre eux deux est née une fille, Anna, d'autres frères, d'autres sœurs vont naître : il y aura six enfants dans la famille Van Gogh. Théo, néanmoins, sera atteint par la présence du premier-né (et mort) lorsque Vincent, l'ayant choisi pour frère « au double sens du mot », tiendra lui-même le rôle de revenant ou, pire, lorsqu'il fera tant et si bien que Théo devra incarner ce rôle, et cela si nettement et si longtemps que, pour s'en libérer, lorsqu'il trouvera une femme, Théo, même devant les tortures de son frère, sa folie, l'exaspération de leur jeu dramatique, espérera endiguer les menaces, en finir de la malédiction, des fantasmes, qui le réduisent souvent au rôle de fœtus ou de cadavre : « Moi qui ai souvent la bouche close et dont la tête est souvent vide », écrira-t-il à Vincent, tout à fait vers la fin, pour lui annoncer, comme se déliant d'un pacte, qu'à travers sa femme Jo, sa parole va germer « pour que je puisse devenir au moins un homme » — ce qui déchaînera la tragédie latente.

Etrange relation ! Deux êtres étroitement jumelés, mais en fonction d'un troisième toujours tu, absent. Un couple véritable ! Parqué sous le regard d'un tiers, victime implacable qui s'impose palpable, monumental, sanctifié, incrusté dans le paysage familier où le regard, le pied de l'usurpateur peuvent, quotidiennement, buter contre la tombe fraîche ornée de son propre nom, de chiffres presque siens et qui le dénoncent comme une erreur errante, survivant incertain.

Devant cet autre, Vincent chancellera : « Jamais sur un passé tant vermoulu et ébranlé je ne pourrai bâtir un édifice prédominant » ; il tentera de se défendre : « Ce qu'il faut éviter, c'est de se laisser traiter comme si l'on était mort, hors la loi. »

Mais toujours dans la terreur de devenir « un boulet, une charge... un intrus. De sorte qu'il vaudrait mieux que je n'existe pas. Savoir que je devrai m'effacer de plus en plus devant les autres... Si cela était je préférerais ne pas m'attarder trop dans ce monde ». La vie possible (ou impossible), dont il imagine dans l'épouvante qu'elle pourrait advenir, advint. Cette lettre du 15 octobre 1879, Vincent aurait pu l'écrire onze ans plus tard, en juillet 1890, avant de se tuer.

Pourtant, six années durant, il a été ce jeune homme, heureux de vendre des œuvres d'art, d'abord à La Haye, chez Goupil & Cº. Un jeune homme qui envoie aux siens, comme cadeaux d'anniversaire ou pour les fêtes, les reproductions des tableaux, des gravures qui lui plaisent et qui sont joyeusement reçues. Dans cette famille calviniste, puritaine et conformiste, on a pourtant traditionnellement une certaine intimité, de l'affection pour les livres (édifiants), les œuvres d'art, les poèmes. Un ancêtre, sculpteur, avait fait fortune à Paris au XVIIIᵉ siècle ; il s'appelait... Vincent ! Parmi ses oncles, Vincent compte deux marchands de tableaux, un libraire devenu peintre, un vice-amiral et un percepteur du gouvernement.

A La Haye, en 1872, il n'est pas un employé ordinaire chez Goupil & Cº, dont le papier à lettres a pour en-tête :

ESTAMPES ET TABLEAUX MODERNES.

Ancienne maison **VINCENT VAN GOGH.**

Fournisseur des Cabinets de LL. MM. le Roi et la Reine.

Plaats nº. 14 à la Haye.

GOUPIL & Cⁱᵉ. Successeurs.

29

Encore un « ancien » Vincent Van Gogh ! Déjà lié à la peinture moderne — à la langue française aussi — et de façon bien prometteuse : fournisseur d'une reine et d'un roi ! Et, surtout, une « maison Vincent Van Gogh » ; peut-être celle-là même qu'il tentera de reconstituer en Arles, et qui devait non plus abriter des œuvres achevées à vendre, mais les travaux en cours de peintres vivant en communauté, dont le « chef » serait Gauguin : cette « maison jaune », qu'il décorera avec tant d'amour et qui ne fut que l'antichambre des cellules où il serait ligoté.

Goupil & Cº ne sont que de vulgaires successeurs de l'oncle Vincent, qui leur a cédé son affaire prospère pour des raisons de santé.

L'oncle Vincent ? Eh bien, l'oncle Vincent avait un frère nommé Théo ! Et Théo n'était rien moins que le père de... Vincent et Théo ! Ce père, cet oncle (ce Vincent, ce Théo) s'aimaient tant (déjà) qu'ils avaient épousé (eux) deux sœurs. Leur histoire d'amour avait suivi un cours paisible et acceptable. Cependant, Théo avait du s'y prendre à deux fois pour produire un Vincent. Il est vrai aussi qu'existait encore un autre Vincent, plus difficile à reproduire, celui-là, imposant, très officiel : l'aïeul, Vincent Van Gogh, pasteur notoire, brillant autant que son fils demeurera modeste (et si son petit-fils Vincent avait réussi à devenir pasteur comme son grand-père et comme son père, on aurait retrouvé, inversé, le couple de frères Théo, Vincent, pasteur et marchand de tableaux ! On pourrait long-temps épiloguer ainsi, sur ce ballet des Vincent, des Théo).

L'oncle Vincent, riche marchand de tableaux, grand collec-tionneur, et qui partageait son temps, depuis sa retraite précoce, entre sa somptueuse demeure de Princehage, près de Zundert, et la douceur de Menton, demeurera toujours très proche de son frère, pasteur peu doué, orateur malhabile (malgré l'effet produit sur son fils) et qui n'obtiendra jamais que d'humbles cures dans de minuscules villages, ce qui ne l'aidera guère à élever six enfants.

L'oncle, lui, n'a pas d'enfant. Et tout porte à croire que si la biographie de son neveu avait suivi son cours normal (c'est-à-dire si nous ignorions tout de cette biographie), l'oncle Cent, comme on le surnommait, aurait légué sa fortune, ses collections à son homonyme, fils d'un frère pour lui si précieux. Il n'en fut rien. Si ces deux Vincent-là éprouvèrent d'abord une affection réciproque, le plus jeune choqua bien vite l'autre, qui le laissa tomber.

C'est Théo qui, fidèle toute sa vie à la firme, deviendra l'héritier présomptif. Si, en 1878, Pa et Moe se désolent à propos de Vincent, qui tente d'étudier la théologie à Amsterdam ; si Pa gémit dans une lettre à Théo : « Les soucis à propos de Vincent pèsent oh ! si lourds. Il me semble pouvoir prévoir la prochaine bombe qui va éclater ! » et si Moe ajoute : « Quel espoir y a-t-il de le voir gagner sa vie et conserver sa respectabilité, ce qui signifie la nôtre, à nous tous, aussi bien ? » — ils chantent, par contre, émerveillés, presque intimidés, les louanges de Théo qui vient d'être promu à Paris. « Demeure notre couronne ! » supplient-ils. Et de poursuivre sur le ton complice des familles bourgeoises : « Très bonnes nouvelles de Menton. Oncle sera intéressé, qui sait où cela pourra mener ? » Et, plus tard : « Oncle Cent est décidément extrêmement intéressé par toi. Jusqu'à un certain point il a mis tous ses espoirs en toi. » Enfin, après une lettre de Théo à l'oncle et une conversation à son sujet entre Pa, Moe, l'oncle Cent et sa femme (deux frères et deux sœurs) : « Je peux t'assurer que l'oncle t'a bien en tête et garde les yeux sur toi. Il répète : qu'il devienne très efficace et qui sait ce que l'avenir lui prépare ? »

Qui sait ? Eh bien, oncle Cent mourra dix ans après cette conversation, en 1888 ; deux ans avant ses neveux ! Et Théo, devenu « très efficace », héritera... une très petite somme d'argent qu'il décidera d'employer moitié pour Vincent, moitié... pour Gauguin. C'est, en effet, ce modeste patrimoine qui lui permettra de financer l'entretien et le fameux séjour (abrégé) de Gauguin en Arles !

Mais Vincent est encore employé chez Goupil en 1875, et les relations de l'oncle et du neveu sont toujours amènes, lorsqu'à la suite d'une visite de son homonyme à la galerie (dont il est demeuré l'associé), Vincent déclare le trouver « extrêmement subtil » et décèle soudain dans son vieux parent un « autre ». Pauvre oncle Cent ! Lui qui aime à déclarer : « Il se peut que

31

j'ignore le surnaturel, mais les choses naturelles je les connais toutes ! » (ce qui laisse rêveur quant à la subtilité définie par Vincent !), il ne se doute guère être transformé dans les rêves éveillés de son neveu en sanctuaire d'une ombre bien surnaturelle.

Vincent n'a qu'une hâte : faire part de sa découverte à Théo, lui révéler *qui* est oncle Cent. Il lui faut pour cela recourir à Sainte-Beuve, qu'il cite : « Il est dans la plupart des hommes/ Un poète jeune à qui l'homme survit », et à Musset : « Sachez qu'en nous, il existe souvent/Un poète endormi, toujours jeune et vivant. » C'est tout à fait cela « le cas d'oncle Cent », et Vincent de conclure : « Maintenant, tu sais à qui tu as à faire ! » Mais de qui parle-t-il ? De l'oncle Vincent ? De lui-même ? Ou bien d'un Vincent mort jeune, poète endormi, toujours vivant, à qui l'on survit ? De ce Vincent qui habite, qui possède les Vincent survivants ? Du Vincent qui hante les Vincent ?

« Tu sais maintenant à qui tu as à faire ! » Théo est averti. Dans sa relation aux Vincent, et surtout à son frère, il n'aura devant lui, le plus souvent, que le tabernacle d'un autre — Ange ou Poète ou Faucheur... ou Monticelli !

Et c'est à Londres où l'envoient Goupil & Cº que Vincent, tourmenté, excédé par ses fantasmes, va basculer un temps dans des structures religieuses qui encadreront ses obsessions, les traduiront dans le langage préétabli d'un culte, lui offriront une méthode, une routine qui lui permettront de se laisser envahir par ses hantises sans plus avoir à y penser, tant elles seront dépassées par le dogme, masquées par la dévotion, sublimées dans l'idiome même du refoulé. Ce qu'on appelle la crise mystique de Vincent, c'est davantage le glissement de ses tendances visionnaires vers des écrans préfabriqués, vers la religiosité plus que vers la religion. La mystique, elle, traversera ce temps de l'assoupissement de trouées fulgurantes, par où passera de nouveau la voix de Vincent, à travers les citations qu'il fera de la Bible, lesquelles traduiront ses véritables émotions, ailleurs enfouies sous des formules pieuses qu'il emploie à tout propos, avec un empressement, une rapidité mécanique, comme inquiet de laisser s'installer le moindre intervalle où il pourrait penser, parler vraiment.

C'est à Londres et sur Pa (demeuré en Hollande) qu'il va symboliquement transférer sa terreur, son désir du frère mort, et le manque de la mère, de la mère manquée — berceuse pétrifiée. C'est vers Pa qu'il va s'élancer pour trouver un refuge, Pa, qui porte le nom d'un frère, Théo, et sur qui il va brancher déjà son désir de fusion, son narcissisme étrangement nécrophile, et puis, très naturellement, son désarroi quant à l'avenir, une fois effondré son personnage social jusque-là bien inséré.

Car Vincent est entré dans le commerce dès l'âge de seize ans ; il a vingt ans à peine lorsque Goupil & Cᵒ l'envoient à Londres. Un avancement, la promotion d'un employé modèle, passionné par son métier et protégé par son oncle Vincent Van Gogh dont l'influence demeure.

Mais c'est la dérive, soudaine. Le jeune Van Gogh est saisi par de sombres mirages. On a coutume d'attribuer cette « crise mystique » de Vincent à un désespoir amoureux : la fille de sa logeuse, à Londres, l'avait repoussé. Amoureux silencieux depuis des mois avant de la demander en mariage, il s'était déclaré, plein d'espoir, de certitude même, fort de ses rêveries au cours de promenades solitaires dans Londres et dans la campagne environnante, qu'il adorait. Mais Ursula (comme elle fut longtemps nommée) s'était prétendue fiancée déjà, et secrètement, à quelque ancien pensionnaire de sa mère. Aimer Vincent ? Il n'en était pas question ; quant à l'épouser, encore moins, cela va de soi !

Il ne la mentionne jamais dans ses lettres à Théo, ni rien de cette aventure décevante. Tout au plus manifeste-t-il un engouement, qui va jusqu'à l'enthousiasme, pour sa chambre, les rues, les Anglais « à quelques exceptions près maigres et tristes », et se passionne-t-il plus que jamais pour les expositions, les musées. Canoter sur la Tamise ! Un événement ! Le mot « magnifique » éclate de page en page et son dynamisme professionnel s'accroît même si « l'affaire est moins excitante qu'à La Haye ». Quel bonheur d'avoir « déjà écoulé une vingtaine d'épreuves d'artistes de la *Vénus Anadyomène* d'après Ingres » et c'est « un vrai plaisir de voir comment s'écoulent les photographies surtout colorées ; il y a un joli bénéfice à faire là-dessus ». Certes, le contraste est évident avec la suite de la correspondance, qui, après le mystérieux désastre sentimental, tournera autour de thèmes du genre : « Qui nous soulèvera la pierre du tombeau ? »

Comment Vincent fait-il allusion à l'amour, au temps des rêveries euphoriques ? Oh ! Il se borne à mentionner Michelet ; il enjoint impérieusement son frère de le lire — comme il lui enjoindra non moins impérieusement de jeter tous ses livres, surtout ceux de Michelet ! lorsqu'arrivera la crise.

De Michelet, un ouvrage le fascine, surtout : *L'Amour,* bien sûr ! Comme Proust, il est surtout bouleversé par les pages sur « la femme fanée » et cite à tout bout de champ : « Il n'y a pas de vieille femme. » Un type d'amour auquel il sera fidèle.

Mais Ursula ? Elle a dix-neuf ans ? Oui. Mais elle ne s'appelle pas Ursula. Ursula ? c'est le nom de Mme Loyer, sa mère, veuve d'un français, professeur de langues. La jeune fille, elle, se nomme Eugénie. Jusqu'en 1978, la tradition n'a transmis que le nom d'Ursula et d'Ursula aimée. Hasard, ce lapsus ? Sans doute non. Question de voix plutôt. L'accent, l'intonation de Vincent indiquait celle des deux sur qui portait l'intensité, même si la voix contredisait l'énoncé ; même s'il croyait lui-même au sens de son récit, version classique du prétendant au mariage repoussé.

Quelle fut cette histoire confuse ? Et quelle part Vincent a-t-il raconté à sa famille pour que le nom d'Ursula Loyer l'emporte sur celui d'Eugénie et l'efface ?

Des années plus tard, lors de sa passion malheureuse pour sa cousine Kee Voss, Vincent, évoquant un mystérieux et malheureux amour de jeunesse (qui ne saurait être que l'épisode de Londres), confiera à Théo : « Quand j'étais plus jeune, je me suis imaginé un jour que j'aimais d'un œil, mais j'aimais réellement de l'autre. Résultat : des années et des années d'humiliation. Une expérience amère m'autorise à dire : Je parle comme un homme vaincu ; je l'ai appris à mes dépens. »

Ursula. Eugénie. Le jeune pensionnaire du 87 Hackford Road a-t-il préféré l'une ou l'autre ? Ou bien, très simplement, était-il comblé par la présence combinée des deux ? « Je suis plus heureux que jamais. Je n'ai jamais vu ni rêvé rien qui approche

34

cet amour entre elle et sa mère. Aime-la pour moi », écrit-il à sa sœur Wilhelmine.

Eugénie aimait-elle Ursula de la part de Vincent ? Quelles scènes ambiguës on peut imaginer, quelles innombrables hypothèses ! et quels élans refoulés ou bien, au contraire, assouvis dans le trouble, la transgression ! Quels silences autour de quels malentendus, quels appels clandestins ? Qui rêvait ? Qui espérait ? Quels étaient les corps qui se frôlaient ou s'évitaient ? Les voix qui tremblaient ? Quelles oreilles à l'affût ? Quels cris furent tus, quels murmures osés ? Quels plaisirs, quels chagrins furent avoués ou contrôlés, souvenus, et par qui ?

Eugénie, Ursula. Cinq ans plus tard à Amsterdam l'oncle Cor, autre grand marchand de tableaux, demande à Vincent (c'est trois ans avant la rencontre avec Sien) s'il ne trouve pas « très belle la *Phryné* de Jérôme ». Vincent répond qu'il préfère « de beaucoup une femme laide par Israëls ou par Millet, ou une petite vieille d'Ed. Frère. Car que signifie, à proprement parler, un beau corps comme celui de cette Phryné ? Un beau corps, les animaux l'ont aussi ».

Interloqué par la réaction de ce neveu de vingt-cinq ans, l'oncle insiste : n'éprouverait-il « aucun sentiment pour une femme ou pour une jeune fille qui serait jolie ; j'ai dit que j'aurais plus de sentiment, que je préférerais avoir affaire avec une qui est laide, ou vieille, ou pauvre, ou qui serait malheureuse de l'une ou l'autre façon. Une à qui l'expérience de la vie ou les chagrins auraient donné la raison et une âme ». Cornelis Van Gogh doit être plus dérouté encore lorsque Vincent ajoute, toujours un peu sentencieux : « Beaucoup plus grande encore est la différence entre une aussi jolie fille et un homme comme ceux que peignait Meissonier et, moins encore que l'on peut servir deux maîtres à la fois, on ne peut aimer des choses aussi différentes. »

Pas si simples les goûts, les pulsions de ce neveu-là. Mais s'il ne les analysait pas, du moins les cernait-il avec une certaine précision. Et guère simple, non plus, l'histoire du 87 Hackford Road ! Mme Loyer fut-elle attirée par son jeune locataire qui méconnut ce désir et le regretta par la suite ? Y a-t-il du dépit ou du regret dans les choix exposés à l'oncle Cor. Ou bien Moe,

35

secrète, célée, déchue sous l'aspect de l'épouse enjouée d'un pasteur, cette Moe distante et complice, silencieuse quant au crime, dangereuse, cette Moe qu'il faudra conjurer auprès d'autres femmes fanées (Kee a perdu un enfant âgé et elle a un fils vivant lorsque Vincent tombe amoureux d'elle ; Sien, avant la fille vivante et le garçon dont elle est enceinte lorsqu'elle rencontre Vincent, a eu deux enfants morts presque à la naissance) mais surtout auprès des figures masculines, capables, elles, d'être maternelles ; qui ne donnent ni la mort ni la vie et qui cacheront Moe jusqu'à ce que... mais n'anticipons pas.

Eugénie Loyer, elle, s'est mariée cinq ans après le départ de Vincent, l'année même où celui-ci se rappelait avoir aimé du mauvais œil ! Son mari ? Un ingénieur, Samuel Plowman. Une photographie la montre, assise dans son jardin, très victorienne, d'un bon genre affecté ; petit canotier sévère, cheveux tirés, guimpe montante ; elle boit, raide et digne, une tasse de thé, entourée d'une famille nombreuse et, seule assise, parmi son mari, ses enfants, elle semble résumer et régir leur respectabilité. On imagine difficilement Vincent dans les parages (ou elle près de Vincent !).

Au cours des deux passions malheureuses qui le marqueront tant, les deux femmes en question, Eugénie (si l'on s'en tient à la version officielle) et Kee, furent convoitées d'abord en silence ; il se les est appropriées dans ses rêveries bien avant de leur confier ses sentiments. Il n'acceptera pas leur refus, qu'il tiendra dans les deux cas pour une sorte de lapsus mais, surtout, dans les deux cas, ces femmes prendront prétexte d'un lien antérieur, fiançailles d'Eugénie, fidélité de Kee à l'époux défunt, pour refuser Vincent. Ainsi, même lorsqu'il désirera une femme, un prédécesseur sera déjà intervenu (et mort dans l'histoire de Kee) ; Vincent redeviendra l'usurpateur, mais cette fois virtuel et qui rate son coup. Il sera chaque fois vaincu par un rival qui l'aura pris de vitesse, et par un rival secret ou mort ; inapparent. Il demeurera encore et toujours le second, ce qui signifiera là n'être rien.

Toujours est-il qu'à Londres la dépression due à cet amour malheureux va dévaloriser les autres éléments affectifs ou sociaux, seuls barrages à ses obsessions, et va supprimer ou, du moins, rendre inaccessible l'objet de pulsions sexuelles définies. Hantises, fantasmes vont alors déferler. Et ce sont les longues lettres où sa détresse filtre à travers les discours parfois sentencieux, les admonestations à Théo, les conseils dévots. Il semble, Vincent, vouloir se convaincre lui-même comme lorsque, plus tard, devenu un temps prédicateur, il copiera cet hymne qui s'achève à chaque strophe par *I am not afraid*, « Je n'ai pas peur [1] », et qui donne la mesure de ce qu'il tente d'écarter.

Sous une gravure offerte par Théo, il inscrit : « Prends le joug que je porte. Si quelqu'un veut venir à moi, qu'il renonce à lui-même, qu'il porte sa croix et me suive. Au royaume du ciel, on ne prend point femme, on ne prend point mari, on ne s'accorde pas en mariage. » Programme qui semble adressé au malheureux donateur ; programme qui ne demeurera pas oublié.

« Qui nous soulèvera la pierre du tombeau ? » implore-t-il dans une longue, très longue lettre où il se souvient de l'enfance, de la première séparation d'avec les parents. Toujours dans cette lettre, il recopie le poème copié pour lui par son père : « Qui nous délivrera pleinement, pour toujours/Du corps de ce mort sous le joug tout ployé ? » Le corps de ce mort dont il ne se délivrera jamais, sinon en supprimant son propre corps, cet homonyme du cadavre mort-né, inexorable, toujours occulté, mais évoqué sans fin par la présence même de son successeur.

Vincent découvre cependant ce dont il va demeurer à jamais épris : « un ami qui se serre plus fermement contre nous qu'un frère » et c'est le Seigneur qui prend, pour l'instant, la figure de cet ami. Le Seigneur qui promet : « Comme l'enfant que sa mère console, je te consolerai. » Une constellation familiale ; un père maternel, présent et qui console l'enfant éternel. Une figure capable aussi de déculpabiliser, de décider que l'on n'est « plus coupable selon Sa justice » et que l'on devient celui « qui, d'un cœur pieux et franc nourrit, au lieu d'un coupable mensonge, une blanche sincérité ». Plus d'élément inconscient, de calme fallacieux. « Mais », se demande Vincent, « comment ces

1. Archives musée Vincent Van Gogh, Amsterdam.

choses arriveront-elles ? Qui nous soulèvera la pierre du tombeau ? »

Celle de la tombe de Zundert ? Peut-il proférer plus directement ce qui le ronge, qu'il ignore et qui prend la forme d'un remords sans fin, où tout s'agite sur un tombeau scellé dans lequel gît un autre à sa place, où, parfois, il gît au lieu de l'autre ou bien avec lui. Avec ce frère premier et dernier à la fois, auquel la religion permet de confier, à présent, un rôle bénéfique et de le confondre avec le Père, le Seigneur, et d'entendre sa voix à travers les Ecritures : « Je marcherai moi-même devant toi... je briserai les portes d'airain ; les verrous de fer, je les briserai en morceaux. Je suis le Premier et le Dernier », cite encore Vincent.

Comment, dès lors, échapper à celui qui détient tout pouvoir — libérateur mais aussi bien détenteur — sur « les verrous de fer », les portes de métal, qui annoncent Saint-Rémy ? Il est évident, déterminé le territoire où se débat Vincent, et aussi contre une femme, la Berceuse impavide, fermée à l'enfant mort et, sans doute, au vivant ; mais ne le serait-elle pas, cela deviendrait pour le second Vincent la preuve qu'elle trahit le premier.

Car voici qu'à brûle-pourpoint, sans transition — mais quelle association d'idées ! —, dans la même lettre, à la suite du passage sur le Premier et le Dernier (confondu avec le Vincent mort-né) le second Vincent (ni premier, ni dernier, mais « secondaire ») poursuit aussitôt « une femme peut-elle aussi oublier son nourrisson, n'avoir point de tendresse pour le fils de ses entrailles ? Et quand elle t'oublierait, je ne t'oublierai pas ».

La vie de Van Gogh va, pour une grande part, se jouer sur ce point : la puissance éperdûment quêtée de l'homme maternel qui protège de la mère déchue et de sa production de mort déchaînée ; une mère dont il vaut mieux ne pas être issu, oublieuse et qui, sournoise ou distraite, refile au fils sa culpabilité.

« Qui nous délivrera du cadavre de ce mort ? », supplie Pa ; « Qui nous soulèvera la pierre du tombeau ? », reprend Vincent. Ce sera le Père devenu frère et donc capable d'être présent, le frère bénéfique contre le frère menaçant, le super-frère et qui répond à la prière faite par Vincent lorsqu'il quitte la maison paternelle : « Seigneur, veuille faire de moi, pour ainsi dire, le frère de mon père », ce qui pourrait être aussi bien la prière de Théo. Leur vie s'activera autour de cette prière.

Mais, lorsque, toujours dans la même lettre, l'Eternel annonce : « Le soleil ne te sera plus nécessaire comme la lumière du jour », est-ce déjà le peintre Van Gogh qui l'entend ? Le peintre qui créera : « cette série de soleils, sur soleils en plein soleil », que décrira Gauguin. Ce soleil, lumière qui ne sert plus à éclairer le jour. Et dans cet éclat par lui inventé, Vincent cherchera encore cet « ami qui vous étreint plus étroitement qu'un frère ». Hélas ! Théo qui aura pourtant détaché son frère d'une femme salvatrice, Sien, va le délaisser pour une femme, Jo, espérant sans doute, par là, rejoindre une norme dont il n'a eu jusqu'à présent que les désavantages, et se libérer surtout de l'étreinte trop étroite, trop ferme et supra-fraternelle, et de cette lutte créatrice, et des verrous de fer et du tombeau. Dans la lumière du soleil, qui ne sera pas celle du jour, il n'y aura plus que le faucheur, hors tout roman familial, toute étreinte affective, tout détour sexuel. Le Faucheur, Premier et Dernier, non pas mort mais la mort à même le monde organique où il est englouti et qu'il supprime sans fin.

Ce sera donc à la mère que Vincent désirera envoyer ce Faucheur. La mère survivante, Moe, qui vivra dix-huit ans de plus que le premier Vincent, dix-sept ans de plus que Vincent et Théo et sept ans de plus que « le petit frère » Cor qui, lui aussi, en 1900, va se suicider !

« Avançons dans la vie... même si nos pieds sont las, si notre oppression est grande, même si les oreilles chantent la rumeur du monde, qu'elles entendent depuis tant d'années ; bien que notre tête tout entière soit lasse, notre démarche pesante », écrit ce garçon de vingt-trois ans à son frère qui en a dix-neuf.

Ravagé, Vincent néglige son travail. Oncle Cent obtient qu'il soit déplacé dans la succursale de Paris où l'on espère qu'il reprendra goût à l'ouvrage et à la vie. Illusion ! Miné par le chagrin, il se précipite à Noël dans sa famille en Hollande. Noël ! jours sacrés de « pointe » chez Goupil & C° ! Il est exclu. A son retour, en janvier, au cours d'une séance ambiguë, on le pousse à démissionner. Il semble aussi qu'il aurait pris l'habitude de critiquer les œuvres qu'il n'aimait pas devant les clients. On peut se demander en vérité quelles furent les raisons réelles de ce renvoi, car il est tout de même étonnant de voir Vincent mentionner des semaines à l'avance sa joie à l'idée de retrouver Théo et les siens pour Noël, sans faire la moindre allusion aux problèmes que cela pourrait poser, ni manifester à cet égard la moindre provocation.

Longtemps, il ne se résoudra pas à décider s'il est parti de son plein gré ou s'il a tout simplement été congédié au bout de six ans. Goupil & C°, c'était « la maison » pour les deux frères, et elle le demeurera, même si cela prend par la suite, et pour chacun d'eux, des formes agressives. On verra souvent Vincent ressasser douloureusement ce rejet déterminant, qui l'a, en fait, acculé à devenir peintre. A devenir lui. A être soi. A ne plus se marginaliser de lui-même, mais des autres — c'est-à-dire à entretenir des rapports les plus étroits avec « l'héroïsme ou le martyre » qu'il redoutait tellement !

Bien des années plus tard, au sein d'un paysage mélancolique de tourbières dans la Drenthe, où il erre pour oublier Sien qu'il vient d'abandonner et qu'il fuit dans ce nord de la Hollande, blanc et couleur de suie, où, pour l'une des rares fois de sa vie, il ne parvient pas à travailler comme il l'espérait — il est alors un peintre —, il se souvient encore et n'est pas résigné : « Voici comment le sol s'est dérobé sous mes pieds ; voici comme le sol, se dérobant sous vos pieds, vous rend misérable, qui que vous soyez — j'ai été six ans au service de Goupil & C°, et je me disais que même si je m'en allais, je pourrais me prévaloir sereinement de mon passé quand je solliciterais un emploi ailleurs. Il n'en était rien... Dès que vous avez quitté Goupil & C° vous êtes tout bonnement " un type sans emploi " ; du coup, soudainement, fatalement, partout — voilà... Si vous vous présentiez de nouveau chez G. & C°, cette firme que vous considériez dans votre jeunesse comme la plus curieuse, la meilleure et la plus grande du monde — si vous vous présentiez de nouveau chez Goupil & C° (je ne l'ai pas fait à ce moment, je ne le pouvais, j'avais le cœur serré, serré à bloc), G. & C° vous tournerait le dos. Avec tout cela, vous êtes un déraciné... C'est un fait — votre maison vous renie. »

La véritable cause de son licenciement, il la connaît, lui : « On a prétendu que j'avais le timbre un peu fêlé, mais comme je sentais mon mal s'agiter dans les profondeurs de mon être et que je m'efforçais de remonter à la surface, je savais bien qu'il n'en était rien... Je n'ai jamais confondu mes faits et gestes désespérés, mes peines et mes tourments avec moi-même. Je me répétais tout le temps : fais quelque chose, établis-toi, cela doit te guérir. »

Il s'apercevra que demander une telle guérison vous met, au contraire, en danger d'être banni, d'être tenu pour un miroir reflétant ce que les autres craignent de devenir eux-mêmes et qu'ils sont, en vérité, au sein de la même aventure humaine. Ils s'en protègent cependant, serait-ce par des mensonges, des illusions rodées, qui n'incitent pas à risquer de naître enfin, de vivre et de créer, mais qui permettent la survie. Et lui, Vincent, parce qu'il a buté sur la vérité, du moins sur l'âpre noyau de la vie, risque, sans méchanceté, de saper et faire s'effondrer l'ordre qui sert de remparts à ces êtres tout aussi fragiles, davantage même, mais adaptés, accrochés à leurs défenses, fussent-elles castratrices.

Avec quelle lucidité Vincent remarque : « La société retourne la phrase et prétend que vous vous êtes déracinés vous-mêmes ! » Lui qui n'a pas lutté contre Goupil & C°, contre la société ; lui, qui a lutté contre et avec lui-même, au plus près, et dans la plus grande faim de fraternité sociale et de chaleur humaine. Lui qui ne se débattait pas contre Goupil & C°, ni contre son entourage pour devenir un peintre — mais qui se débattait pour ne *pas* le devenir ; pour demeurer au sein du groupe, pour n'être pas contraint à « l'héroïsme ou au martyre », et cela même plus tard, même alors qu'il savait, et pour cause, avoir « la peinture dans la peau ».

Il est faux de penser que des gens comme Baudelaire, Hölderlin, comme Nerval, comme Artaud, par exemple, ou comme Van Gogh étaient des marginaux-nés, des personnages fantasques qui se seraient payé leurs petites orgies mentales contre le gré des autres, et se seraient cassé la figure pour cela.

41

Ils ont, au contraire, répondu à une demande véhémente, non seulement véhémente, mais impérieuse de la société qui avait, pour eux, leur contrat déjà prêt. Un programme. Goupil & C° jouaient leur rôle en claquant la porte au nez de Vincent, en le projetant dans l'exil. Et Vincent jouait le sien en ne protestant pas. Ces peintres, ces écrivains, ces musiciens « maudits » sont, en vérité, des fonctionnaires de la société, ils remplissent un rôle nécessaire et très défini. Le système sait parfaitement les repérer, les piéger. Il sait aussi, dans un premier temps, leur faire manifester tous les états et le sens de l'exil auquel il les conduit. Et il sait les abattre dans un deuxième temps ; la folie, la mort précoce sont ses armes favorites. En un troisième temps, il s'emploie à les annuler, à ne conserver d'eux que leur nom, ce nom sous lequel ils se sont laissés perdre et qui, seul, va les symboliser ; ce nom qui va les chasser, eux, du champ du symbolique. Et ce nom à un prix. Le prix est affiché. C'est le temps des encyclopédies, des statues. C'est aussi le temps de l'argent qui manquait tant à leur vie.

« L'argent est une monnaie, la peinture en est une autre », disait Van Gogh. Mais dans son cas on a vite fait, lui mort, de transformer la monnaie peinture en monnaie argent. Cela coûte très cher, très très cher de supprimer, c'est-à-dire d'acheter, un seul Van Gogh, cela coûte des milliards à présent. On s'y est employé pour chacune de ses toiles, pour qu'il y ait « un » ou « des » Van Gogh et que l'on n'entende plus le cri de celui qui signait — au nom de qui ? — « Vincent ».

Nécessaires, les Van Gogh ? Pourquoi ? Pour remplir les musées ? Pour démontrer que nos systèmes sont bons, ces fumiers sur lesquels on bâtit des musées ? Pour prouver qu'il est efficace, le système qui fait — ou qui laisse — souffrir à en mourir des Van Gogh innombrables afin que l'un d'eux ait « sa chance » de devenir le bon ?

Peut-être eût-il mieux valu éviter la gaffe, la série des gaffes qui l'ont amené à se tuer ? Peut-être eût-il mieux valu le reconnaître tout de suite parmi les pauvres diables qui se sont tués, eux aussi, et même qui ont peint quelquefois et qui ont été pauvres, seuls et laids — mais Van Gogh, voyez-vous, en son temps, ce nom ne disait rien ! Et puis, Marcel Proust le savait :

« Il n'y a pas que les enfants, les poètes aussi se traitent à coups de gifles. » Et, sans doute, Van Gogh heureux n'eût pas peint aussi bien, peut-être même, il n'eût pas peint du tout !

Certes, on a refusé à l'invité d'honneur même les épluchures — mais l'honneur de cet invité-là, c'était de ne pas accepter le système des épluchures et des honneurs. Alors, que voulez-vous ?

Certes, s'il n'était pas mort à trente-sept ans, on aurait eu davantage de Van Gogh à se partager, mais, qui sait ? Et s'il n'y en avait pas eu du tout ?

Non, comme le disait souvent Vincent, citant Pangloss : « Tout est toujours pour le mieux dans le meilleur des mondes possibles. » On voit bien comment Van Gogh est nécessaire pour le démontrer !

Aux yeux de Goupil & C°, de toute autre institution, une dépression comme celle de Vincent, qui laisse filtrer sa promiscuité avec la vérité ou plutôt avec l'exactitude, est une malédiction et le condamne.

Mais Vincent ne le sait pas encore ; Vincent qui s'efforce de rester dans le rang. Pour l'instant il répond très classiquement à toutes sortes de petites annonces proposant des emplois, et ne reçoit guère de réponses : « Dès que vous avez quitté G. & C°, personne ne sait qui est G. & C°. C'est un nom tout comme X & C°, vous êtes tout bonnement " un type sans emploi "... On en arrive peu à peu à suspecter un individu sans emploi, l'homme de quelque part... J'ai fait toutes sortes d'efforts de perdus qui n'ont pas abouti. »

Ils n'aboutirent pas. Pour un être comme lui, seul demeure possible l'exceptionnel, non pas élitiste, mais coercitif. L'exceptionnel, quelque regret qu'il en ait.

L'exceptionnel, c'est-à-dire aussi la jouissance : une patience insensée à subir un bonheur forcené qui ne rend pas heureux, tout comme Vincent remarquait : « Dire que l'on est malheureux parce que l'on souffre n'est pas prouvé. » La jouissance, c'est-à-dire une énergie inébranlable, vouée à confronter, affronter l'atroce beauté d'un monde qui se refuse et violer ainsi les limites officielles de la sexualité : les voies copulatrices de la jouissance — pour parcourir des territoires inédits (interdits) de la libido. Ces émotions, ces sensations vibrantes de mort et de vie à la fois ; ce lieu de la disparition qu'est la présence et que le peintre « supprime » et semble fixer, mais qui demeure sur la toile le secret même de la mouvance. Ce que l'on n'a pas le temps, ni le droit, ni la force de percevoir, moins encore de conserver et qui est capturé là en sa fuite même. « Il faut être mort plusieurs fois pour peindre ainsi. »

Vincent a été ce peintre malgré lui : « héroïque et martyr » à son corps défendant. « Comme ta tête doit avoir travaillé et comme tu t'es risqué jusqu'à l'extrême point où le vertige est inévitable... Il ne faut pas te risquer dans ces régions mystérieuses qu'il paraît qu'on peut effleurer mais non pénétrer impunément [1] », le suppliera Théo. Vincent a été cet homme déraciné, un homme qui a vécu seul à en mourir pour que nous en « profitions ». Pour que nous nous délections de son enfer, de « la douleur qui vue d'ici occupe tellement tout l'horizon qu'elle prend des proportions de déluge désespérantes ». Comme s'il lui était imposé de jouer son rôle intenable et de le bien jouer, afin que nous nous gobergions de culture. Afin que se remplissent les dictionnaires et les musées d'un reste ; reste de la souffrance impensable, quotidienne d'un homme qui se débattait, doué de tant de puissance, au sein d'un tel savoir, mais d'une telle innocence. Et c'était bien là sa culpabilité.

1. *Verzamelde Brieven, op. cit.*

« Des ailes, des ailes pour survoler la vie ! »

« Des ailes, pour survoler le tombeau et la mort ! » crie Vincent, de Londres, citant ces vers en exergue à une lettre du 17 septembre 1875.

Des ailes... il y en aura, d'étranges ailes qui, sur les toiles de Vincent, à la fin de sa vie si brève, survoleront, surveilleront, barreront la terre, semblant l'enfoncer davantage en elle-même, la réduire à sa massivité, plutôt que de la distancer et de créer par cet écart, un espace aérien.

Ailes de corbeaux — anges étranges — sous forme de V, de W ; les initiales de ses prénoms et comme sa signature abrégée, éparse, éclatée... ou comme le pullulement néfaste, anxieux des initiales d'un autre, du premier Vincent Wilhelm, venu sous forme de lettres, hanter, vérifier l'opacité de cette matière sous laquelle ses restes sont enfouis, sans issue ; un vol qui ressemblerait à un appel impossible, à une reconnaissance vers les vestiges d'une naissance à l'envers, irréversible. Ou bien aussi, comme le mélange des noms, comme le vol mélangé des deux frères, répudiés chacun, un peu plus tôt, un peu plus tard, et qui, ensemble, survoleraient ce dont ils ont tous deux appris « la tristesse, la solitude extrême ».

« Des ailes, des ailes », aussi, dans l'élan qui entraîne Vincent à crier vers son frère Théo, comme si la distance entre eux contenait l'air qui manque, l'espace exagéré qui serait nécessaire. Un manque sur lequel les toiles de Vincent vont souvent spectaculairement, volontairement buter, assenant la présence excessive des choses. Et comme accusant un monde qui n'offre au sortir des entrailles, des parois maternelles, que d'autres

45

parois tout aussi compactes hors desquelles il n'est plus de naissance possible.

Cela, jusqu'à ce que le peintre ose voir, derrière la stagnation offerte, tout le déchaînement, l'irradiation refusés. Jusqu'à ce que prennent naissance les mouvements giratoires, les rotations, les tourbillons qui donnent air, souffle et vie mieux qu'aucune trouée. Jusqu'à ce que le peintre ose exprimer le mouvement insensé qui l'habite, jusqu'à ce qu'il ose voir ce qu'il voit — quitte à passer pour fou, quitte à le devenir — ou jusqu'à ce qu'il réussisse à peindre comme il ne voit pas, « on ne saurait peindre comme on voit ». Jusqu'à ce qu'il parvienne à déjouer la rigidité cadavérique qui l'encercle, à rejoindre l'ordre organique qui respire avec lui et à créer le lieu fusionnel, interdit, dément où l'on pourra, dans la houle générale, dans l'échange des souffles, dans celui de l'autre, sans fin, en mouvement... Et tout cela, il l'envoie à Théo.

« *Amsterdam, 28 mai 1877.* Arrivé au récit n° XXIII de la Genèse, l'enterrement de Sara dans le champ qu'Abraham avait acheté pour l'enterrer dans la caverne de Macpela, j'ai fait machinalement un petit dessin pour figurer comment je me représentais l'endroit. Cela n'a rien de remarquable, je te l'envoie, néanmoins, inclus. »

Onze jours plus tard, le 9 juin 1877 : « Instinctivement, pendant que j'écris, je fais de temps en temps un petit dessin, comme celui que je t'ai envoyé l'autre jour, par exemple. Ce matin, c'était Elie dans le désert, avec un ciel d'orage et, à l'avant-plan, des buissons épineux. Pas grand-chose d'extraordinaire, mais cela me vient si distinctement, si clairement dans la tête... »

Premiers envois conscients d'une longue, très longue série qui ne finira qu'avec la mort des deux frères, puisque, une fois peintre, Vincent enverra ses toiles, ses dessins à Théo, contre les 150 francs qui le feront vivre. Des toiles que Théo, marchand, ne vendra pas (sauf deux), qu'il ne tentera sans doute pas de vendre et qui s'accumuleront. C'est après le suicide de Vincent, qu'il décidera d'en faire une rétrospective. Et c'est en la préparant qu'il deviendra fou.

Envois cette fois bientôt interrompus, mais qui reprendront

lorsque, timidement, Vincent s'inventera peintre et que les deux frères, peu à peu, se découvriront au sein d'une œuvre que l'un donne, que l'autre reçoit, tandis que celui-ci fournit de quoi la poursuivre et que dans ces échanges on ne saura plus qui prend, ni qui offre, ni tout à fait qui peint.

Toute sa vie, Vincent, le premier peintre, sans doute, à peindre à la première personne, s'enverra lui-même à son frère sous forme de ses travaux, et sachant que Théo allait se perdre, s'engloutir dans ces tableaux « que nous avons fabriqués à nous deux », affirme-t-il, et le sachant vain son cri réitéré ; « Théo : fais-toi peintre ! », car Théo, en quelque sorte, mystérieusement, l'était. Et sachant aussi que les fleurs, les rocailles, les facteurs, les ravins, les berceuses, les champs de blé, les godillots, les nuits, les chambres, les faucheurs, les pietà étaient tout autant lui, Vincent, que ses autoportraits. Et, peut-être est-ce parce que ces autoportraits devaient être aussi le portrait de Théo que, bizarrement, Théo n'existe pas, peint par Vincent. Hypothèse un peu absurde, mais il est si absurde, presque intolérable qu'il n'existe pas de portrait de Théo — surtout si l'on songe que Vincent, toujours à court de modèles n'a pas eu recours à son frère (ne serait-ce que pour cette raison) durant les deux années où, à Paris, ils ont vécu ensemble — et si l'on se rappelle aussi qu'il a dessiné ou peint d'après photo le portrait de son père et celui de Moe !

Dès ces premiers envois, Vincent commence à tisser cette histoire d'envoûtement, d'ailleurs inconsciente, et qui n'est pas sans liens avec l'histoire de Shéhérazade, tenant en haleine un homme au moyen d'une production régulière, répétée et obtenant ainsi, d'une aube à l'autre, sa survivance. C'est bien là une des facettes du jeu de Vincent « vendant » ses peintures à son frère, un peu comme on joue à la marchande, et dépendant de lui très sérieusement, très dangereusement, et de plus en plus comme la vie avançait, pour survivre, même physiquement.

De ce feuilleton distribué par Vincent à un seul lecteur, il y avait eu une sorte de n° O, en 1875 : « Je t'envoie inclus un petit dessin. Je l'ai fait dimanche dernier, le matin du jour où la petite fille (treize ans) de ma logeuse est morte. Une vue de Strestham Common... »

1875, c'est à l'époque du retour à Londres[1], celle où Vincent marche toute une journée pour se rendre chez son ami Gladwell dont la sœur « aux cheveux noirs, aux beaux yeux si sombres » s'est tuée en tombant de cheval. Il arrive aussitôt après l'enterrement et trouve l'atmosphère qui lui convient : « Toute la maison était en deuil. Etre là m'a fait du bien. » Il passe des heures inoubliables avec son ami à discuter de la Bible et de la mort et rentre à Londres dans une sorte d'extase.

C'est aussi l'époque où il remarque, comme indifférent : « L'envie qui m'avait pris ici de dessiner en Angleterre a de nouveau disparu. » Mais, plus tard, dans la Drenthe encore, il s'en souviendra : « Je me suis souvent arrêté pour dessiner le long des quais de la Tamise, quand je rentrais le soir de Southampton, et ce que je faisais là ne ressemblait à rien. Si j'avais eu alors un ami pour m'expliquer ce que c'est que la perspective, j'aurais fait l'économie de bien des misères et je serais plus avancé. »

Mais les dessins d'amateur envoyés deux ans plus tard, « L'enterrement de Sara », « Elie dans le désert », ressemblaient sûrement (on ne les connait pas) à quelque chose ! et sont autrement signifiants. Le passage de la Genèse imaginé par Vincent avec une telle intensité qu'il veut le « figurer », c'est celui où, devant la caverne de Macpela. Abraham demande aux fils de Heth : « Donnez-moi la possession d'un sépulcre chez vous pour enterrer mon mort et l'ôter de devant moi », et « Permettez que j'enterre mon mort et que je l'ôte de devant mes yeux. » Enterre ton mort, enterre ton mort, lui répond-on par deux fois, lui offrant ce qu'il voulait acheter, le champ, la caverne et tous les arbres qui sont dans le champ de Macpela.

Mais vraiment stupéfiante en regard du couple Vincent-Théo et surtout en regard de l'œuvre, du travail futur de peintre, est l'histoire d'Elie, d'Elisée, que Vincent lit, relit si souvent et dont il recopie parfois des passages dans ses lettres ; « As-tu jamais lu l'histoire d'Elie et d'Elisée ? C'est tellement beau, tellement émouvant ! De cette beauté singulière qui donne le frisson et

1. Précisons que la logeuse n'était plus Ursula Loyer ni sa fille Eugénie.

dont l'expression la plus belle se trouve peut-être dans le récit d'Elie près du ruisseau de Kerith et celui de la veuve. »

Ces deux récits font partie du Premier Livre des Rois, Elie n'a pas encore rencontré Elisée, qui deviendra son disciple, puis son successeur. Il n'est pas encore prophète, mais il vient d'apprendre qu'il va y avoir une sécheresse et le Seigneur lui dit : « Cache-toi près du torrent de Kerith, qui est à l'est du Jourdain. Tu boiras au torrent et j'ordonne aux corbeaux de te nourrir là... Les corbeaux lui apportaient du pain le matin et de la viande le soir et il buvait au torrent. » Des corbeaux ! Des corbeaux bien semblables à des anges, ceux-là — à ces Anges « véritables » qui ne manquent pas d'intervenir souvent dans la vie d'Elie et celle d'Elisée. Des corbeaux qui nourriront Elie comme fera Théo pour Vincent ; Théo ange bénéfique, écran à l'ange, au corbeau néfastes, issus d'une tombe à Zundert.

Quant au récit de la veuve, il se termine (ou presque) par la mort de son fils. Elie le monte alors « dans la chambre haute où il habitait », là il implore Yahvé et s'étend trois fois sur l'enfant, et l'enfant... ressuscite ! « Elie le prit, le descendit de la chambre haute de la maison et le remit à sa mère et Elie dit : « Voici, ton fils est vivant. »

C'est bien là le rêve impossible de Vincent, la seule scène capable de le réhabiliter et de réhabiliter sa mère : faire renaître le fils de cette femme. S'identifie-t-il à Elie, lui, le deuxième Vincent, offrant le premier à sa mère : « Voici ton fils est vivant » ? Cela seul peut lui permettre à lui de vivre à part entière. C'est là son unique moyen de devenir un héros. Quelle dérision alors de n'avoir produit, à travers ses travaux, que l'empreinte du mauvais fils, du second ! Quelle ironie dans ses autoportraits, qui ne seront jamais le bon !

« Maintenant, je sens que tu es un homme de Dieu », dit la veuve à Elie. Mais que pouvait-on dire sur ce plan au pauvre pasteur Théodorus : en tant qu'homme de Dieu, capable de ressusciter les enfants morts, il est absent au point que, de cette façon-là, Mme Van Gogh était une veuve, elle aussi.

Cet enfant d'un autre porté par Sien et dont Vincent prendra la naissance en charge, ce petit Wilhelm qu'il entourera des soins les plus tendres, ne sera-t-il pas le prétexte d'une tentative de remédier à la naissance dramatique de l'aîné des deux Vincent ? Ces femmes fanées, ces femmes dites corrompues, comme Sien, et que Vincent voulait réhabiliter, ne représentaient-elles pas sa mère vaincue, sa mère frelatée à sa naissance déjà, meurtrière d'un Vincent ? Et ce défi qu'il semble lancer à son père en révélant à Théo son attirance pour « ces femmes que les pasteurs condamnent et exècrent », n'était-ce pas, au contraire, aimer la femme de ce pasteur-là ? Cette femme dont Vincent a pu percevoir (ou imaginer) que Pa avait dû éprouver pour elle, de quelque façon, un certain temps au moins, de l'exécration, du mépris — pour cette épouse porteuse d'un mort, pour cette mère avariée.

Elisée, lui aussi, ressuscitera un enfant, qui signalera son retour à la vie par sept éternuements. Et, lorsque des troupes ennemies arriveront inattendues, on jettera le cadavre d'un homme que l'on s'apprêtait à enterrer dans le sépulcre d'Elisée mort, et cet homme, au toucher des ossements du prophète, ressuscitera.

Des corbeaux, trois résurrections. Mais ce n'est pas tout. Voici qu'apparaissent dans le ciel un char et des chevaux de feu et que « l'Eternel fit monter Elie au ciel dans un tourbillon ». Dans un tourbillon. Celui des ciels nocturnes en feu, étoilés, celui des cyprès, des ciels diurnes sur les champs de blé vangoghiens ; celui des blés eux-mêmes et de toutes les torsions qui travaillaient le soleil même et qui animent, bouleversent tant de toiles, et les plus belles, de Vincent. Tourbillon ! Ce mot qu'il lisait, relisait sans fin et qui va bouleverser ses toiles.

Cependant, tout au long de cette journée fatale (ou bénie), Elisée sait qu'Elie va être enlevé « au-dessus de sa tête » ; et sans cesse, à chaque étage, à chaque halte, Elie s'adresse à lui : « Reste ici, je te prie », et chaque fois, comme en écho à Vincent affirmant à Théo « tu es réveillé, tu ne dors pas », comme en écho à Théo qui ne quitte pas Vincent ou comme en écho au premier Vincent qui ne les quitte pas, Elisée répond : « L'Eternel est vivant et ton âme est vivante, je ne te quitterai pas. »

Mais qui de Théo, de Vincent (et quel Vincent) ou de Pa (et à quel moment de leur vie ?) répond à la question d'Elie :

« Demande ce que tu veux que je fasse pour toi avant que je sois enlevé d'avec toi ? » Qui d'entre eux répond par la voix d'Elisée (et à qui s'adresse-t-il ?) : « Qu'il y ait sur moi, je te prie, une double portion de ton esprit ? »

Est-ce Théo qui veut l'obtenir de Vincent ? Est-ce Vincent, jeune, suppliant Pa ? Est-ce Vincent priant toute sa vie l'autre Vincent de lui donner une double portion de son esprit, lui qui a si souvent l'impression de n'exister, au mieux, qu'à moitié, « d'être comme n'étant pas », ou si secondaire ? Ou bien, est-ce, au contraire, le second Vincent promettant cela au premier, qu'il lui semble avoir annulé ?

A cette prière Elie oppose une question de regard bien intéressante, surtout quand il s'agit non plus de prophètes mais d'un peintre et du frère de ce peintre ; un frère qui sera seul d'abord, puis presque seul, à regarder, à *voir* les tableaux de ce peintre ; et quand ce peintre tente peut-être de *voir* (ou de ne pas voir) un autre frère, cet homonyme inaperçu, ce « disparu », qui apparaît cependant dans certaines toiles sous forme d'ailes, d'initiales, au-dessus de paysages forclos.

Car Elie pose une condition pour répondre à cette « demande difficile » : « Si tu me vois pendant que je serai enlevé d'avec toi, cela arrivera, sinon cela n'arrivera pas. »

Or, « comme ils continuaient à marcher en parlant » (et c'est bien l'image de Vincent, de Théo tout au long de leur vie), l'événement se produit et Elisée le *voit*. Il *voit* « un char de feu et des chevaux de feu », et il *voit* Elie monter au ciel « dans un tourbillon ».

A regarder certaines toiles de Van Gogh il est évident que lui aussi a vu, qu'il a su voir ce qui est enlevé d'avec lui au même temps que cela se produit : la production même de la disparition — et c'est la vie ! Mais ici, il l'a vue à travers le processus mental d'une lecture, par l'ouïe interne et le sens ; et c'est bien cela, incarné dans le tourbillon biologique environnant, qu'il peindra.

Elisée, lui, regardait Elie disparaître et criait : « Mon père, mon père ! Et il ne le vit plus. » « Mon père, mon père ! » Elie, sorte de frère aîné, devenu père soudain, et ce cri vers lui fait entendre en écho, sur l'autre versant du même Livre : « Eli, Eli, lama sabbachtani ! » « Mon père, mon père, pourquoi... » Cri

51

de chaque homme vers le père absent, compensé par tant d'œuvres ou tant de démissions. Cri spécifiquement masculin, qui réclame le père en espérant trouver en lui la mère, du maternel enfin, qui remplacerait les effigies des Berceuses-Parques, les Moe qui rajeunissent à soixante-dix ans quand leurs fils vont mourir. Les mères, toujours sans enfants, malgré le cordon qu'elles tiennent entre leurs mains, qui ne retient, qui ne berce personne.

Elie, Elisée, « ton âme est vivante, je ne te quitterai point », Vincent et Théo. Et puis l'histoire d'amour ici finit bien : « Les fils des prophètes, qui étaient à Jéricho, dirent : " L'esprit d'Elie repose sur Elisée ". »

C'était donc cela qui hantait ce jeune amateur griffonnant un croquis qu'il envoie à son frère. « Pas grand-chose d'extraordinaire. »

Le tourbillon, les chars de feu, les buissons épineux, les corbeaux... Toiles d'Arles, de Saint-Rémy, d'Auvers.

L'anecdote, le récit, le mythe, l'allégorie, les fantasmes se sont effacés. Reste la science du peintre qui les canalise et les oublie dans quelques éléments peints d'après nature et qui vibrent aussitôt de toute sa propre mémoire et des récits, des désirs qui l'ont traversée ; de tout ce qui, si lentement, si constamment brutal et déchirant s'est résorbé dans la force du geste, dans le poids du corps, dans l'âme « effondrée » du peintre. Et que le peintre va faire s'écraser sur la toile, le plus exactement possible, avec la plus grande dignité, la plus vive impudeur, la plus tendre folie, avec le sens très exact de la perte, « avec toute la gravité que puissent donner les efforts de pensée assidûment fixée pour chercher à faire aussi bien qu'on peut ».

« Théo, n'en parle encore à personne. Mon salaire chez M. Stokes sera très minime. Probablement pas autre chose que la nourriture et le gîte avec un peu de liberté pour donner des leçons. Et si je ne dispose pas de loisirs, vingt livres par an, tout au plus. Mais je poursuis. » Voici Vincent pion en Angleterre, à Ramsgate, une petite ville au bord de la mer. Il n'a reçu d'autre proposition quand, après son renvoi (ou sa démission !) de chez Goupil & C°, il répondit fiévreusement à toutes les petites annonces au cours de ses deux mois de sursis à Paris. Et encore, à la dernière, la toute dernière minute. « Tu penses si je suis content, j'aurai en tout cas la table et le gîte gratis. »

Il y a vingt-quatre garçons, pauvres évidemment, dans cette école misérable qui ne déparerait pas un roman de ce Dickens. « L'ancien » marchand de tableaux enseigne « le français (surtout les éléments)... Et puis un peu de tout : l'arithmétique, je leur fais des dictées, réciter leurs leçons, etc. Pour le moment, donner des leçons n'est pas très difficile. Faire en sorte que ces garçons les apprennent sera plus dur ». Il leur raconte les contes d'Andersen qu'il aime tant, les aide à construire des forts sur la plage et, le samedi, c'est lui qui fait leur toilette dans cette « chambre au plancher pourri où se trouvent les six cuvettes où ils se lavent. Une avare clarté tombe sur les lavabos par la fenêtre aux carreaux cassés. Cela aussi est mélancolique ». Les fenêtres donnent sur la mer et la pluie. Il partage le spleen des garçons lorsque M. Stokes, de mauvaise humeur, les prive de thé le soir : « Ces enfants ont si peu de choses à attendre d'un jour à l'autre en dehors de leur nourriture et de la boisson. » Lorsqu'un camarade de chez Goupil passe le voir, c'est comme la « visite d'un personnage de l'autre monde ».

Le soir, il regarde par la fenêtre de sa chambre et songe « aux années que j'ai déjà vécues. A nous chez nous ».

Il poursuit ? Il prolonge plutôt son profond ancrage familial, son adoration pour son père, son besoin éperdu de ce noyau parental qui s'organise déjà pour, lentement, le rejeter. Et plus Vincent se débattra, plus il cherchera des solutions à cette inadaptation qu'on lui reprochera et qui ne sera d'abord que le reflet de ses tentatives désespérées d'adaptation, plus il deviendra indésirable, inquiétant, et comme il le dira, « suspect ».

En fait, toute sa vie sa docilité sera surprenante et son humilité, malgré des ruades spectaculaires. Et toute sa vie, il sera comme vaincu d'avance, à moins qu'il n'ait toujours visé une autre victoire, une autre économie.

Que de fois il réagira violemment aux contrariétés, aux vexations, aux humiliations, tout en laissant la porte ouverte à une réconciliation que, d'ailleurs, il sollicite en même temps. Dans une même lettre (ou dans des scènes qu'il relate à Théo avec une conviction candide, où n'entre pas du tout le sentiment d'avoir temporisé !), on le voit menacer, à juste titre, de rompre avec son frère, de refuser son argent (qui seul, le fait vivre) pour, à la page suivante, en réclamer davantage ; ou bien déclarer à son ami, le peintre Van Rappard, qu'il brise là, pour le supplier quelques lignes plus loin de venir séjourner chez ses parents. Ou encore menacer de quitter sa famille chaque fois qu'il prendra refuge dans le presbytère paternel ; or ce sera chaque fois le désir même de cette famille qu'il parte, et il s'agrippera, au contraire, afin de rester — jusqu'à ce qu'on le chasse. Cependant en même temps, plus aveuglément, plus douloureusement et comme malgré lui, mais avec une sorte de volonté dont il n'a pas conscience, il s'éloigne, il écarte les autres qui s'écartent déjà et qu'il voudrait conserver près de lui. C'est à Théo seul qu'il s'accrochera comme pour former avec lui cet être qui ne sera plus « comme n'étant pas », pour fantasmer avec lui tous les groupes possibles. A ce frère qui a d'abord partie liée avec ses parents et leur sert d'intermédiaire auprès de Vincent, parfois même d'espion ; Théo, que son frère va séduire, conquérir et qui va s'abandonner.

Mais pour l'heure Vincent, instituteur à Ramsgate, veut se consacrer à l'église. Selon ses parents et les gens en place qui les entourent, il n'en a pas les moyens. Il est pauvre, son père aussi, et il a vingt-deux ans, pas de formation.

Le pasteur Théodorus Van Gogh, surnommé par certain « le joli révérend » mais traité par d'autres de « petit pape protestant », s'il règne sur sa famille et, sans doute, sur ses quelques ouailles, n'a guère d'autorité dans les milieux cléricaux, où sa réputation est celle d'un médiocre. Vincent doit lui rappeler ses propres débuts difficiles au sein de l'église réformée. Calviniste, de tendance « évangéliste », c'est-à-dire à cette époque, en Hollande, la tendance tempérée, située entre les deux autres courants orthodoxes et modernistes, il est négligé par les autorités religieuses, même celles de son propre parti, au point de n'obtenir sa première nomination qu'à l'âge de vingt-sept ans, et cela à Zundert, une paroisse de 114 habitants dont seuls 56 sont des protestants ! Jusque-là Théodorus dut continuer de vivre à Breda (à dix-huit kilomètres de Zundert), auprès de son père, brillant prédicateur de cette ville, et dont tous les autres fils avaient « réussi ».

Décidément, Vincent avait le don de reproduire au sein de cette famille ce qu'on y refoulait.

Et c'est lui que, presque machinalement, Pa et Moe, tenteront de refouler — jusqu'à ce qu'excédé de « se sentir toujours traité en exilé, de se trouver continuellement entre l'enclume et le marteau et rien que des demi-mesures », il rompe avec tout ce contexte, avec ces « demi-mesures » qui expriment l'hypocrisie familiale, mais, surtout, sous-entendent qu'il n'y a pas la place d'un fils entier pour lui, et qui le désignent comme l'ombre illicite d'un autre, le signe coupable d'une mutilation ; celle-là même qu'il reproduira — mais ce ne sera là qu'un des facteurs de ce geste — lorsqu'il se tranchera l'oreille (ou une partie de l'oreille).

D'Anvers, bien après la mort de Pa, lorsqu'il se sera définitivement éloigné de ses sœurs et de Moe, et que l'histoire de Sien sera déjà lointaine, il déclarera « je m'oppose à être toujours tenu à l'écart », et forcera son frère à l'appeler à Paris où il vivra deux ans avec lui, avant de plonger dans la fournaise méridionale. « Tout compte fait, je suis plus étranger qu'un étranger dans la famille », ajoutera-t-il et, pour la première fois, il avouera : « Pourtant je leur étais si attaché, que la perte de leur affection me rendait fou de douleur. »

Cette famille si soudée, et aussi, mais négativement, à Vincent, aura perçu l'attachement passionné de ce fils farouche, si vulnérable et rude mais avec ce sadisme inconscient, amorti, si cher à tant de groupes familiaux, elle en jouera avec une perversité certaine.

Et c'est de Saint-Rémy, après une crise terrible que, presque en fin de course, le fils aîné s'épanchera soudain auprès de Moe, se livrant à elle comme si, depuis toujours, elle avait suivi un chemin parallèle.

Déjà, après l'épisode de l'oreille coupée, à l'hospice d'Arles, il s'était rappelé le passé, au cours de ses crises : « Pendant ma maladie j'ai revu chaque chambre de la maison à Zundert, chaque sentier, chaque plante dans le jardin, les aspects d'alentour, les champs, les voisins, le cimetière, l'église, notre jardin potager derrière — jusqu'au nid de pie dans un haut acacia dans le cimetière. Cela, puisque de ces jours-là, j'ai encore les souvenirs les plus primitifs de vous tous », écrit-il à Théo, ajoutant que « pour se souvenir de tout cela, il n'y a plus que la mère et moi. Je n'insiste pas puisqu'il est mieux que je ne cherche pas à rétablir tout ce qui m'est passé par la tête », sans doute la tombe de Zundert et la présence souterraine du premier Vincent émergée. Le sens macabre, la danse macabre de son propre nom.

Mais voici que, des mois plus tard, à Saint-Rémy, tandis que de plus en plus abandonné, de plus en plus éconduit par Théo, il souffre et peint toute cette année parmi les déments, les gardiens, enfermé derrière d'innombrables grilles, il se livre à Moe, qui semble avoir tenu jusque-là si peu de place près de lui. Il lui confie (c'est la seule fois qu'il en parlera) l'amour impossible qui existe entre Théo et lui, et puis sur un ton de tristesse infinie, il raconte comme il a souhaité récemment devenir « soldat en Orient », et comment « pour l'instant le travail marche bien mais naturellement mes pensées toujours fixées sur les couleurs et le dessin tournent en rond dans un cercle qui est assez petit ». Il se demande dans quelle mesure il est guéri ou non, et surtout, il confie à Moe : « Je me fais souvent d'affreux reproches concernant des choses du passé, car ma maladie m'est en somme arrivée par ma propre faute, et, chaque fois je doute si je pourrai jamais, d'une manière ou de l'autre, réparer mes erreurs. Mais raisonner, penser à tout cela est parfois difficile et le sentiment que j'en ai m'accable plus qu'avant. C'est alors que je pense tellement à vous, au passé. Vous et Pa avez tellement compté pour moi, et si c'est possible, encore plus que pour les autres. »

Les voies secrètes apparaissent où Vincent se perdait, abîmé de remords qu'il ne pouvait situer une fois « guéri » de ces crises où « le voile du temps et de la fatalité des circonstances pour l'espace d'un clin d'œil semblait s'entrouvrir ».

Mais ce qui s'entend là, surtout, c'est Vincent seul parmi les hurlements des fous, Vincent interné de troisième classe (la moins chère dans cet asile où l'on « trouve des cafards dans le manger »), Vincent qui écrit des lettres flamboyantes d'intelligence et qui peint et outre-peint dans sa cellule verrouillée ce qu'il voit « à travers la fenêtre barrée de fer » et qui ose, à présent seulement, lancer un appel, dire qu'il aimait ses parents plus que ne les aimaient ses frères, ses sœurs, même s'il était le moins aimé, et se déclarer leur enfant. Un enfant perdu de remords pour avoir vécu à la place d'un autre.

Mais déjà, à Ramsgate, presque au début de cette histoire, la vue de la fenêtre de l'école est pour lui celle par où les élèves regardent les parents partir après leur visite et regagner la gare. « Il en est plus d'un qui n'oubliera sûrement jamais la vue qu'on a de cette fenêtre. »

Il le sait bien, puisque, à peine arrivé à Ramsgate, il a décrit pour Pa et Moe son voyage jusqu'à l'école de M. Stokes, leur racontant qu'en passant en train devant Zevenbergen, en Hollande, « j'ai pensé au jour où vous m'y avez conduit et où, debout sur le perron auprès de M. Provily, je regardais votre voiture s'en aller sur la route mouillée. Et aussi à la soirée où pour la première fois père est venu me voir ».

Et, quelques semaines plus tard, dans la longue lettre téné-breuse adressée cette fois à Théo, cette lettre de Londres où il s'écrie : « Qui nous enlèvera la pierre du tombeau », Vincent revient à la première séparation, à l'internat de M. Provily. C'est la même scène encore ; Vincent est toujours debout sur le perron, dans les affres de l'abandon, « suivant des yeux la voiture dans laquelle Pa et Moe s'en allaient chez eux ». Car c'était bien « chez eux ».

Pa et Moe semblent avoir été jusqu'à la fin un couple amoureux ; elle s'impatientant (après vingt-sept ans de mariage), avide de revoir Pa, même lorsqu'il s'absente quelques heures pour prêcher au village voisin ; lui s'extasiant dans une lettre à Théo jointe à celle de Moe : « Quelles merveilleuses lettres la chère Moe écrit ! Elle est si bonne ! » Leurs enfants occupent leur temps, leur offrent en fait une distraction, une préoccupa-tion commune, mais ils ne sont pas le fondement de leur union. Sans doute, la naissance avortée du premier Vincent a-t-elle seule entaché ce bonheur modeste, très semblable cependant à celui décrit dans les romans en forme de saga : on se réjouit des succès sociaux de Théo, des fiançailles ou des études des filles, on s'attendrit sur Cor, né longtemps après les autres. On fait la cour à l'oncle Cent. Vincent ? Ses parents l'utilisent aussi, mais pour se lamenter, se plaindre, et se faire plaindre surtout par Théo, « leur couronne ». Vincent a pour triste rôle de resserrer les liens du couple, appelé à se consoler mutuellement, à se soutenir l'un l'autre et se liguer, complice, contre le mouton noir de la famille.

A Ramsgate, Vincent, déprimé, humilié par Goupil, repoussé par Ursula et Eugénie Loyer, lâché par l'oncle Cent qui se montre outré par la déconfiture de son neveu dans « la maison » de négoce, est déprécié aux yeux des siens, encore indulgents mais désemparés par ce ratage et vexés qu'il ait eu lieu dans leur milieu même, dans la famille presque. En plein désarroi, Vincent redevient la proie de ce cadavre dont même les pasteurs Bersier et Van Gogh ne parviennent pas à se délivrer ; il retombe aux prises avec cet ange qui emprunte la voix du père, du moins celle de Pa. Il se raccroche à l'enfance, à la voiture des parents s'éloignant de Zevenbergen : « On la voyait de loin, la petite voiture jaune, sur la longue route mouillée de pluie, bordée d'arbres grêles, qui courait à travers les prés, le ciel gris par-dessus le tout se mirait dans les flaques d'eau. Et, une quinzaine de jours plus tard, j'étais, un soir, dans le terrain de jeux quand on vint me dire que quelqu'un était là qui demandait à me voir. Je savais qui c'était. L'instant d'après, je sautais au cou de mon père. Ce fut un instant pendant lequel nous avons senti tous les deux que nous avons un père au ciel. Car mon père avait, lui aussi, levé les yeux et dans son cœur une voix plus haute que la mienne criait : " Abba, Père[1] ! ". »

Il lutte contre la pétrification, la terreur et s'élance en extase vers Pa, dans des effusions libératrices. Vers son père investi d'un pouvoir religieux, ce père qui tient des deux ordres, l'ordre terrestre et l'ordre des cieux. Ce père qui, non seulement peut servir de rempart aux invasions d'au-delà, mais qui a des relations privilégiées avec cet au-delà. Un père intermédiaire, intercesseur, une sorte de Vierge qui ferait frontière, séparant de la mère meurtrière, profanée déjà, comme du premier Vincent, toujours à l'affût. Un père qui a le pouvoir de transformer le petit vampire en ange, de devenir lui-même un ange, identifié, on l'a vu, avec l'affreux Jojo des limbes, enfin domestiqué.

Et puis, il est le Père, le but, la fin, la force. Il compense le découragement de *la Berceuse* figée. Il est le modèle et il ne saurait exister d'autre vocation que celle de devenir aussi un homme de Dieu, invulnérable, irréprochable. Un juste. « Abba Père ! »

Mais Pa déjà ne suffit plus pour incarner le Père et Vincent s'adresse de Ramsgate à un autre révérend, un pasteur anglais qu'il écoutait prêcher à Londres au temps où il était encore employé chez Goupil. Il lui demande un poste ; il proclame sa propre indignité, mais souligne qu'il est fils de pasteur, connaît trois langues, a l'habitude de fréquenter toutes sortes de milieux. « Abaissez sur moi », demande-t-il au prédicateur, « un regard paternel... Je n'ai été que trop laissé à moi-même. Je crois qu'un regard paternel, le vôtre, me ferait du bien ». Il ne semble pas

1. Abba : père, en araméen.

qu'il ait été répondu à cette demande d'emploi (ou de thérapeu-
tique !) si affective.

Cependant Vincent quitte Ramsgate avec M. Stokes qui
déménage son école. Il le suit à Isleworth et là, il le quitte pour
entrer au service d'un pasteur, M. Jones, qui a, lui aussi, une
école de garçons et qui, lui non plus, ne le paie presque pas, mais
chez qui Vincent trouve un état très voisin de celui qu'il vise : il
est associé aux travaux paroissiaux, il commente pour ses élèves
non seulement Andersen mais les textes sacrés — « On se sent
en sécurité dans l'Histoire sainte » — et surtout, enfin, il
prêche !

« Théo, ton frère a parlé pour la première fois dimanche
dernier dans la maison de Dieu. » Un vrai sermon dans une vraie
église. En anglais. A Richmond. Et qui s'ouvre sur cette
citation : « Je ne suis qu'un étranger sur la terre. »

Un sermon ? Oui, peut-être. Mais aussi une confession. Et
quelle émotion ! « Ton frère était bien ému quand il s'est trouvé
au pied de la chaire, qu'il a incliné la tête et s'est mis à prêcher :
Abba Père, que tout commence à votre nom. » Mais son
bonheur redouble lorsqu'il se trouve dans la chaire avec la
sensation « d'émerger à la lumière, amie du jour, au sortir d'un
souterrain sombre ». Le sentiment d'une naissance, issue du
père, cette fois, et non plus de cette berceuse impuissante,
mortifère. Il éprouvera une impression voisine dans le Borinage
lorsque, la coiffure surmontée d'une lampe, comme Pa lorsqu'il
visitait la nuit ses ouailles, il émergera à la lumière au sortir
d'une mine visitée.

Sermon fervent, exalté, dont un passage décrit minutieuse-
ment, un tableau de Boughton, « la Marche des pèlerins ». Dans
une lande automnale et romantique, avance vers une montagne
lointaine, surmontée d'une ville, sainte naturellement, un pèlerin qui rencontre une femme ; ils échangent des propos allégoriques, édifiants, très semblables à ceux d'une comptine, un
poème de Rossetti : « La route monte-t-elle donc sans répit ? »
Et la femme de répondre : « Oui, elle monte sans répit, jusqu'au
bout » « Le voyage prend-il toute une journée ? » « De l'aube à
la nuit, mon ami. » Et le pèlerin (dans le tableau toujours) de
songer à deux vieux dictons allégoriques et édifiants dont le

60

second semble plus mystérieux et beau « l'eau monte jusqu'aux lèvres/Plus haut ne monte pas ».

Mais Vincent replonge dans ses obsessions et c'est la parabole sur la naissance et la mort. L'entrée dans la vie, symbolisée par une mère classique, mais « la fin de notre pèlerinage, c'est l'entrée dans la maison du Père. Il y est entré avant nous pour nous préparer la place. La fin de cette vie est ce que nous appelons la mort. C'est une heure où des paroles sont prononcées ou des choses sont vues, éprouvées qui sont gardées dans les chambres secrètes des cœurs de ceux qui sont présents. Il se fait que tous nous avons de tels souvenirs dans nos cœurs, ou la prescience de ces choses ». Ce qui n'est guère évident si l'on n'est pas né chez les Van Gogh !

La prescience de « ces choses », le souvenir imaginaire de paroles prononcées, de scènes vues, éprouvées qui se sont répercutées, ténébreuses, depuis ces chambres secrètes, sur la vie de Vincent ne proviennent pas de ce qui est arrivé au Père, ni de l'histoire de Pa, piètre pasteur bien vivant. Elles émanent de celui dont on ne parle pas, du « mis de côté » originaire, du Vincent qui les a précédés, y compris son père, dans la maison du Père — Vincent Wilhelm, le premier, qui peut ainsi prendre le statut de père et celui du Père. A partir de là, tous se mélangeront, pères, frères morts ou vivants, revenants ou hantés, saints ou mécréants ; ils se substitueront les uns aux autres, se scinderont chacun ou s'amalgameront en de folles sarabandes, en pieuses et macabres bacchanales.

« Entre Pa et eux là-haut, il y a encore un morceau de vie », écrit alors Vincent à Théo, « entre nous et Pa aussi il y a la vie. Celui qui est là-haut peut faire de nous les frères de Pa. Il peut aussi nous lier toi et moi étroitement l'un à l'autre et de plus en plus à mesure que le temps passera ».

Imagine-t-on le lien magique, le magma incestueux mais austère dans lesquels Vincent entraîne son frère, de quatre ans plus jeune que lui ; il a dix-neuf ans, Théo ! Quel pouvoir de fascination Vincent doit exercer sur ce cadet déjà tout acquis, tout offert au père : sur ce frère aussi nerveux que lui et de santé plus fragile.

Ce « morceau de vie » (le premier Vincent) lie Pa aux

bienheureux « là-haut » et peut, confondu avec ce père désormais son égal, autoriser le fantasme du père devenu frère, que l'on retrouve chez Kafka : « La lutte contre le père ne signifie pas grand-chose, car il n'est rien d'autre qu'un frère aîné, lui aussi fils raté qui fait seulement une lamentable tentative pour égarer jalousement son cadet dans le combat décisif, avec succès d'ailleurs [1]. » Dans le cas du pasteur Théodorus Van Gogh, les chances de succès étaient particulièrement favorables !

Tout au long de leur vie, les deux frères assumeront tous les rôles à tour de rôle et tous les fantasmes, les statuts de père, de frère, vivant ou mort, mais aussi de mère, mère nourricière, mère inspiratrice, mère berceuse enfin, jamais assez au gré de Vincent.

S'ils fusionnent, mais à distance, à travers la symbolique d'une « correspondance » et s'ils jouent chacun alternativement le rôle de mère ou de père, de parent ou d'enfant, d'homme ou de femme et, en fait, le rôle terrible de frère, si voisin du père et sans son absence, c'est Vincent qui réclame une union toujours plus totale, définitive et qui cherche, avide, à la fois une naissance neuve, un lien indissoluble. Le salut !

Lorsqu'il se dit « prisonnier de je ne sais quelle cage horrible, horrible très horrible » et se plaint de « ce qui enferme, ce qui mure, semble enterrer » ; lorsque, si vivant, il est ainsi captif de la mort (ou d'un mort qu'il n'identifie pas), il ajoute : « Sais-tu ce qui fait disparaître la prison, c'est être frère... cela ouvre la prison par puissance souveraine, par charme très puissant. Mais celui qui n'a pas cela demeure dans la mort. »

Quel enjeu ! Il faudra que Théo, sans cesse, soulève la pierre du tombeau, laisse passer de l'air et reçoive le souffle du frère vivant, qu'il lui permette la vie. Mais lui aussi, Théo, sera protégé des miasmes par Vincent, des forces maléfiques de l'aîné véritable, à la fois et sans cesse mort et né. Et lorsque la vigilance, la présence de Théo devenues moindres, les éléments meurtriers se déclencheront et que, pour bien des raisons, de la part de tant d'autres, Vincent tuera Vincent, Théo, sans protection désormais, ne survivra pas, ou guère. Deux frères,

---

1. Kafka, *Correspondance,* Gallimard.

remparts chacun de l'autre ou très simplement protecteurs, comme lorsqu'ils s'étaient « promenés à deux près de la fosse abandonnée qu'on appelle la Sorcière » dans le Borinage et qu'ils s'étaient souvenus là d'avoir, en Hollande, suivi « le vieux canal de Rijswijk pour aller boire du lait au moulin après la pluie ». Vincent ajoute : « Les souvenirs les plus merveilleux que je connaisse. » La Sorcière, le lait. La pluie. La fosse — abandonnée.

Rien d'étonnant que ce soit en Angleterre, sous une forme religieuse protestante, que viennent éclater les hantises de Vincent. Plus tard, à Saint-Rémy, dans le cloître à vocation catholique, parmi les nonnes, il aura peur des crises religieuses qui le surprendront, lui devenu si « moderne », irréligieux. Une peur irraisonnée, lui semblera-t-il, alors que pour la première fois, et totalement, il bascule, démuni de Théo comme de Pa, vers la mère, se confesse à Moe et peint une *Pietà*... Qui a tué Vincent ?

En Angleterre peuvent s'épanouir son aptitude au fantastique, sa capacité de dilater l'espace rationnel, de croire par expérience qu'il « y a plus de chose entre le ciel et la terre... » et de les détecter. Ce don de capter, en particulier, la porosité entre la vie et la mort, il le partage avec un Edgar Poe, une Brontë (que lisait Van Gogh) ; avec Dickens aussi, dont il relit chaque année les *Contes de Noël,* et l'un d'eux, en particulier, *l'Homme hanté !* Dickens dont les personnages, s'écrie-t-il, « sont des résurrections ».

On retrouvera cette transgression, ce dépassement du rationnel dans ses toiles, mais sous une forme plus insérée, transcendée par la tradition hollandaise plus terrienne, et surtout par son goût frémissant de l'exactitude, de la présence précise, dégagée du carcan latin où le corps maternel occupe et censure, rafle tout ce qui est vivant.

Lui-même, une certaine nuit, lorsqu'il a vingt-trois ans, ne ressemble-t-il pas au personnage d'un roman gothique anglais ? Vincent qui erre, cette nuit-là, dans le cimetière de Zundert, village natal du Brabant, où il s'est précipité sans avertir sa famille, ayant appris que son père, désormais pasteur à Etten, un petit village voisin, retourne à Zundert pour assister un certain

Aarsen qui va mourir et l'appelle. Voici Vincent qui déserte sans coup férir la librairie de Dordrecht où il sévit après avoir quitté M. Jones, qui l'envoyait trop souvent récolter les dettes des familles misérables dont les enfants vivaient en pension chez lui : Vincent, bouleversé, ne rapportait aucun argent et s'était laissé convaincre, au cours du séjour suivant dans sa famille, qu'il valait mieux travailler en Hollande, rémunéré, tout en étudiant la théologie. Il est devenu le plus mauvais assistant possible du malheureux libraire convaincu de l'engager par l'un des inévitables oncles Van Gogh et le voici, lui qui se dit « bien souvent triste et seul, surtout quand je me trouve autour d'une petite église ou d'un cimetière », arrivant dans ces lieux dont il écrivait d'Angleterre : « comme il est bon ce sol de la Hollande » rappelant « les promenades avec Pa jusqu'à Rijsbergen etc., écoutant l'alouette par-dessus les champs noirs, et le jeune blé vert... et la route pavée avec les grands hêtres — O Jérusalem, Jérusalem ! ou plutôt O Zundert ! O Zundert ! »

Il a marché toute la nuit, seul cette fois, sous un ciel sombre et étoilé, se rapprochant d'une tombe qu'il ne mentionnera pas. Jamais. « Il était encore très tôt quand j'atteignis le cimetière de Zundert. Un grand silence régnait. Je suis retourné dans les coins familiers, les sentiers d'autrefois. Tu connais le récit de la Résurrection. Je me le suis constamment rappelé dans ce paisible cimetière. »

Paisible, comme les cimetières des histoires de vampires, ce cimetière de Zundert, où reposait (?) toujours le premier Vincent — dont le Vincent suivant espérait et craignait, tentait et prévenait les « résurrections » possibles, sans jamais les associer consciemment à lui.

Au verso de cette lettre, un mot de Pa donne un son plus étrange encore à cette nuit d'un retour impromptu : « Que dis-tu, Théo, de la surprise que Vincent nous a faite de nouveau ? » et la surprise (récidiviste) n'a pas l'air de l'enchanter : « Je trouve toutefois qu'il devrait se montrer plus prudent. La clef était celle du cimetière. Dieu merci. »

La clef d'un Vincent ? Que pouvait-elle être d'autre ? Nous ignorons, cependant, la « clef » de cet énigmatique post-scriptum du pasteur. Les parents Van Gogh avaient décidément le sens du mystère et la science des cimetières. Quant aux clefs, ils savaient très exactement dans quelles mains elles devaient se trouver, sous quelles clefs devaient se trouver certaines mains.

Une clef détenue par Vincent *devait* être celle du cimetière, où un autre gisait à sa place. Une autre clef entre les mains de ce Vincent superflu, et c'en était fait de la prudence.

Celle-ci, la bonne clef, « Dieu merci » pourrait, qui sait ! lui permettre de rejoindre un lieu qui convient aux Vincent.

Pa, qui va tenter, selon des confidences de Vincent rapportées par Gauguin, de le faire enfermer à Gheel, un asile d'aliénés en Belgique, après les expériences pastorales de son fils, dans le Borinage — Pa qui ne parviendra pas à ses fins, mais reviendra à la charge et songera de nouveau à faire mettre Vincent « en curatelle » ou à Gheel lorsque, à La Haye, le peintre, vivant en concubinage avec Sien, ne semblera pas aux yeux des notables du coin, posséder tous ses sens, et surtout pas celui de ses responsabilités — Pa qui, cette fois encore, manquera son but.

Mais justice sera faite ! Des années plus tard, bien après la mort de Pa, grâce à la pétition de « quatre-vingt un vertueux anthropophages de la bonne ville d'Arles et de leur excellent maire », un certain M. Tardieu, Vincent pourra, le rassurant d'abord — « Je t'écris en pleine possession de ma présence d'esprit et non pas comme un fou mais en frère que tu connais » —, confirmer à Théo désespéré (lui-même lié par les préparatifs de son mariage imminent) qu'il se trouve « depuis de longs jours enfermé sous clefs et verrous et gardiens au cabanon — sans que ma culpabilité soit prouvée ou même prouvable » ; quant à ses toiles : « tout est sous clefs, verrous, polices et garde-fous ». Dieu merci ! La clef n'est pas celle du cimetière. Elle le sera bientôt.

Qui a tué Vincent ?

Lorsqu'il est nommé par Goupil à Paris où, très vite, il deviendra directeur non de la maison mère, 2 place de l'Opéra, mais de sa succursale, 19 boulevard Montmartre, Théo semble (a vingt et un ans) avoir trouvé son indépendance ; elle est cependant commandée même exigée par sa famille. Théo est investi, par ses parents débordés, du rôle de conseiller, de soutien ; disons-le de chef. Pa et Moe lui confient tous leurs soucis, leurs problèmes : « Aide-nous, Théo, continue de faire de ton mieux et sois notre aide. Je ne me fais pas d'illusions sur Vincent… » et toujours : « Demeure notre couronne, nous en avons bien besoin ! » On lui recommande de ne pas dire qu'on lui a dit ce qu'on lui dit mais, le sachant, d'influencer comme il l'entend tel frère, telle sœur. On le charge d'épier, même de loin, Vincent. « Tes lettres lui tiennent tant à cœur. » Car « les soucis à son propos continuent » ou « redoublent », et « quel tourment pour nos âmes ! ». Pa espère bien en Dieu, mais il lui faut se raccrocher à la certitude que celui-ci « crée chaque jour la lumière à partir des ténèbres » … cela même semble peu de chose auprès du problème Vincent.

Si Vincent écrit d'Amsterdam (il y demeure chez la gloire de la famille, l'oncle Jan Van Gogh, vice-amiral et commandant du port), on tremble : « Il paraît de plus en plus détaché, étrange », et lorsqu'il n'écrit pas « c'est le silence avant l'orage ». Quand on obtient de ses nouvelles par ailleurs, on apprend que « le nombre de ses erreurs dans son travail devient encore plus important qu'avant et c'était déjà considérable ! » Et pourtant, répète le pasteur, guère féru d'originalité : « Nous avons fait tout ce que nous avons pu pour le conduire vers un but honorable. » Oui : mieux que Dieu, Théo doit être capable de secourir le « joli révérend » afin qu'il puisse, avec Moe, se consacrer au chant des oiseaux, aux fleurs du jardin, aux fiançailles de Liess, leur fille, avec Johan « amoureux l'un de l'autre et nous d'eux ».

Que fait-il donc Vincent, ce fils indigne ? La noce ? Des dettes ? Se dissipe-t-il comme dans les romans français tant redoutés du pasteur ? Non ! Il tente de s'engager par les voies officielles dans la profession de son père, et prépare des examens. Seulement, et Pa semble là perspicace : « Son cœur semble écartelé par des forces contradictoires... On dirait qu'il recherche exprès ce qui le conduira à des difficultés » ; tandis que Théo ne dédaigne pas de cirer « les bottes dans lesquelles tu te tiendras bientôt devant le prince Hendricks ou Mme Thiers », attendrissant ainsi ses parents, Vincent, lui, « ne connaît littéra- lement aucune *joie* de vivre et continue de marcher les yeux comme fixés sur le sol », comme obsédé, peut-être, par son double enfoui là ! Et puis, c'est le comble, il en est venu à oublier certains anniversaires que Théo, lui, a ponctué d'envois de cadeaux judicieusement choisis.

Théo travaille, écrit régulièrement, gagne sa vie, celle des autres ; Théo prend la place d'un Pa tyrannique mais faible, au fond incapable, et qui lui délègue officieusement, avec force flatteries, ses pouvoirs ou plutôt ses « devoirs », se mettant lui- même sous la protection de son fils, mais sans rien perdre de ses prérogatives. Vincent, mais plus tard, ne s'y trompera guère : « Je ne veux pas d'un Pa II. »

En vérité cette situation, progressivement établie par ses parents, livre Théo pieds et poings liés à ses employeurs, auxquels il ne sera jamais en mesure de tenir tête fermement, qu'il ne pourra jamais sérieusement envisager de quitter sans mettre en danger tous ceux qui dépendent de son salaire. Boussod et Valadon ne manqueront pas d'en profiter. La santé de Théo ne résistera pas au travail intensif, aux révoltes refoulées, à la nervosité dus à ce précoce apprentissage de responsabilités indues, dans un milieu parisien agité, anxieux ; mais son abnégation y trouvera son compte, auprès des peintres comme de sa famille, et le protégera, sans doute, d'autres élans qu'il redoute — de l'héroïsme, du martyre craints par son frère, mais qu'il subira à travers lui. Coincé, Théo n'a d'autre choix que d'être exemplaire et, pour cela, de demeurer un tâcheron. Vincent comprendra cette injustice dont il profite et répétera sans trêve au cours des années, en dépit de l'obstacle majeur qu'il représente lui-même et du désastre financier virtuel si Théo le prenait à la lettre : « Théo fais-toi peintre », « Je voudrais que tu sois, que tu te fasses peintre », « Nous devons nous faire peintres, toi et moi, purement et simplement », « Oh ! Théo, pourquoi n'envoies-tu pas le commerce au diable pour te faire peintre », « Tu verrais que c'est possible, si l'idée de te faire peintre s'éveillait en toi », « Il n'y a rien à craindre si tu te fais peintre »... Il est vrai qu'il insiste toujours pour que Théo le suive, l'imite, et Théo le fait, en somme, et prend sa succession chez Goupil à La Haye, puis à Paris. Il s'attachera à une femme pauvre et malade quand Vincent vivra avec Sien, et il mourra quand Vincent mourra. Mais il ne peindra pas, même si, enfants, ils dessinaient ensemble, tous deux, des « moulins absurdes », même si, un jour, alors que Vincent étudie la théologie à Amsterdam, Théo passe une journée à dessiner chez leur cousin Mauve, peintre réputé. « En avant, Théo, *old boy*, sois amoureux ! » s'écrie Vincent lorsqu'il aime Kee, avec si peu de succès pourtant.

Quant à cette question d'injustice (malgré l'apparente aisance financière de Théo), Vincent, d'Arles, en plein essor créateur, proposera la solution contraire : partager à nouveau le métier de son frère : « Sache que si les circonstances rendaient désirables que je m'occupe plutôt dans le commerce, pourvu que cela te décharge, je le ferai sans regret. »

Il sait le partage inégal et que, dans sa pauvreté extrême, sa périlleuse dépendance, et la souffrance intense qui l'envahit, le happe sans discontinuer, croissante, il rencontre un état vital, la griserie de la transgression, tandis que Théo se dépouille pour lui, dans une atmosphère morne, une situation subalterne. Et il veut ou, plutôt, il est convaincu (à juste raison, car leur chemin est le même, au plan de l'inconscient ; ils se rejoignent et s'échangent l'un l'autre, fusionnent, se meurtrissent et se soutiennent) qu'ils produisent cette œuvre à deux. Et il entre là fort peu de la symbolique banale du couple père/mère, producteur, qu'ils formeraient alors.

A ses derniers instants, dans la lettre, pourtant ambiguë, retrouvée sur lui, mort, Vincent insiste : « Je te le redis encore, que je considérerai toujours que tu es autre chose qu'un simple marchand de Corot, que par mon intermédiaire tu as ta part à la production même de certaines toiles, qui même dans la débâcle gardent leur calme. » Théodorus, le pasteur du Brabant, qui en appelait si souvent à la « main de Dieu » pour remédier aux inquiétudes causées par Vincent, ne se doutait pas de ce que produirait la main de ce fils aîné.

Un fils, il est vrai, qui nage en plein désastre. Des textes sacrés ne vibrent presque plus. Tiédi, le désir religieux. Vincent se perd dans des études distraites, éparses, qui le déroutent, l'effraient. Mais, surtout, il est pris dans un réseau qu'il veut fuir, alors qu'il croit s'agiter pour réussir pendant l'année passée à Amsterdam (de mai 1877 à juillet 1878). Lorsqu'il aura fui ces disciplines, ce sera, dans le Borinage, un autre Vincent, ramassé sur lui-même et non plus humble et défait, qui résumera : « Ce fut une entreprise idiote, vraiment stupide. Il m'arrive encore d'en avoir froid dans le dos. Ce fut la pire époque de ma vie... Je préfère mourir de mort naturelle que de me laisser préparer à la mort par l'Académie. »

Seule le stimule, alors, la ville d'Amsterdam, ses ruelles anciennes, le port, les artisans, les chapelles et lorsqu'il a, rarement, le temps de les visiter, les musées. S'il a moins de loisir qu'à Londres, il se promène comme là-bas mais avec plus de délice et ses lettres peuvent encore aujourd'hui servir de guide charmeur et charmé dans cette ville exquise. La seule part de ses tâches à laquelle s'attache une sorte de volupté : les sermons innombrables qu'il doit écouter dans les vieilles belles églises. Ceux de l'oncle Stricker, surtout, beau-frère de Moe[1], et puis ceux du pasteur Laurillard « qui parle comme on peint » et qui, un dimanche où il prêche sur la parabole du Semeur, thème qui

---

1. Moe, jeune fille, se nommait Anna Cornelia Carbentus, son père était relieur de la cour à La Haye. C'est lui qui avait relié le texte de la première Constitution hollandaise.

travaillera tant Vincent, pour le moment désireux de devenir un « Semeur de parole », lui fait « une forte impression ».

Le pasteur Laurillard, en ce matin de juin 1877, mentionne la toile de Van der Maaten, l'*Enterrement dans les blés,* dont la reproduction, accrochée derrière le bureau de Pa, fait pendant à une *Mater Dolorosa,* et qui figure aussi sur les murs des différentes chambres occupées tour à tour par Vincent. Et « le soleil luisait à travers les verrières. Il y avait peu de gens dans l'église, des ouvriers et des femmes pour la plupart », tandis que le prédicateur décrivait des funérailles identiques à celles que l'on ferait à son jeune auditeur, douze ans plus tard seulement, lorsqu'il se serait donné la mort dans ces mêmes champs de blé — comme s'il avait toujours marché vers ce tableau devant lequel, si souvent, il avait vu son père, ou comme si son père lui avait indiqué cette voie où le corbillard s'engouffre et la foule derrière, au creux d'un sillon étroit, disparaissant dans la masse haute et drue des épis, dont la vaste surface envahit la toile au détriment de l'événement noir.

Malgré son désir de prêcher un jour, dit-il, sur le thème (qui lui convient si bien) : « Réveillez-vous, vous qui dormez, et levez-vous d'entre les morts », il ne vibre plus comme avant à la lecture des textes sacrés. Sa foi tiédit. Il n'est plus question d'exaltation, de méditation, de rêverie — d'un territoire où transférer ses angoisses, ses obsessions, afin de pouvoir s'y abandonner ; il n'est plus question de se rapprocher de soi, mais de devenir autre. Il s'affole : « Ma tête est troublée, souvent elle est comme chauffée à blanc et mes pensées sont confuses. Comment pourrais-je assimiler toutes ces études difficiles et touffues ? »

Mais toute la famille semble avoir fait des sacrifices et l'entourage des efforts afin que Vincent puisse, à vingt-cinq ans, les entreprendre, ces études. Au point qu'à la mort de Pa, Vincent, en réponse à des reproches : on a dépensé plus d'argent pour lui que pour les autres, renoncera à presque toute sa part d'héritage en faveur de ses sœurs Liess et Wilhelmine et du petit frère Cor. Bien entendu, il comptera sur Théo pour compenser cela, en augmentant ses mensualités pendant un semestre : « Ainsi ce ne sera pas moi qui donnerai ma part mais ce sera à travers toi que je pourrai conserver la mienne. » Ainsi, c'est de Théo qu'il recevra le legs de son père, autrement refusé, du moins redistribué.

Ce petit patrimoine, Will et Liess l'auront mis de côté et, lorsque Vincent entrera pour la seconde fois à l'hôpital d'Arles, elles remettront cette somme à la disposition de leur frère aîné par l'intermédiaire de Théo, qui s'y opposera d'abord (d'ailleurs l'hôpital est gratuit) et qui finira par laisser cet argent en dépôt au cas où la somme deviendrait nécessaire.

Il n'en est pas moins vrai que les études de Vincent ont été négligées. Il a 24 ans. Comme il arrive dans ce genre de famille, on exige qu'il embrasse une vie adéquate à son milieu de haute bourgeoisie, qu'il exerce une profession libérale, mais sans lui en donner les moyens. L'impécunieux pasteur se conduit comme si ses enfants allaient être protégés financièrement toute leur vie.

Pourtant, après l'excellent internat de M. Provily, Vincent âgé de treize ans, commence en 1866 de brillantes études au collège Willem-II, à Tilburg, alors le seul établissement d'études secondaires au Brabant. Une institution d'Etat de très haute tenue, prestigieuse, fondée deux ans auparavant dans un palais offert par les héritiers du roi Willem II, récemment décédé. Les professeurs, nombreux en regard des trente-six élèves admis (ils sont dix dans la classe de Vincent), viennent d'universités célèbres. Les matières enseignées sont extrêmement variées. Le dessin y tient une grande place (quatre heures par semaine). C.C. Huysmans l'enseigne. D'une famille d'artiste, peintre paysagiste à succès en France, il a dû retourner à Breda, son père devenu aveugle, et lui succéder aux postes de professeur de dessin à l'Académie royale et à l'Institut de Bréda, ses ventes à Paris ne suffisant pas à entretenir aussi des parents qui, désormais, dépendent de lui. Il continue de peindre, toujours avec succès, et publie des manuels de dessin (accompagnés de ses lithographies), qui deviennent des classiques. Il prône la subjectivité. On doit peindre l'impression que fait un mur. Peindre le mur pierre par pierre, ce serait être un maçon. Ses élèves, il ne leur apprend pas des trucs, ni trop de technique ; il développe leur sens de l'observation et leur disponibilité aux émotions esthétiques. C'est le professeur qui doit s'adapter aux

71

capacités plus ou moins grandes de chaque élève, et c'est en dessinant au crayon que l'apprentissage se fait. Les méthodes habituelles où l'on donne à dessiner aux enfants n'importe quoi, maisons, fleurs, chevaux, il les refuse et l'Etat lui octroie un crédit pour acheter une collection de reproductions d'œuvres d'art que ses élèves apprennent à regarder, à copier. Tout cela, les longs débuts passés à dessiner, le goût des reproductions, les copies d'œuvres d'art existantes, laissera des traces chez Vincent qui, néanmoins, ne mentionnera jamais son séjour à Tilburg ni son professeur de dessin C.C. Huysmans.

Autre spécimen de pédagogie à Tilburg, celle du professeur de gymnastique, un ancien sergent de l'armée : il n'enseigne que l'exercice militaire et le maniement des trente revolvers et des vingt fusils de petit calibre offerts par l'Etat à ce collège dont les élèves, future élite, seront éventuellement appelés à se servir pour maintenir l'ordre !

Après sa première année à Tilburg, Vincent fait partie de la moitié des candidats admis dans la classe supérieure, et avec une fort bonne note : 7,36 — la meilleure étant 7,98 — au contraire de certains de ses condisciples, devenus plus tard des notables, mais contraints de redoubler.

Alors, pourquoi, en mars de la même année, quitte-t-il Tilburg pour retourner à Zundert ? Dans les archives de l'école on ne trouve pas traces d'observations relatives à lui, alors que sont mentionnées de nombreuses fautes ou faiblesses d'autres élèves. Il n'a pas été renvoyé. On ne retrouve que la mention de son retour à Zundert. A-t-il quitté ses études de son plein gré ? Le seul fait d'importance survenu à cette époque dans la famille est la naissance, en mai, dix mois auparavant, d'un frère tardif, Cornélis, surnommé Cor.

Deux événements chocs presque simultanés : l'interruption des études et la naissance d'un nouveau frère. Cornélis représentait-il une telle charge pour ses parents ? Furent-ils, dès lors, incapables d'affronter les frais scolaires de l'aîné ? Mais, alors même, pourquoi aurait-on interrompu, en plein trimestre, avant les vacances, la vie étudiante de Vincent ? On ne sait pas ce qu'il fit de retour au presbytère, toujours est-il qu'il n'entra dans la vie professionnelle que deux ans plus tard, chez Goupil.

Mars, c'est le mois de son anniversaire, et celui de la naissance (et de la mort) du premier Vincent. Cela, lié avec la naissance récente d'un nouveau frère, permet d'imaginer — mais d'imaginer seulement — un Vincent en pleine puberté, troublé, déjà déprimé et réagissant, comme il en aura l'habitude, par la fuite, c'est-à-dire, comme souvent par le retour au bercail, au nid — ces nids dont il fit toujours collection.

Et lorsqu'il n'y aura plus de nid familial disponible, il entrera dans la seule « maison », la seule communauté consentante si l'on paie : l'asile de Saint-Rémy.

Dans la famille Van Gogh où les professions libérales sont de tradition et donc les longues études, Vincent, Théo voient les leurs interrompues dès l'âge de quinze ans. Mais le cas de Théo, qui entre aussitôt en apprentissage chez Goupil, répond, au moins, à une certaine logique.

Même si le brusque départ de Vincent quittant Tilburg résultait de sa propre volonté, son père le « petit pape protestant » ne semble pas avoir résisté au « caprice » de son fils. En somme, chez les Van Gogh, les garçons entraient chez Goupil comme les filles se mariaient en ce temps. C'était la solution et la seule. Le divorce n'était pas même envisagé. Partant de là, aucune autre formation (c'est-à-dire aucune formation) à la vie ne semblait nécessaire. Le pasteur et Moe se préoccupaient surtout de respectabilité. Ce négoce était respectable, rentable. Même si on y était employé et non plus, comme les autres Van Gogh, propriétaires et si l'on se mettait ainsi — sans alternative — à la merci de goujats.

Toute leur vie, Vincent, Théo sembleront sans recours. Théo attaché à une firme où sa valeur n'est pas reconnue, où ses critères sont refusés, où l'on est trop heureux de le gruger, puisque ses charges et son incapacité à suivre une autre voie professionnelle le rivent à ce lieu indiqué par sa famille : la « maison » qui fut vangoghienne, comme si le monde, ailleurs, était d'une autre espèce. Il sera sous-payé, on ne lui saura pas gré de l'impulsion donnée à la galerie Boussod-Valadon, de la sorte d'engouement d'avant-garde, de la vie de club, de salon qu'il a su y créer et, sans négliger pour autant le courant de ventes traditionnelles, les œuvres plus conservatrices sur lesquel-

73

les est fondée la prospérité de ses employeurs qui, en 1901, lorsqu'ils vendront leur affaire en faillite (c'est l'année où Sien se marie, avant de se noyer quatre ans plus tard, et l'année où Jo se remarie), ils ne posséderont plus que des croutes d'inconnus et se seront « débarrassés » des œuvres que ce « fou » de Théo leur avait imposées. Pas un impressionniste à la vente publique, qui sera un désastre.

Quant à Vincent, il dépend de Théo, comme les peintres autrefois dépendaient d'un patron, grand seigneur, homme d'église. Mais Théo, petit employé, n'est guère fiable et c'est le désarroi sans cesse. Les deux frères sont constamment acculés, sans choix, dans un espace où le vertige naît à la moindre menace, au moindre événement qui vient troubler leur construction précaire, leur système fantasmé, leur territoire à la fois infini et très précisément délimité, réduit.

D'où le désarroi général lorsque Vincent quitte Goupil (ou Goupil, Vincent) ; d'où l'indignation définitive et stupéfaite de l'oncle Cent.

Amsterdam, la faculté de théologie, c'est bien la dernière chance pour Vincent de rester au sein de son milieu, de ressembler au modèle proposé par les siens. Et il n'a aucune autre ressource. Et il se sait incapable de mener à bout cette entreprise où tout le monde prévoit sa défaite. D'autant plus incapable que, peu à peu, s'éveillent son indignation, sa lucidité. Ce n'est plus à l'image idéalisée de Pa qu'il a à faire, ni au pauvre pasteur Jones, mais aux autorités ecclésiastiques. Ce ne sont plus les textes sacrés, si liés à ses fantasmes, si proches de son instinct visionnaire, mais des études abstraites et des stratégies tout à fait dans le siècle, avec lesquelles il se trouve aux prises.

Il est encerclé par une sorte de tribunal : sa famille, le clergé, auxquels il croit encore et, quand il considère « la somme des efforts exigés pour un travail pour lequel je n'ai pas de goût, un travail que moi, le moi haïssable, voudrait volontiers esquiver », il se désespère : « Quand je songe que les yeux de tant de gens sont fixés sur moi, quand je pense à tout cela, et encore à tant d'autres choses trop nombreuses pour être dites, quand je songe à toutes les difficultés, aux soucis, aux souffrances, au danger et à la honte d'échouer, alors... je voudrais tout quitter. »

Et c'est l'effort harassant, jour et nuit, ce sont les courses à travers Amsterdam, d'un professeur à l'autre, les leçons particulières, celles « de grec au cœur d'Amsterdam, au cœur du quartier juif, par une très chaude après-midi d'été, avec le sentiment que beaucoup d'examens difficiles, menés par de très savants et très rusés professeurs sont suspendus sur votre tête, les leçons de grec, dis-je, sont plus étouffantes que les champs de blé du Brabant ».

Le Dr Mendes da Costa, déjà célèbre à vingt-six ans, et que Vincent admire, le tenant même parfois, pour un génie, lui donne ces terribles leçons de grec dans le quartier juif, et voit, en effet, son élève arriver de loin, traverser le pont, les coins de la bouche abaissés dans une expression de désespoir, une fleur à la main qu'il va lui offrir avec mélancolie, tout en lui demandant s'il trouve vraiment nécessaires toutes « ces atrocités ». Le grec, le latin « et cette algèbre effrayante, cette géométrie » !

Pourtant il faut aussi croire Vincent lorsqu'il proteste, bien plus tard, et fait remarquer à Théo qu'avec son don pour les langues étrangères, cette « misérable poignée de latin » était peu de chose pour lui, et qu'il avait, instinctivement d'abord, puis sciemment, entrepris d'échouer quitte à en subir l'humiliation, plutôt que de dire à ses protecteurs qu'il considérait la faculté de théologie « comme un tripot inconcevable, comme un bouillon de culture de pharisianisme ».

Ce don des langues étrangères, il est véritable. Mais Vincent aurait pu mentionner surtout son érudition, rare à l'époque. S'il parle, écrit, lit indifféremment le hollandais, l'anglais, le français, il relit sans trêve, avec quelle passion, Shakespeare dans le texte, ce qui n'est pas habituel en ce temps. « Mon Dieu ! que c'est beau Shakespeare ! qui est plus mystérieux que lui ? Sa parole et sa manière de faire équivaut bien tel pinceau frémissant de fièvre et d'émotion. Mais il faut apprendre à lire, comme on doit apprendre à voir, et apprendre à vivre. » Au Borinage lorsqu'il lit un « très beau livre sur Shakespeare », il précise qu'il a entrepris « l'étude de cet écrivain déjà depuis longtemps ; cela est aussi beau que Rembrandt ».

Dans le texte aussi, Walt Whitman, Carlyle, Keats, Edgar Poe, Brontë, George Eliot, son cher Dickens, tant d'autres.

75

Dans le texte, une multitude d'auteurs français qui vont de Rabelais à Bossuet, à Balzac, à Flaubert, Baudelaire, Taine, Zola, Michelet... avec, il faut le dire, une prédilection pour *Tartarin de Tarascon,* qui le précipita vers la débacle arlésienne. Et puis, traduits, Eschyle, Sophocle, Dostoïevski, Tolstoï, Heine, Goethe (Pa et Moe se résoudront à lire *Faust* seulement lorsqu'un de leurs amis, le pasteur Ken Tate, l'aura publié, car « du moment qu'un pasteur l'a traduit, cet ouvrage ne peut être immoral... Mais ils n'y ont vu rien d'autre que les conséquences désastreuses d'amours irrégulières »), et l'on peut poursuivre aussi avec Dante, Homère, Huysmans, à l'infini. Sans oublier la Bible lue, relue, absorbée, méditée, tout au long de sa vie. Il est temps de faire table rase de la légende Van Gogh, plouc inspiré !

Il n'est donc pas dupe, malgré sa bonne volonté, des détournements de la pensée et de la révélation auxquels procèdent les milieux ecclésiastiques, comme les autres milieux. « Cela se passe », découvre-t-il, « chez les hommes d'église comme chez les artistes ». Et chez Goupil il a bien entrevu les intrigues des hommes en place, de postulants autour d'œuvres devenues leur prétexte.

Avec l'intelligence de cela, Vincent ne peut que s'en détourner. L'exigence visionnaire qui l'agite, sa science innée de la mort et, par là, de l'existence l'obligent à rester au plus près de ses obsessions, au plus près de lui-même, comme si le passage si bref, antérieur, du premier Vincent donnait plus de poids permettait moins de terrains de fuite à la station du second, qui ne peut se diriger que vers les points forts des itinéraires possibles, vers des activités élémentaires, comme le sera la peinture, inventée en fonction de son inquiétude, de sa puissance d'action, de son désir. Rien d'autre ne peut le retenir, il ne peut rien obtenir d'autre.

Encore une fois, alors qu'il pense s'acharner à rester parmi ses proches, au sein d'un cadre familier, il s'éloigne, lui, de ceux qui l'écartent.

Il se sait d'avance refusé ; il sait décidément qu'il inquiète et déplaît et qu'il lui est impossible d'être tel qu'il le faudrait pour qu'on l'accepte. Il ne le peut pas. Il ne peut pas le vouloir, quelque nostalgie qu'il en ait.

Cela se traduit déjà par ces futilités qui blessent, qui excluent cruellement et qui accusent sa marginalité toute apparente, car ce sont les autres qui vivent en marge de ce qui est encore vif en eux.

Déjà, et cela deviendra obsessionnel, on reproche à Vincent sa tenue vestimentaire. Pa s'en plaindra, plus tard ; Théo lui-même craindra de marcher à ses côtés à La Haye ; dans la Drenthe il sera redouté ; les gens d'Arles le feront interner, en grande partie pour cela.

Il y est très sensible, mais il ne peut y remédier. Il s'en expliquera souvent, s'étonnera parfois, en viendra, rarement, à promettre de s'efforcer de changer. A Paris, seulement, il semble avoir un peu soigné son aspect ; en tout cas, parmi les peintres, il est accepté, populaire. Et peut-être cela irritera-t-il Théo ?

Après son départ d'Amsterdam, il reconnaîtra avoir auparavant « bien souvent négligé ma toilette, cela je l'admets et j'admets que cela est shocking. Mais voici, la gêne et la misère y sont pour quelque chose, et puis un découragement profond y est aussi pour quelque chose, et puis c'est quelquefois un bon moyen pour s'assurer la solitude nécessaire ». Mais il en appelle de ce prétexte choisi pour l'évincer : « Ce n'est pas dû à une simple question de toilette comme on me l'a hypocritement dit, c'est une question plus sérieuse, je t'assure, une des raisons pourquoi je suis maintenant hors de place, pourquoi pendant des années j'ai été hors de place, cela est tout bonnement parce que j'ai d'autres idées que les messieurs qui donnent les places aux sujets qui pensent comme eux. »

Et c'est très profondément exact.

Vincent, dépouillé de son imagination religieuse, perd aussi son élan, son « nid » de rêves, de cauchemars, de méditations, ses réseaux sexuels, ses sublimations. Ce monde palimpseste que Pa dominait, transcendait en lutte victorieuse contre un ange néfaste est métamorphosé en disciplines sèches, délimitées, mineures en regard d'autres branches plus immédiatement payantes et plus contrôlables, précieuses pour faire carrière dans « une vieille école académique souvent exécrable, tyrannique ». Persévérer dans cette voie devient d'autant plus impossible que

Pa n'est plus le phare idéal, « plus beau que la mer » (et lorsque Vincent pense la mer, il connaît le mot français « mère ») ; Pa n'est plus qu'un rouage médiocre, peu prisé de cette vieille école académique, elle-même « l'abomination de la désolation ».

Désormais, Vincent, qui va prêcher avec cœur dans le Borinage, prend ses distances avec la religion officielle ; une distance définitive, hostile, avec Pa, avec les pasteurs, « il n'y a pas d'incroyants plus endurcis, plus terre à terre, que les pasteurs, sinon les femmes de pasteur ».

Peut-être est-ce pour cela qu'à Amsterdam sa nostalgie de Théo s'intensifie. Il se languit de lui déjà de façon extrême. Les jours fuient lents, moins lents songe-t-il que pour Théo, de quatre ans plus jeune et qui l'attire comme un frère dont l'avenir fait revivre à ses yeux son propre passé, mais aussi comme un être à qui il demande : « Seras-tu encore assis à côté de moi, un jour, dans quelque petite église » et qui fait songer à une jeune épousée au jour de la cérémonie !

C'est tout de même encore l'époque où les larmes lui montent aux yeux devant la chaise vide de Pa. C'est le temps où il griffonne déjà « instinctivement » Abraham dans le champ de Macpela, Elie dans le désert. C'est le temps où il se console des visites chez les pasteurs qui ne le reçoivent pas chez eux, malgré les recommandations de Pa, en regardant, des salons où il attend en vain, le reflet du soleil dans l'ombre sombre des canaux, qui évoque tel ou tel tableau. Mais c'est, peut-être, surtout le temps où il est distrait de cette avalanche de savoir barbare à ingurgiter par ses visites à sa cousine Kee (Cornelie Adriana, presque les prénoms inversés de Moe), la fille du pasteur Stricker et à son mari Christofel Vos. Kee a sept ans de plus que Vincent. D'après ses photos, elle est loin d'être belle, mais elle a une aura morbide, une vie comme romancée, qui peuvent captiver déjà Vincent, fasciné par ce couple. Christofel Vos et Kee Vos-Stricker ont un fils de quatre ans, mais, trois mois avant l'arrivée de Vincent à Amsterdam, ils en ont perdu un autre, âgé d'un an seulement. Voilà qui rejoint les avenues secrètes de Vincent. Et puis Christofel est pasteur, lui, docteur de l'université d'Utrecht mais, très malade des poumons, il a dû renoncer assez vite à prêcher, quitter avec sa femme la petite ville de Heenvliet, dont il était le prédicateur, pour Amsterdam, et là il est devenu journaliste au *Algemeen Handelsblad* ; un métier moins épuisant pour lui.

Cet hiver 1877-1878 est particulièrement rude ; la santé de Christofel s'aggrave brusquement, il dépérit ; bientôt, il ne peut plus quitter sa chambre. Et c'est irréversible. Le 2 mars 1878, Moe, parmi les nouvelles transmises à Théo, note : « Vos va très mal. La fièvre et une forte transpiration ont diminué, ce qui laisse un peu d'espoir. » Vos mourra le 27 octobre suivant, à trente-sept ans. Vincent et lui auront eu le même temps de vie.

Kee sera veuve. Cette veuve qui viendra trois ans plus tard, avec son fils, se reposer quelques semaines à Etten, chez son oncle et sa tante, Pa et Moe, et qui fuira lorsque Vincent déclarera l'aimer.

Mais, pour l'instant, c'est de ce couple composé d'un homme mourant et d'une femme près de perdre son mari, mère d'un enfant mort quelques mois plus tôt, que Vincent s'éprend. Il leur rend souvent visite et il appelle cela aller « voir Vos ». Vos qui lui a offert *l'Imitation de Jésus-Christ,* de Thomas A. Kempis, un livre que Vincent, démuni, était en train de recopier à la main, en le traduisant, après l'avoir emprunté à l'oncle Cor dans la version française. Vos devenu, d'après sa notice nécrologique parue dans le journal auquel il participait, « l'ombre de lui-même ».

Ils habitent, lui et sa femme, le long d'un des plus beaux canaux de la ville, au 158 Prisengracht, non loin de la chapelle Oudezijds, dont le pasteur Johanes Paulus Stricker a la charge.

Est-ce en songeant à Kee ? Vincent, après avoir mentionné une visite chez les Stricker, où se trouvait peut-être leur fille et leur gendre, déclare éprouver quelque chose proche du bonheur, un changement dans sa vie.

Au cours de l'automne qui précède l'hiver fatal à Vos, Vincent admire, ému, ses cousins, « assis ensemble, le soir, à la lumière intime de leur lampe... tout à côté de la chambre à coucher de leur fils qui s'éveille de temps en temps pour demander quelque chose, c'est vraiment idyllique ». Ils s'aiment beaucoup, s'attendrit le jeune homme qui ajoute, sentencieux : « Là où habite l'Amour, le Seigneur, répand ses bienfaits. » Hélas ! étranges

79

bienfaits, et l'hôte de ces malheureux élus reconnaît qu'ils
« connaissent aussi des jours difficiles, des nuits d'insomnie,
l'angoisse et le souci ». Mais, sans doute, n'est-ce rien à ses
yeux, et peut-être n'a-t-il pas tort, auprès de l'entente et de
l'amour qu'il croit déceler dans cet intérieur « très gentil ». C'est
à cela qu'il voudra succéder, sans doute. C'est cela qu'il voudra
s'approprier en même temps que la femme triste, privée d'un
homme aimé, d'un enfant à peine apparu. Abandonnée. Mais à
ses yeux ressuscitée, fraîche et apte à revivre une idylle.

Il ne les mentionnera plus, Kee et Vos, ni la longue agonie, ni
la mort qui aura lieu quelques mois après son départ pour le
Borinage. Kee réapparaît en 1881 lorsque, d'Etten, Vincent
s'exclame : « Je vais te dire ce qu'il y a dans le fond de mon
cœur : je suis amoureux fou de Kee. »

Mais déjà Amsterdam s'éloigne. Lentement, un peu comme
l'eau des canaux, se retire ce Vincent éperdu, mendiant la
conciliation, la réconciliation ; ce Vincent d'avance coupable,
d'avance vaincu. Et, lentement, se retire de lui, se refuse à lui
cette fois sous les formes conservatrices qui, à Londres, se
plaquaient si bien sur son propre délire et qui lui permettaient
grâce à des formules dévotes de s'adonner à son propre monde
d'angoisses et d'extases insoutenables, à ses questions, ses
obsessions calquées, car essentielles, abruptes, sur les Ecritures.

Mais ce qui le subjuguait alors, se transforme (ou se révèle) à
Amsterdam comme un système social dont il n'a rien à faire et
comme la propriété d'une caste : le clergé.

L'apostolat auquel il avait tant rêvé, dont son père était une
sorte de héros, n'est pas, en vérité, la profession de Pa. Selon
cette profession, donc selon le pasteur Théodorus, si conformiste, cette forme d'apostolat n'est qu'une lubie, à la fois
subversive et ridicule — comme Vincent. Devenir pasteur
représente tout autre chose ; c'est entrer dans un jeu bien plus
pervers, plus hypocrite que celui du commerce d'art, dont
Vincent a bien vu chez Goupil & Cⁱᵉ les manœuvres, les
intrigues ; la hiérarchie y est plus féroce, la menace de paralysie
plus grave, et de crime. D'ailleurs, la route en est barrée devant
Vincent. Immédiatement. Comme toutes les routes qui ne sont
pas très spécifiquement la sienne — celle qui mène à « la carrière

de martyr », qu'il refuse. Le piège se précise ; il va bientôt se refermer.

Vincent, il n'est que de lire les lettres de son entourage à son propos et de le lire à travers ses propres lettres, ne suscite que malaise — des sarcasmes sans doute doublés d'une pitié vague, de mépris, en fait, puisqu'on ne l'attaque pas de front, l'hostilité n'est pas franchement déclarée ; ce ne sont que murmures chuchotés derrière son dos, compassion découragée, irritation plus ou moins efficacement dissimulée, ruses employées pour lui faire suivre un droit chemin, tout en souhaitant s'en débarrasser — « La clef était celle du cimetière, Dieu merci ! »

Oncle Jan, l'amiral aux longs cheveux gris, les confortables Stricker l'aiment bien, mais quelle reconnaissance humble, exagérée en ont Pa et Moe : c'est comme une aumône. Vincent se débat, s'empêtre dans son personnage. Bientôt, il renonce. Il se reprend.

Longtemps, il s'est rangé du côté des autres, où se trouve encore Théo, tiraillé déjà entre son attirance pour son frère et les louanges coercitives de ses proches, d'autant plus chaleureuses qu'elles signifient, en creux, un blâme pour Vincent. Longtemps celui-ci a tenté de leur plaire à tous, espéré ressembler à l'image qui le rendrait admissible. En vain.

« Involontairement, je suis devenu plus ou moins dans la famille une espèce de personnage impossible et suspect, quelqu'un qui n'a pas la confiance », écrira-t-il du Borinage, après avoir rompu avec son milieu ; mais quelle souffrance il cache à Amsterdam, lorsqu'il s'acharne encore à vaincre « cette difficulté plus ou moins désespérante de regagner la confiance de toute une famille », et que de la perdre le rend « fou de douleur » !

A l'université de théologie son échec futur devient évident, officiel. Déjà, tout au début, le Dr Mendes da Costa avait, en accord avec son élève, voulu persuader les Van Gogh de laisser leur fils interrompre ses études. Rien n'y a fait. Ce projet « pesé et soupesé, discuté et délibéré », on s'y est tenu. Et Vincent n'oubliera pas ce qu'il lui en a coûté de suivre l'avis des siens : « Des expériences de ce genre sont trop fortes pour moi ; et les dégâts, les peines et les remords trop grands. »

81

Cette fois, c'en est fini du savoir froid vers lequel ne tend pas son désir. Depuis longtemps, il souhaite renoncer à devenir pasteur pour être évangéliste. Terreur de Pa ! Ces missionnaires sans apparat, sans doctorat ont un statut inférieur, un salaire dérisoire, parfois inexistant. Il s'y est opposé. Mais, à présent, nul autre point de chute pour Vincent, et son père tremble tandis qu'accompagné de Moe il se rend à Bruxelles afin de présenter son fils dans une école pour évangélistes. Le pasteur Jones, d'Isleworth, « si charmant et qui nous a fait si bonne impression », vient de séjourner, de passage en Hollande, chez son collègue Van Gogh. Ils ont sympathisé, et le brave Jones de se joindre à l'expédition. Il ne manquera pas d'aider Vincent à mettre en valeur sa connaissance parfaite de l'anglais devant un aéropage enthousiasme surtout par la vitesse à laquelle il le parle. On le félicite. Pa découvre un fils qui expose remarquablement son cas devant les professeurs et qui semble apprécié ; il en conclut que « le séjour à l'étranger et cette dernière année passée à Amsterdam n'ont pas été sans bénéfice ; il est capable lorsqu'il doit traiter avec les autres de faire la preuve qu'il a déjà beaucoup appris, beaucoup remarqué à l'école de la vie [1] ». Le Vincent forgé par l'imaginaire d'une famille, ce minus, est doué d'autonomie. Il existe — ailleurs.

Et il va partir seul. L'école pour évangéliste, il y est admis. Comme d'habitude, il déplaît, et n'y fait pas long feu. Mais il prend prétexte des conditions financières plus élevées pour un Hollandais que pour des Flamands, lorsqu'après les trois mois de stage obligatoire, il quitte définitivement ses études pour risquer sa chance en allant travailler sur le tas. « J'aimerais aller là-bas comme évangéliste », écrit-il, de Bruxelles, à Théo, le 15 novembre 1878. A Noël, il y est. Là-bas, c'est le Borinage. « Les cours gratuits de la grande université de la misère. »

1. John Hulsker, bulletin, musée Vincent Van Gogh.

« Ce n'est peut-être qu'un rêve horrible et angoissant. » Du fond du Borinage, après dix mois passés dans ce pays lugubre, ces villages « désolés, déserts, morts », à prêcher, assister une population rude et opprimée, qui comprend « bien des malades, des alités, des amaigris, des affaiblis et des misérables », ce que Vincent voudrait évacuer dans le rêve n'est pas cette actualité, mais, encore et encore, la torture d'être « la cause de tant de discorde et de chagrin dans notre milieu et dans notre famille » et la terreur d'être exclu, d'être un « mis-de-côté ».

En Belgique, il a travaillé sans poste officiel, sans salaire, entretenu par son père, avant d'être nommé en janvier comme on l'avait tout de même promis au pasteur Theodorus. Mais il ne l'est qu'à titre d'essai, pour un semestre, avec un salaire de cinquante francs. A Wasmes. Au mois de juillet suivant, il n'est pas confirmé dans son poste. Excès de zèle. On trouvera d'autres prétextes. C'est d'une injustice flagrante, désespérante. Une humiliation de plus, qui vise encore ce qu'il y a d'essentiel dans son comportement et qui, depuis toujours, à jamais, le condamne. Il ne se conforme pas aux codes de ses entreprises, mais à la vérité qu'il cherche à travers elles. Son apostolat, il va le poursuivre à son compte, sans appui officiel avec même le déni de la hiérarchie, jusqu'à ce qu'on le nomme, des mois plus tard, à Cuesmes.

Au mois d'août 1879, il vient d'apprendre son renvoi lorsque Théo lui rend visite, certainement délégué par la famille et porteur des messages dont on aime tant le charger. Ces derniers temps, les deux frères ont échangé peu de lettres, indifférentes, et Vincent souffre de solitude comme on souffre de faim. Au cours des longues pages écrites après le passage de son cadet, il souhaite que la vie soit seulement un cauchemar, et il propose de ne plus jouer, Théo et lui, les cadavres, il clame son besoin d'amitié, d'affection : « Je ne suis pas une fontaine publique, ni un réverbère en pierre ou en fer », plaide-t-il avec un sens étrange des images, l'une féminine, l'autre masculine et toutes deux récusées. Il avoue son épouvante à l'idée de devenir « un boulet, une charge », et la vie lui semble moins précieuse, moins intéressante, comme indifférente sans Théo, et quelle sensation de vide, quel sentiment de manque il éprouve à le sentir s'éloigner.

Mais sa voix est autre, plus sûre, plus sourde, l'émissaire Théo, n'a pas eu devant lui le garçon affolé, apeuré, qui acceptait jusque-là, sans broncher, cette caricature que les autres voyaient en lui. Théo s'est trouvé devant un frère capable de lui faire face et à ses mandataires, à leurs pauvres conseils, à l'insulte qui lui est faite ainsi, au désarroi lâche et stupide, mais inévitable et « normal » de sa famille devant lui. Théo entend que Vincent entend ; il entend le rire de Vincent. Et ce rire, cruellement, le condamne, lui, Théo, complice de Pa, de Moe, et qui a glissé dans la routine préconisée par eux, sous leurs acclamations, lesquelles vont lui paraître sans doute bien stridentes au cours des longues années fades, épuisantes qui débutent.

Vincent ne lui envoie pas dire qu'il se trompe, Théo, s'il croit « que j'ai estimé un moment utile et salutaire pour moi de suivre à la lettre tes conseils et de me faire lithographe d'en-têtes pour factures ou cartes de visite, ou comptable, ou apprenti-charpentier ou encore, toujours selon toi, boulanger — et un tas de solutions de ce genre, toutes remarquablement disparates et difficilement réalisables ».

On imagine le conseil de famille préparant cet entretien et les efforts de chacun pour trouver un moyen de caser l'incapable. Imagine-t-on la force — et l'ironie — nécessaires à Vincent pour ne pas céder et ne pas non plus renoncer à tout ? Théo l'accuse de vivre « en rentier » ; accusation reprise par d'autres plus tard, lorsque Théo, subjugué, ne la portera plus (par exemple à La Haye, Vincent apprend en professionnel son métier, il est reconnu comme l'un des leurs par quelques peintres déjà, mais l'oncle Cor et le terrible M. Tersteeg, directeur de Goupil à La Haye, le soupçonneront de dessiner uniquement pour se faire entretenir par Théo et jouer les « rentiers »).

Cette fois, en Belgique, Vincent tient tête : « Me sera-t-il permis de te faire remarquer que ma façon de faire le rentier est une assez curieuse façon de tenir ce rôle » — lui qui partage, ou plutôt qui mime la vie misérable, épuisante, des travailleurs de la mine.

Or, il parviendra à persévérer un temps dans cette voie, malgré le refus du synode de lui conserver son poste, uniquement grâce aux subsides de Pa, lesquels (il l'ignore encore et Théo ne lui en dit rien) proviennent en grande partie déjà de son frère cadet. Ambiguïté où se joue, comme dans un psychodrame, le phénomène, aberrant pour le système, de la création, ici pas même encore perçu ; il n'y a pas encore pari, pas même un projet. Il apparaît, ce phénomène, seulement à travers des refus, des rejets de part et d'autre. Un homme qui rate ce qu'il prend pour son désir et qui prend pour son désir ce qu'il ne refuse pas d'emblée. Un homme qui, voué malgré lui à des opérations marginales, devra, sans moyens personnels de subsistance, vivre en parasite. Son désir ? Il l'approche chaque fois qu'il est répudié, chaque fois qu'il repousse ce qui lui répugne, chaque fois qu'il procède à des activités acceptées ou choisies selon ses critères très particuliers, inacceptables pour les autres, et qu'il est rejeté. D'où la confusion entre ses retraits voulus, ses défaites. Son désir, il l'ignore d'instinct. D'instinct, il marque le pas devant « une carrière de martyr ». Martyre, héroïsme ? Il lui faudra, surtout, dans sa candeur brutale, beaucoup de cruauté, une détermination aveugle, implacable pour s'acharner dans cette voie si onéreuse qu'est la peinture, et pour sacrifier un autre à son propre sacrifice.

Mais il ne sait pas encore, Vincent, qu'il sera peintre. Et, peintre, il ignorera être « Van Gogh ». Et de ce Van Gogh il ignorera aussi que le peintre Van Gogh de son vivant ne vendra jamais son travail. Longtemps, en toute bonne foi, il croira et ce sera tout à fait raisonnable, pouvoir gagner sa vie modestement, couvrir ses frais en tout cas, non pas comme un peintre de génie, ni même reconnu, mais comme illustrateur d'abord, puis grâce, pourquoi pas, à quelques amateurs. Longtemps, l'espoir. Puis l'étonnement : « Je n'y peux rien que mes tableaux ne se vendent pas. Le jour viendra cependant où l'on verra que cela vaut plus que le prix de la couleur et de ma vie, somme toute très maigre, que nous y mettons. » Un étonnement de plus en plus indigné : « Je me donne du mal pour faire une peinture telle que même au point de vue de l'argent, il soit préférable qu'elle soit sur ma toile que dans les tubes. » Mais lorsque Théo se marie, c'est un constat désolé, un serment : « Tu auras été pauvre tout le temps afin de me nourrir, mais je rendrai l'argent ou je rendrai l'âme. » Il rendra l'âme ; des deux propositions, la plus facile à tenir. « Mourir », avait-il remarqué longtemps auparavant, réfléchissant à la condition de peintre, « n'est peut-être pas aussi difficile que vivre ». Et rien n'est exagéré, ni provoquant dans cette remarque désabusée : « Après tout, ma vie ne vaut peut être pas ma nourriture. » Et puis, tant de secrets et, en raccourci, qui sait ? le sens de toute une vie, de la dépense d'une vie, lorsqu'il déclare à Théo : « Mais, mon cher frère, ma dette est si grande que lorsque je l'aurai payée, le mal de produire des tableaux m'aura pris ma vie entière. Et il me semblera ne pas avoir vécu. » Cette dette mise en balance avec la vie et qui passe par le réseau coercitif de la monnaie argent, antagoniste de la monnaie peinture, auquel de ses frères est-elle due ? Théo, créditeur, ne veille-t-il pas à ce que le second Vincent rembourse au premier sa vie usurpée, en ne l'ayant pas, lui non plus, vécue ?

Les dons de Théo seront reçus comme des prêts ; comme les achats d'un marchand et, si les deux frères n'étaient pas morts si tôt, ou même si Théo avait survécu, cela n'eût pas été un mauvais calcul. Mais ils trouveront tous deux une volupté certaine à se lover dans ces offrandes, ces nourritures échangées ; cette interdépendance. Si Vincent ne semble survivre que grâce à Théo, celui-ci ne s'anime que branché sur la vie créatrice de Vincent, il semble comme intoxiqué par la nécessité d'être nécessaire. Or, pour Vincent, tout de Théo devient nécessaire : son travail, son argent, son amour, sa haine, sa vie et sa mort doivent lui appartenir. Ils doivent tout partager, même les utopies de communautés rêvées par Vincent, d'associations de peintres galvanisés par eux. Au point qu'à Saint-Rémy, Vincent remarque aussitôt : « Il y a beaucoup de place. Il y aurait de quoi faire des ateliers pour une trentaine de peintres. » Dans une de ses toutes dernières lettres, il découvre, effondré : « Les peintres sont eux-mêmes de plus en plus aux abois. Bon... mais le moment de chercher à leur faire comprendre l'utilité d'une union n'est-il pas un peu passé déjà ? D'autre part une union se formerait-elle, sombrerait si tout le reste doit sombrer. » Lui mort, Théo devenu fou, et fou de culpabilité, fou du malheur d'avoir méconnu sa voie, d'avoir trahi son frère (et de s'être trahi) avec une femme, un fils qu'il tentera de tuer ; Théo fou du regret de n'avoir pas assez cru, assez suivi Vincent, parlera au cours de ses hallucinations de louer le Tambourin (un ancien cabaret parisien décoré autrefois par Vincent, de bouquets de fleurs peints qu'il offrait au lieu des fleurs fraîches, trop chères, à la propriétaire avec laquelle il avait une liaison — toiles qu'elle avait bazardées avec son fonds de commerce dans une vente aux enchères), et de le louer pour fonder une association de peintres, ce phalanstère auquel rêvait Vincent, ce projet auquel il n'avait adhéré, lui, qu'avec tiédeur et sans grande foi. Cette fraternité de peintres, ratée par Vincent, et que Théo à présent, souhaite lui offrir avec ferveur... Des frères, des frères « pour survoler la vie » !

En attendant, devant son frère cadet planté là, à Wasmes, et qui récite la leçon familiale, Vincent, dans le Borinage, près des mines caverneuses et secrètes, dans cette contrée qui lui convient, rit ; il propose, ce serait la meilleure réplique, affirme-t-il, de prendre à la lettre les conseils de Théo et de « devenir boulanger, par exemple... à supposer qu'on puisse même se métamorphoser instantanément en boulanger, en coiffeur ou en bibliothécaire ».

A cette lettre, Théo ne répond pas. Neuf mois de silence. Vincent, à bout, écrira le premier pour remercier de cinquante francs envoyés par l'entremise de Pa, acceptés « à contrecœur ». Selon sa coutume, il cède et, selon sa coutume, en semblant attaquer : « Jusqu'à un certain point tu es devenu pour moi un étranger et moi aussi je le suis pour toi peut-être plus que tu ne penses. » Etranger ? Non. Car Théo, bientôt subjugué, va

s'adapter à lui, participer à cette « étrangeté ». Différent ?
Certes : Vincent, désormais sait qu'il est un peintre.

« Ce qu'est pour la mue des oiseaux, le temps où ils changent
de plumage, cela c'est l'adversité ou le malheur, les temps
difficiles pour nous autres êtres humains... cela ne se fait pas en
public. C'est guère amusant. » Cela s'est vécu pour lui dans le
retrait le plus extrême, dans le décor le plus enfoui, au creux de
ce pays-métaphore qu'il a su se trouver.

Aux textes des Ecritures, à la liturgie, au dogme qui étayaient
ses fantasmes, succède un cadre qui les représente. Cette fois, ce
ne sont pas des textes qui évoquent le tombeau, le cadavre et le
premier Vincent, mais la géographie, les hommes. Cette fois, ce
n'est pas un idiome, mais un pays, ses habitants, qui animent ses
obsessions et vont lui permettre, les rencontrant, de se rencontrer. Même s'ils ne sont pas énoncés, définis, ils sont là,
matériels, palpables. Ce décor sépulcral, peuplé de créatures
sociales, amène à la surface — et grâce à ses profondeurs —
l'inquiétude de Vincent. La fièvre religieuse tombe. Vincent se
préoccupe de « l'esclavage qui existe encore partout dans le
monde » et de « l'oppression ». Ici, à partir d'ici, il va pouvoir se
définir, se situer, non pas seulement comme ce missionnaire
dont il remplit admirablement le rôle (du moins tel qu'il se l'est
assigné), mais comme un individu en proie à la souffrance, mais
dans une relation active avec lui-même et qui passe, au début,
par les autres. Il est débordé de besogne et cette besogne lui
plaît. Les gens du Borinage ressemblent à ceux du Brabant, de
Zundert, d'Etten et lui, sans trop se l'avouer, ressemble donc à
Pa. A ce que le « joli révérend » a de plus positif : son attention
dévouée à ses ouailles — même si Vincent évolue dans un
ensemble plus sombre, plus tragique, même si son labeur est plus
dramatique — et dramatisé !

Mais ce qu'il est venu chercher ici, sans doute pour les fixer et
s'en délivrer, c'est l'effroi, l'horreur, enfin surgis, mis en scène.
Et puis sa place au fond. Il est venu voir l'autre, dans un lieu où il
sait trouver l'image de son pareil. Son frère. « L'homme du fond
de l'abîme *De Profondis,* c'est le charbonnier. »

En Angleterre, il avait déjà réclamé, mais en vain, un poste
d'évangéliste parmi les ouvriers des charbonnages, ceux qui

« travaillent dans les ténèbres, dans les entrailles de la terre ». A Bruxelles, la description des Borains, lue dans un manuel de géographie, le captive. Il est attiré par ces hommes qui se rendent à la « fosse ». Et le chapeau surmonté d'une petite lampe qu'il doit associer à Pa. « Quelle impression », s'était-il écrié à Amsterdam après une visite aux Rembrandt de Tippenhuis : « Quelle impression un homme tel que Pa éprouve-t-il devant des eaux fortes comme *la Fuite de nuit en Egypte* ou *la Mise de Jésus au tombeau,* lui qui a voyagé tant de fois, et même de nuit, muni d'une lanterne, par exemple pour aller voir un malade, un mourant, lui parler de Celui de qui la parole reste une lumière au sein de la nuit des souffrances et des angoisses de la mort ? »

Ces ouvriers qui, munis d'une lampe à « la clarté pâle et blafarde, dans une galerie étroite, le corps plié en deux, parfois obligés de ramper, travaillent pour arracher à la terre cette substance », sont à l'image de ses mises en scène obsessionnelles autour de la mort liée à la naissance, et semblent définir aussi le travail d'un peintre : arracher la substance. Ici, celle d'un lieu interdit, néfaste, qu'ils parviennent à vaincre : les entrailles. Le manuel de géographie annonce quelque chose d'initial, en suspens, qu'il pourrait contrôler, vérifier, rejoindre. Ces hommes qui remontent de l'abîme, le chapeau surmonté d'une petite lampe, de retour d'un espace utérin, d'une errance, d'un labeur viscéral, on peut se mêler à eux, on peut même les suivre, pénétrer ces hantises. « J'aimerais aller là-bas. »

La mine, il y descend au moins une fois. Il quitte la surface aux « arbres morts, noircis par la fumée, les haies de ronces, les tas de saleté et de cendres » et s'enfonce. C'est dans la mine de la « Marcasse », de très mauvaise réputation — mais elles le sont toutes, ces mines nommées l' « Agrappe », « Grisœil », le « Sac » et surnommées par les Borains... le « Cercueil », la « Fosse commune » ! Ah ! il a bien repéré sa paroisse, l'évangéliste Vincent Wilhelm, qui ne mentionne pas ces appellations, mais ne pouvait sur place les ignorer.

Vincent reste là six heures. A 700 mètres de profondeur. Quelles contrées, quelles régions déjà familières, censurées, rencontre-t-il dans « ces coins les plus reculés de ce monde souterrain » » ? Il les décrit avec précision. Il aurait pu les inventer.

Lui, victime et amoureux d'une tombe, il parcourt les « cellules où travaillent les mineurs et les lieux les plus éloignés de la sortie, les *caches* (lieux mystérieux, lieux où l'on cherche) », où des hommes vêtus de toile grossière, « maculés, crasseux » détachent le charbon, toujours à la faible lumière de cette petite lampe. Les cellules occupées par les mineurs ressemblent « plus ou moins aux alvéoles d'une ruche, au sombre couloir d'une geôle souterraine... ou encore aux compartiments d'un caveau ». Dans ces galeries où l'eau suinte de partout, Vincent atteint le but de son voyage au pays où « la vie est concentrée sous le sol et non dessus ». C'est comme un reportage sur le séjour du premier Vincent, mort-né, comme un aperçu de ses activités. Et plutôt rassurant. C'est vivant, actif et socialisé, cette navigation dans des espaces funèbres parmi les mineurs qui préfèrent « se trouver en dessous de la terre plutôt que dessus, de même que les marins ont la nostalgie de la mer quand ils sont à terre ».

Arrivé au fond de la mine, il a levé les yeux, vu « une lueur pas plus grande qu'une étoile dans le ciel ». Il a donc réussi cette naissance à l'envers ; il a pénétré concrètement ce « souterrain sombre », d'où il avait émergé « à la lumière amie du jour » en montant dans la chaire de l'église de Richmond. Lueur, étoile — issues vers lesquelles il monte dans la chaire, dont il s'éloigne en pénétrant le puits, mais qui renouvellent chaque fois le happening de la venue au monde, inversée ou non. Lueur, étoile, char de feu d'Elie. Nuits étoilées !

Et puis, cette impression d'effroi, d'horreur qui, « non sans raison d'ailleurs », ne quitte plus les mineurs après leur première descente dans la mine, et à laquelle, pourtant, ils s'habituent vite, mais marqués pour la vie — cet effroi, cette horreur l'ont depuis toujours accompagné, lui. Il est allé cette fois à leur rencontre, dans un lieu où la panique, naturelle, partagée, provient d'un événement, d'une situation physique et non d'un univers mental.

Exorcisme ? Pas vraiment, ou alors manqué. Mais jouissance, c'est sûr, et déplacement, émergence de la vie fantomale qui ne sera plus refoulée dans des axiomes religieux, mais deviendra la source de sens très réels, et de sensations.

« J'ai tout enduré durant ces deux années dans le Borinage. Ah ! ce n'était pas un séjour d'agrément ! » Mais ses lettres indiquent peu de détails, de faits ; elles ne sont pas nombreuses et les deux longues missives, ces deux mises au point déchirantes avant, après « la mue », entre de longs intervalles de silence, laissent imaginer l'intensité de sa lutte, ce dans quoi il s'est débattu, ce qu'il a parcouru, franchi, si farouche dans ce pays farouche, et qui n'est pas sans échos shakespeariens, sans liens avec ce roi Lear qu'il relit si souvent : la traversée d'une nature déchaînée par un homme qui apprend la perte de ses chaînes à travers tant d'enchaînements. Cette contrée s'y prête, secouée d'accidents, résonnant alors des cris des brûlés, de gémissements devant la mort ; les blessés, s'ils demeurent infirmes, restent sans ressources.

Vers 1925, un vieux pasteur qui, autrefois, s'était installé dans un village voisin de Wasmes, Warquignies, en 1878, demeure tout étonné d'apprendre que Vincent est « arrivé à devenir un vrai peintre [1] ». Il se souvient de son arrivée : « Il était très bien mis, avait de belles manières et portait sur sa personne tous les caractères de la propreté hollandaise. » La propreté sera bientôt abandonnée, le savon délaissé « comme un luxe coupable ». Vincent distribuera ses vêtements et « les beaux habits avec lesquels il était arrivé n'apparaissaient plus, il n'en acquit pas de nouveaux ». Il s'habille de hardes et revêt des chemises taillées dans de la toile d'emballage, tout comme les porions. Il avait été bouleversé de lire sur celle de l'un d'eux l'inscription « Fragile », qui y était demeurée. Et s'il a, d'ordinaire, « la figure plus sale que celle des charbonniers [1] » ce n'est pas un hasard mais une démarche qui a un sens profond. Lors de son premier internement à l'hospice d'Arles, l'oreille mutilée, il affolera le bon Dr Rey et les nonnes en se lavant dans la boîte à charbon.

Néanmoins, à Wasmes, à Cuesmes, l'évangéliste Van Gogh n'est pas un exalté. Le scandale qu'il crée, c'est celui, comme toujours, de l'intelligence et elle va de pair avec la faculté

1. Louis Piérard, *La Vie tragique de Vincent Van Gogh*, Cres, 1926.

91

redoutable de percevoir la réalité décapée de tout camouflage ; c'est cette découverte-là de ce scandale-là qui scandalise l'opinion.

Rien de niais chez lui lorsqu'il arbore l'aspect des gens pauvres dont il se propose de — dont il est censé — partager l'existence, ni lorsqu'il se dépouille en leur faveur selon l'Evangile qu'il prêche. Il ne comprend pas, ou plutôt il préfère ignorer qu'il est là comme le représentant d'une classe sociale, pour indiquer les territoires, les trajets autorisés. Son apostolat, il le prend à la lettre.

A la fin du XIXe siècle, Van Gogh est donc projeté physiquement parmi les ouvriers peut-être les plus exploités, en un point crucial et celé de l'essor capitaliste. En un temps où cette exploitation éhontée se déchaîne librement ; elle n'est pas encore reconnue comme un fait historique, classique ; l'information est à peine propagée, le phénomène n'est pas analysé. (*Germinal*, de Zola ne commence à paraître — en feuilleton — qu'en 1884.) Si l'on y songe, à cette date, bien peu d'étrangers à la classe dominée ou à la classe dominante, directement liées à la mine, ont pénétré ce milieu, connu et moins encore reconnu la condition abominable des mineurs de fond.

C'est « l'horreur économique » évoquée par Rimbaud, bien pire que celle des faubourgs de Londres où Vincent était censé collecter l'argent des pauvres pour le pasteur Jones et ne le prenait pas.

Mais c'est une horreur tenue par les privilégiés, lorsqu'ils l'entrevoient vaguement, comme une tare pour ceux qui la subissent. On y répond par le mépris, l'indifférence, au mieux la charité. On ne la connaît bien qu'à travers le profit. La hiérarchie sociale semble de droit divin, ou, si l'on est devenu rationaliste, la Nature même des choses.

Pas pour Van Gogh. Il sait, du moins il apprend très vite. Parmi les autres ; peut-être parce qu'il connaît si bien la détresse, qu'il cherche l'apaisement de la sienne dans la leur. Mais quelle distance à franchir pour parvenir à déceler les mensonges véhiculés par une société pas plus innocente, pas plus ignorante que celles qui ont permis, et qui permettent toujours les horreurs concentrationnaires. C'est Vincent lui-même, issu d'un milieu conformiste, conservateur, qui fait mesurer (en corrigeant sans grande indignation, mais avec surprise, l'erreur des interprétations courantes alors) la dépravation politique qu'elles entretiennent et représentent : il est surpris de trouver « quelque chose de touchant, de navrant même dans ces pauvres et obscurs ouvriers, les derniers de tous pour ainsi dire, et les plus méprisés, qu'on se représente ordinairement par l'effet d'une imagination vive peut-être, mais très fausse et injuste, comme une race de malfaiteurs et de brigands ». Voilà. En 1880. Cette année, en 1982, on célèbre les centenaires de Virginia Woolf, Joyce, Darwin. On ne célèbre pas ce centenaire-là, de l'Europe profonde.

Van Gogh n'est pas un politique, ni un penseur social. Cependant, il réagit d'instinct. L'horreur économique, il en est averti par expérience. Il est aussi pauvre, après tout, que les prolétaires du pays noir et s'il a sur eux l'avantage précaire d'une fonction, d'une famille bourgeoise, il n'a pas comme eux un métier. Rien n'est fixé pour lui ; c'est d'ailleurs cette liberté toute négative qui fait sa vraie différence et qui va le happer. Mais l'anxiété créée par cette situation le rend apte à comprendre l'angoisse de la misère. Pour y répondre il n'est, en principe, armé que de propos édifiants. Mais il n'y fait pas face avec seulement des sermons.

Il est infiniment plus cultivé que les gens de son temps, et sans comparaison plus que les autres évangélistes ; il est infiniment plus libre que les pasteurs en titre. Il est nourri d'auteurs tels que Dickens, Hugo, George Eliot, Carlyle, qui ont traité de problèmes sociaux presque contemporains ; mais il a surtout lu Shakespeare et Dante, et la Bible est pour lui ce livre dangereux que les autres si rarement savent lire. Il sait penser, voir, éprouver non pas selon les grilles proposées, mais à partir de sa propre identité. Et si ses obsessions le réclament, si l'appelle une « vocation » qu'il ignore encore mais qui vient au jour, s'il n'applique pas son intelligence, mais plutôt ses élans affectifs, à lutter contre l'atroce injustice ambiante, qui fait écho à celle qu'il subit (il finira démuni, acculé comme les porions revenus blessés de la mine), il y répond d'instinct par l'action, l'approche, le pas franchi, le geste un peu romantique : par le refus de

93

représenter une condition sociale supérieure. C'est cette « atteinte à la dignité de sa fonction » que la hiérarchie ne lui pardonnera pas. Cette imitation de la condition ouvrière par un représentant de la bourgeoisie, démontre l'écart entre la condition sociale de ce représentant d'une église et celle qu'il choisit d'imiter. L'effet devient scandaleux, souligné par l'aspect insolite qui résulte de cette option. Le caractère insoutenable de la misère, qui paraît normal, routinier, qui n'est même plus perçu chez l'ouvrier, devient, isolé sur lui, par son caractère incongru, son allure de déguisement, la panoplie manifeste, insupportable, des opprimés.

La population de Wasmes ne s'y trompe pas. Elle reconnaît les brimades hypocrites des autorités. S'ils avaient eu vent de ce rapport du Synode de l'année 1879-1880, personne parmi les mineurs n'eut été dupe des prétextes invoqués pour se débarrasser du prédicateur gênant :

« L'essai qui a été tenté en acceptant les services d'un jeune homme hollandais, M. Vincent Van Gogh, qui se croyait appelé à évangéliser dans le Borinage, n'a pas donné les résultats que l'on attendait. M. Van Gogh a certes fait preuve de qualités admirables dans ses soins aux malades et aux blessés, il a témoigné maintes fois de dévouement et d'esprit de sacrifice, consacrant ses veilles à ceux qui étaient dans le besoin, se dépouillant même de la meilleure partie de ses vêtements et de son linge. S'il avait possédé en plus le don de la parole, indispensable à quiconque est placé à la tête d'une congrégation, M. Van Gogh aurait certainement été un évangéliste accompli. Sans vouloir exiger en tout des talents extraordinaires, nous pensons que l'absence de certaines qualités peut être très préjudiciable à l'activité d'un évangélisateur ; c'est malheureusement le cas de M. Van Gogh. C'est pourquoi, le temps d'essai étant expiré, nous avons dû renoncer à l'idée de le conserver plus longtemps. M. Hutton a été nommé à sa place [1]. »

Il eut été plus exact de dire : s'il s'était moins dépouillé, s'il avait témoigné de moins d'esprit de sacrifice, s'il avait déployé moins de zèle. Personne dans le Borinage n'eut adhéré au

1. Louis Piérard, *op. cit.*

jugement méprisant de la hiérarchie. La preuve en est la lettre du boulanger Denis, en réponse à Louis Piérard[1] qui, après bien des démarches, est parvenu à le joindre, comme il a retrouvé le vieux pasteur de Wattignies. Les deux témoignages d'ailleurs se recoupent.

Vincent au début de son séjour à Wasmes habitait chez les parents du boulanger Denis, boulangers eux-mêmes — leur fils avait quatorze ans. Voici, encore une fois, l'arrivée de « Vincent Vangohl richement vêtu nos yeux ne cères de le contempler[2]. » Quelle importance prend aux yeux des autres la tenue vestimentaire de Vincent ! Cette apparence, si critiquée d'ordinaire, ne devait pas être bien luxueuse à Wasmes, même s'il arborait des vêtements neufs, mais elle suffisait à créer une différence essentielle. Il est vrai que Vincent la remplacera par une autre qui, si elle va scandaliser ses supérieurs, ne sera pas sans méduser aussi ses paroissiens lorsqu'il parcourera le Borinage vêtu d'une vieille veste de soldat et d'une casquette usée.

Ecoutons le témoignage du boulanger Denis, presque quarante ans après le passage de Vincent : « Aussitôt rangé à la classe ouvrière notre ami tombâ dans la plus grande humiliations où il ne tarda pas à se dépourvoir de tous ses vêtements. Ainsi arrivé à ne plus avoire de chemise plus de chaussette au pied nous l'avons vu se fabriqué des chemise d'emballage. Moi j'étais trop jeune alors. Ma tendre Mère lui disait : M. Vincent pourquoi vous dépourié vous ainsi de vos vêtements et vous ête d'une aussi noble famille de pasteure hollandais. Il répondait je suis l'ami de pauvre comme l'était le seigneure Jesus elle répondait vous n'êtres plus dans les conditions normales[3]. »

Et Denis raconte comment, dans le puits n° 1 du charbonnage belge (surnommé le « Sac ») où plusieurs ouvriers furent brûlés, Vincent « n'eut plus aucun repos jour et nuit découpant le reste de son linge pour en fabriqué des grandes bandes avec de la sire et de l'huile d'olive pour courir aux brulée de la catastrofe[4]. »

1. Louis Piérard, *op. cit.*
2. Je respecte l'orthographe.
3. Louis Piérard, *op. cit.*
4. *Ibid.*

L'évangéliste Van Gogh ne paie pas de mots, ni seulement de sermons.

A Wasmes, on sait, on voit que « l'umanité de notre ami ne fesaits qu'augmenter de jour en jour et cependant la persequtions lui augmenter continuellement. Le reproche des membres du Consistoire ne sessait de redoubler injur lapider cependant restant toujours dans le plus profond abèsement [1] ».

Denis ne se trompe pas lorsque décrivant ce Vincent-Lear attiré par l'orage, il relie à la destitution de l'évangéliste cet épisode lyrique pourtant ignoré de ses supérieurs : « Et par un jour de forte chaleur un violan orage fut déchainer sur notre régions. Que fi notre ami il alla se placer en plain champs pour regardé les grandes merveilles de Dieu et ainsi revenant mouillé jusque os. Se fut ainsi que notre ami Se fit chasser de son ministère il parti pour Pari ou nous n'avons plus eu de sest nouvelle. Et quand il marchait sur le bord du chemin, cher ami Monsieur Pierrard, je ne saurai vous en dire davantage, je n'avai que 14 ans à cette époque [2]. »

« Lorsqu'il marchait au bord du chemin... »

A Cuesmes, Vincent habitera chez Charles Decrucq, le porion qui l'avait guidé dans la mine de la « Marcasse ». Decrucq s'est souvenu de Van Gogh, lui aussi. Mais son témoignage semble plus sophistiqué, influencé déjà par le mythe Van Gogh, celui de la véhémence, de la folie ; celui d'un « homme de génie » qui doit être un modèle au centre d'un certain modèle de récit ; une autorité. La sœur de Charles, elle aussi, raconte les pommes de terre gelées, les croûtes de pain dont se nourrissait le futur peintre, son expression indiciblement malheureuse et les gémissements, les pleurs qu'on entendait la nuit dans la cabane isolée [3] (ce n'est sans doute pas faux, mais cela sonne faux).

Encore que les menaces autour du mot « fou », qui s'imbriquent si bien dans la narration de Charles sont tout à fait plausibles, puisque, trois ans plus tard, menacé de nouveau par

1. *Ibid.*
2. *Ibid.*
3. A Wasmes, après son départ de chez les Denis dont la maison très modeste lui semblait trop belle comparée aux cahutes des mineurs — et les souvenirs du vieux pasteur prouvent qu'il avait raison.

son père, à La Haye, Vincent écrit à Théo (il vit avec Sien et songe à l'épouser) : « Il n'est pas aisé de nos jours de mettre en curatelle celui qui proteste, posément, énergiquement, sincèrement. A vrai dire, je ne crois pas la famille capable d'en arriver là. Tu me répondras qu'elle a déjà voulu le faire, à preuve l'histoire de Gheel[1]. Hélas! oui, Pa en est capable, mais je t'assure que je lui tiendrai tête jusqu'au bout, s'il osait bouger. »

Nous verrons les confidences reçues bien plus tard par Gauguin. Toutes choses que Decrucq (bien entendu !) ignorait.

« Quand il a vu qu'on travaillait dans les mines comme des esclaves, pendant douze heures par jour, pour un salaire quotidien variant entre 2,51 francs et 3,44 francs, il s'est mis en colère, s'écriant : Comment est-il possible qu'on traite ainsi des créatures de Dieu ? : il est allé trouver les patrons des mines... il voulait obtenir davantage de justice, mais s'est fait insulter. On lui a dit : " Monsieur Vincent, nous vous ferons enfermer chez les fous si vous ne nous laissez pas tranquilles ! "[2]. »

Ce qui semble moins plausible c'est le rôle du chef prêté à Vincent lors d'une grève : « Nous voulions mettre le feu à la mine. M. Vincent a refusé[3]. »

Cette expérience du Borinage, avec en apothéose le sauvetage d'un mineur blessé, Vincent ne manquera pas de s'en faire une auréole auprès de ses amis, peut-être inconsciemment car, dans ses lettres, il n'a rien de ce Tartarin qu'il aimait tant. Il cherche au contraire, et dans un total anonymat, croit-il, à traduire exactement ce qu'il éprouve, ce qu'il vit. Ce qu'il vit, loin de l'exagérer, il le traite plutôt en sous-teintes. Mais, oralement, peut-être se laissait-il entraîner, surtout s'il voyait ses auditeurs émus. Ses amis peintres ne se sont guère fait prier, en tout cas, pour entrer dans le jeu, si jeu il y avait. Peut-être l'ont-ils créé eux-mêmes à partir de confidences plus atténuées. Gauguin « pour un », comme disait Van Gogh, absorbe ce récit, l'adapte aisément à son propre style et, plus tard, dans une promenade parmi ses souvenirs, ses réflexions, *Avant et Après*[4], il se-

1. Asile d'aliénés près d'Anvers.
2. M. E. Trabault, *Vincent Van Gogh, le mal-aimé*, Vilo, 1967.
3. *Ibid.*
4. Paul Gauguin, *Avant et Après*, Paris, 1924.

souvient des souvenirs de Vincent et les met en scène adaptés par lui : cela se passe en Arles, dans la « maison jaune ».

« Dans l'atelier une paire de gros souliers ferrés, tout usés, maculés de boue ; il en fit une singulière nature morte. Je ne sais pourquoi je flairais une histoire attachée à cette vieille relique, et je me hasardai un jour à lui demander s'il avait une raison pour conserver avec respect ce qu'on jette ordinairement à la hotte du chiffonnier.

" Mon père, dit-il, était pasteur et je fis mes études théologiques pour suivre la vocation que, sur ses instances, je devais avoir. Jeune pasteur, je partis un beau matin, sans prévenir ma famille, pour aller en Belgique dans les usines prêcher l'Evangile, non comme on me l'avait enseigné, mais comme je l'avais compris. Ces chaussures, comme vous les voyez, ont bravement supporté les fatigues de ce voyage ! Mes paroles enseignaient la sagesse, l'obéissance aux lois de la raison, de la conscience, puis aussi les devoirs de l'homme libre. On crut à la révolte contre l'Eglise. Ce fut un scandale. Mon père rassemble un conseil de famille pour me faire enfermer comme fou ; grâce à mon frère cadet, ce brave Théodore, on me laisse tranquille, mais je dus naturellement quitter l'Eglise protestante.

" Il y eut en ce temps une terrible catastrophe, un coup de grisou dans une mine. Les médecins secouraient les blessés considérés comme viables, puis, débordés par la besogne, abandonnaient à leurs souffrances ceux qui devaient mourir.

" Un de ceux-là gémissait dans un coin, la figure inondée de sang, le crâne labouré par des éclats de charbon. J'aurais voulu le sauver, moi, médecin de l'âme : ' Inutile, s'écria le médecin du corps, cet homme est perdu, à moins qu'on puisse lui donner des soins de chaque minute pendant quarante jours, et la Compagnie n'est point assez riche pour un tel luxe.'

" A son chevet je veillai constamment, tout un mois, lavant ses plaies, le priant de vivre. Il fut guéri.

" Et avant de quitter la Belgique, j'eus la vision, devant cet homme portant sur son front une série de cicatrices, telle la couronne d'épines, j'eus la vision du Christ ressuscité. "

« Et Vincent reprit la palette ; en silence, il travailla. A côté de lui une toile blanche. Je commençai son portrait, j'eus aussi la vision d'un Jésus prêchant la bonté et l'humilité. »

Un ressuscité !

Il s'agit peut-être du blessé à propos duquel Vincent écrit à Théo du Borinage : « Est-ce que je t'ai parlé de ce mineur qui avait été affreusement blessé par un coup de grisou ? Dieu merci, il en est remis à présent, il sort à nouveau et commence à se promener pour réapprendre à marcher, ses mains sont encore très faibles et il ne pourra pas s'en servir avant longtemps, mais il est sauvé. Il y a eu également de nombreux cas de fièvre typhoïde et de fièvre maligne, ce qu'on appelle ici la *sotte fièvre,* qui provoque des rêves lugubres, des cauchemars, et fait délirer. Voilà bien des malades, des alités, des amaigris, des affaiblis et des misérables. Je connais une maison dont tous les habitants ont la fièvre, ces gens-là n'ont que peu ou pas d'aide, les malades soignent donc les malades. Ici ce sont les malades qui soignent les malades, me disait la femme, comme le pauvre est l'ami du pauvre. »

A Saint-Rémy aussi les malades soigneront les malades, ils se comprendront entre eux !

Aucun romantisme dans ce qu'il rapporte à Théo, pas d'allusion à son propre rôle. Mais il ne s'agit peut-être pas du même mineur. Vincent a si peu écrit du Borinage et il y a passé deux années. Et puis la réaction à son dévouement était, il le savait, négative, hostile. Et puis, en ce temps, Théo réagissait de concert avec la famille et lui servait d'informateur. Sans doute, il se serait bien gardé, Vincent, de raconter l'histoire de la couronne d'épines ! Il y eut des accidents innombrables pendant son séjour au pays minier. Trois consécutifs (dont deux dans la même mine de l' « Agrappe ») suscitèrent une grève. Les occasions de servir ne manquèrent pas.

Quant au peintre Emile Bernard (ami de Gauguin et qui faisait partie du groupe de Pont-Aven), il se délectera de cet épisode que Vincent avait dû lui raconter à Paris, où ils s'étaient rencontrés avant de correspondre — car dans ses lettres un peu protectrices à Emile Bernard, plus jeune que lui (qui était plus jeune que Gauguin) Vincent tentera au contraire de détourner son ami de sa tendance au symbolisme, à un mysticisme de pacotille. Il devinera que ce peintre, remarquable à ses débuts, allait figer son travail dans l'allégorie, dans le cliché. Emile Bernard sera de ceux qui, après la mort de Van Gogh contribueront à le lancer. C'est à lui que Théo fera appel, après le suicide de Vincent, pour l'aider à préparer cette rétrospective que la mort lui fera abandonner. C'est Emile Bernard qui publie le premier des lettres de Van Gogh au Mercure de France. Il tentera de se faire un nom à travers celui de son ancien ami, avec une tendance à ramener la couverture à lui mais, pour son malheur, comme il a témoigné à plusieurs époques de sa vie sur les mêmes faits, on peut observer l'embellissement de son propre rôle à travers le temps.

C'est lui qui, du vivant de Van Gogh, attire l'attention d'Aurier sur l'œuvre de son ami. Au cours de sa première visite d'atelier chez Bernard, Aurier a remarqué les dessins, les toiles de Van Gogh (les deux peintres échangeaient des toiles, s'envoyaient des dessins), mais il n'a pas encore écrit d'article lorsque Bernard lui annonce le drame d'Arles, qu'il vient d'apprendre par Gauguin de retour : « Mon meilleur ami, mon cher ami Vincent est fou ; depuis que j'ai appris cela je le suis presque moi-même ! » écrit Bernard. Et s'il raconte « cette chose navrante de laquelle je voudrais pleurer mais ne puis plus », c'est qu'il devait envoyer à Aurier « une épreuve de campagne mélancolique et douce de ma chère Bretagne et au lieu, c'est cette lettre navrante que je vous écris ». Et voici racontée à sa façon une de ces « vies passionnées de Van Gogh », qui vont le faire connaître et méconnaître :

« Atteint du mysticisme le plus profond, lisant la Bible, et faisant des sermons dans tous les mauvais lieux et aux gens les plus immondes, mon cher ami était arrivé à se croire un Christ, un Dieu. Sa vie de souffrances et de martyr me semble bien appropriée à faire de ce cerveau étonnant un être de l'au-delà.

« C'est ce qui est arrivé en effet ; prêtre à l'âge de vingt-cinq ans, il apportait déjà dans le protestantisme des réponses sur les théories antinaturelles de certains lieux communs ; dépité, rejeté du monde, il a commencé la vie du saint.

« C'est plus tard qu'il va dans les mines et qu'il soigne dans la " Sornère " un ouvrier en partie carbonisé par le grisou et

portant sur le front des traces d'une couronne d'épines. Ses longs voyages à pied dans les campagnes hollandaises et ses toiles navrantes d'ouvriers de la terre, voilà une bonne partie de son existence antérieure à son séjour à Paris. »

Or, déjà dans le Borinage, les investissements religieux de Vincent se déplacent. Une certaine forme d'horreur vient à la surface, perceptible (ou se maintient, repérable, dans le fond de la mine). L'image qu'il a de lui-même parmi les autres (et des autres) n'est plus celle qu'on lui tend. La société, il se trouve plus à même que la plupart de ses contemporains (du moins ceux de sa classe) d'en découvrir les injustices atroces, les crimes, l'hypocrisie et d'observer leurs résultats. Elle se fonde sur ce qu'il ne peut tolérer et cette intolérance le rend intolérable. Son inadaptation, même lorsqu'il ignorait ce qui est flagrant dans le Borinage, tenait au fait que toute l'organisation, la morale tendaient vers ce lieu tragique et tentaient de le justifier.

Il ne rompra pas aussitôt avec les siens ; ces liens affectifs si excessifs ne se rompront jamais. Au moins, il ne va plus se perdre dans le dédale des règles imposées par une famille tributaire de cette société ; il ne confondra plus les décrets avec la loi. Certes des sentiments de culpabilité l'accableront qu'il ne situera plus bien, mais il pourra écrire, plus tard, à Théo : « Que je comprenne mes tortures, soit, mais je les considère pas comme méritées », et c'est Antonin Artaud qui, non pas à propos de Van Gogh, mais de lui-même, écrira : « Je suis un supplicié, mais ce n'est pas une raison pour qu'on me supplicie. » Artaud, qui écrira, ne sachant pas les faits, mais les percevant : « Van Gogh ne sut pas secouer à temps cette espèce de vampirisme de la famille intéressée à ce que le jeune Van Gogh, peintre, s'en tint à peindre sans en même temps réclamer la révolution indispensable à l'épanouissement corporel et physique de sa personnalité d'illuminé. »

Déjà sa ferveur, l'intensité de ses émotions, ce qu'il a d'extrême, de véhément, de brisé, de vital, va se reporter ailleurs, charriant les mêmes remords, les mêmes inquiétudes, tapis ou agressifs, d'autant plus néfastes qu'ils n'auront plus de supports extérieurs, prétendus logiques, sinon le tourment et la terreur de ne pas gagner ce que coûte la peinture, et de peser

101

(mais ce sera aussi une jouissance, parfois sadique) sur la vie de Théo. Il va se livrer (et c'est bien le mot) à une entreprise plus périlleuse, plus meurtrière que les précédentes, moins sépulcrale, la peinture.

La vocation liée à celle du père ? Terminée.

Terminé le prestige de Pa et de son Dieu. Au cours de l'étape qui suit celle du Borinage, à Etten, Vincent remarque : « Nous ne commençons à nous faire une idée de Dieu qu'en répétant la conclusion que Multatuli a tirée de sa *Prière de l'ignorant* : " Oh ! mon Dieu, il n'y a pas de Dieu. " Prends le dieu des pasteurs, je le trouve bien mort. Suis-je un athée pour cela ? » Il lui conseillera, à Théo, de lire Michelet (encore ! mais il est aux prises avec de nouvelles amours : Kee) plutôt que la Bible. La crise de rejet passée, comme la crise de fusion, il retrouvera, décantés de toute religiosité, les textes, les scènes de l'Ancien, du Nouveau Testament, leurs réseaux fiévreux, l'inceste suspendu, leur science de l'inconscient.

Lorsqu'il habitera Paris avec Théo, il critiquera les penchants religieux de sa sœur Wilhelmine. Avec tact, avec le souci de la protéger, car il la sent fragile, et une femme ne mérite pas à ses yeux de prendre les mêmes risques qu'un homme. Ne lui déconseille-t-il pas « l'aventure hasardeuse » qui consiste à étudier ou à écrire (alors qu'il dit à Théo lui reconnaître du talent), pour lui conseiller d'apprendre plutôt à danser et de s'éprendre « d'un ou de plusieurs clercs de notaires, d'officiers, enfin de ce qui est à ta portée ». Wil n'apprendra pas à danser, ne fera pas de rencontre. Comme Vincent, comme Théo, elle basculera dans la folie. Mais pas dans une mort précoce. Elle vivra trente-huit ans dans un asile. Sans clerc de notaire, sans œuvre, sans officier. « Pour en revenir à ton propre discours », lui écrit Vincent, avec plus de respect, et ses lettres prouvent d'ailleurs dans quelle grande estime il tient cette fille plus jeune que lui, à qui il conseille de « faire un tas de bêtises » (mais on peut se demander quelles bêtises étaient « à sa portée » dans le presbytère paternel !). « Je me trouve gêné d'accepter à mon propre usage, ou de conseiller aux autres pour le leur, la croyance d'après laquelle des puissances qui sont au-dessus de nous se mêlent personnellement de nous aider ou de nous consoler. Je te déclare que décidément je ne sais que penser là-dessus. Pour ce qui est de tes discours, j'y trouve toujours une certaine sentimentalité ; la forme surtout que tu leur donnes fait penser aux contes relatifs à la Providence, disons à la pré-voyance, contes qui, tant de fois, n'ont rien prouvé du tout et contre quoi il y aurait fort à dire. »

Et il le dit, rieur, à Théo, dès son arrivée en Arles : « Je crois de plus en plus qu'il ne faut pas juger le bon Dieu sur ce monde-ci, car c'est une étude de lui qui est mal venue. » Après le Père éternel, après le frère satanique, voici le (bon) Dieu confrère. « Que veux-tu, dans les études ratées, quand on aime bien l'artiste, on ne trouve pas tant à critiquer — on se tait. Mais on est en droit de demander mieux. » Enfin, décidément gnosti-que... et gouailleur, il poursuit : « Ce serait pour nous néces-saire de voir d'autres œuvres de la même main pourtant ; ce monde-ci est évidemment bâclé à la hâte dans un de ses mauvais moments, où l'auteur ne savait plus ce qu'il faisait, où il n'avait plus sa tête à lui... Il s'est donné tout de même énormément de mal sur cette étude du monde de lui. » Et de conclure : « Il n'y a que les maîtres pour se tromper ainsi. » Quel chemin depuis Londres, il y a douze ans !

Plus amère fut la période de transition et terrible ce juge-ment : « J'ai trop bien vu le jeu du christianisme contemporain. Il m'a fasciné, je lui dois une jeunesse glaciale. »

Mais c'est en Arles, pour Bernard précisément, qu'il laisse se déployer dans toute son ampleur, avec tant de simplicité, de familiarité, son émotion devant le Christ « *l'artiste plus grand que tous les artistes*[1] ». Une émotion dont il critique cependant les effets : « la névrose artistique. Car l'étude du Christ la donne inévitablement ».

Il ne se laisse pas aller à ce qui l'habite, ni ne le repousse. Il a l'énergie d'affronter l'énergie : « La Bible, c'est le Christ, car l'Ancien Testament tend vers ce sommet, saint Paul, les évangélistes occupent l'autre pente de la montagne sacrée, que c'est petit cette histoire[2] ! Mon Dieu, voilà. Il n'y a donc que ces

1. Souligné par Van Gogh.
2. Etrange rencontre avec Joyce qui, à l'avant-dernière page de son der-nier livre *Finnegans Wake* écrit : « *How small it's all* » (Comme c'est petit,

Juifs au monde, qui commencent par déclarer tout ce qui n'est pas eux impur. »

Voilà donc le Van Gogh qui, avec Gauguin, sait l'importance d'autres civilisations ; c'est le lecteur de Dante, de Shakespeare, l'admirateur du Japon et... celui des anthropophages ! indigné par l'extermination d'une « tribu parce que, disons une fois par mois, on mangeait un individu — Qu'est-ce que ça fait ? Les blancs très chrétiens, etc., pour mettre fin à cette barbarie (?) réellement peu féroce, n'ont pas trouvé mieux que d'exterminer les deux tribus. Ensuite on a annexé les deux îles, qui sont devenues d'un lugubre ! ! Et l'affreux blanc avec ses bouteilles d'alcool, son porte-monnaie et sa vérole, quand donc l'aura-t-on assez vu ? L'affreux blanc avec son hypocrisie, son avarice et sa stérilité. Et ces sauvages étaient si doux, si amoureux » !

Van Gogh, libre des carcans de son temps — qui sont encore les nôtres, s'étonne donc, à propos de la Bible judéo-chrétienne raflée par l'Occident : « Les autres peuples, sous le grand soleil de là-bas, les Egyptiens, les Indiens, les Ethiopiens, Babylone, Ninive, que n'ont-ils leurs annales écrites avec le même soin... enfin, savoir tout lire équivaudrait à ne pas savoir lire du tout. »

Mais cette Bible dangereuse, qui désespère et indigne, cette Bible « contagieuse » contient une consolation « comme un noyau dans une écorce dure, une pulpe amère, c'est le Christ ». Ah ! ce n'est pas un artiste raté comme le bon Dieu, celui-là ! Il pratique ce à quoi Vincent voudrait tant atteindre et qui conduit au pouvoir de ressusciter, car « il dédaigne le marbre et l'argile et la couleur, travaillant en chair vivante. C'est-à-dire que cet artiste inouï et à peine concevable avec l'instrument obtus de nos cerveaux modernes nerveux et abrutis, ne faisait pas de statues,

---

tout.) Et ces pages, les dernières pages de l'œuvre, sont celles du retour au père, mais à un père « repéré », démystifié. « Je reviens vers toi, mon père froid, mon père froid et fou, mon père froid et fou terrifiant, terrifié. » Joyce ne s'est pas suicidé. Il a su, contre cette mort-là, contre une certaine dépense opposer le retour au père froid. A la perte. Totale. Il a su voir la mère ; et ainsi l'éviter. Mais il est devenu presque aveugle. A connaître certaines circulations on ne se perd pas en d'autres. Il y a tant de formes d'excès ! A savoir, on perd tout de même la faculté d'ignorer. A reconnaître la perte et l'assumer, celle de se perdre. A supporter la perte, on échange la douleur extrême contre l'infini de la tristesse. On ne se suicide pas.

ni de tableaux, ni de livres, il faisait... *des hommes vivants*[1], des immortels ». Et de terminer : « Quel semeur, quelle moisson, quel figuier ! »

Les liens de Vincent avec les textes sacrés ne sont pas brisés, mais si, comme au temps de ses croquis d'Elie et d'Elisée, d'Abraham au champ de Macpela, il est habité par ces dramaturgies, il n'est plus dominé par elles. Elles ne participent plus de la loi, mais de la sensation.

La figure paternelle n'y a plus part, remplacée par la présence du fils, privé de père à jamais. Le fils en proie à la mère, à cette *Pietà*, « les bras vides en avant ».

Dans le Borinage, la figure paternelle s'estompe ; elle n'est plus universelle, mais elle n'est pas encore évacuée, il reste à éprouver la méfiance déçue et la haine à l'égard de ce père ; elles se manifesteront, croissantes, à La Haye, dans la Drenthe et lorsque Vincent se tournera encore une fois vers lui, à Nuenen, la dernière paroisse de Théodorus, qui y mourra brusquement, pendant le séjour de Vincent. Ce seront les femmes survivantes, la mère et les sœurs, qui, en définitive, chasseront, et définitivement, le second Vincent Wilhelm.

Désormais l'image de Pa va s'apaiser. Avec le temps. Ce temps de la vie de Van Gogh ; un temps si ramassé, comme en raccourci ; un temps où la durée n'a rien à voir avec les dates et semble dilater l'espace entre celles-ci. Le pasteur Théodorus aura été un homme de bonne volonté, un faible, un parent. Il aura été celui qu'un enfant, mal aimé comme tous les enfants, aura ardemment adoré — « plus que tous les autres » frères et sœurs, qui lui paraissent, comme à tous les enfants, tous les anciens enfants de toutes les familles, lui avoir été préférés. Pa ne sera plus menaçant, ni fascinant. Il aura quitté les territoires magiques et funestes de son premier fils mort-né. Vincent demeurera la proie de ce dernier et la proie de celle qui produisit deux frères, tous deux nommés Vincent ; l'un mort-né, qui n'arrêtera plus de mourir en naissant ; l'autre, si vivant qu'il ne parviendra pas à cesser de naître, ni (à cette fin) de passer par plusieurs morts nécessaires « pour peindre ainsi ». Oui, la proie

1. Souligné par Van Gogh.

de Moe, productrice aussi de deux autres frères : Vincent et Théo, qui se débattront ensemble et lutteront contre la confusion générale où la mort, dissociée du cadavre, ne connaît pas de trêve.

Pour chacun d'eux, l'autre est indispensable, car ils pressentent tous deux qu'il n'y a pas de mort sans cadavre, et la chaleur du corps vivant de l'autre les protège chacun du revenant. Vincent sert de relais à Théo pour atteindre à la vie ; Théo à Vincent pour la conserver. Il faut à Théo le souffle de Vincent pour passer d'une certaine inertie à la vivacité. Il faut à Vincent le support de Théo pour survivre à l'excès de vie qui l'empêche d'adhérer aux pétrifications sociales. Tout ce qui paraît cadavériser vivant hérisse, fait fuir ou paralyse Vincent, sensibilisé à la mort, de par son nom, identique à celui d'un cadavre né à la même date (à un chiffre près) que lui.

Quand l'un d'eux, Théo, va faire défaut à l'autre et semblera démissionner de leur histoire pour entrer dans une autre avec Jo, et quand Vincent, ainsi évincé, se supprimera, Théo disparaîtra. L'un sans l'autre, privés de leur roman intime, ils ne peuvent exister. Moe survivra et, dit-on, dans la joie. Cette Moe terrifiante, au ventre criminel, qui semble reproduire le paysage minier, d'où émergent chaque jour, dans le Borinage, ces hommes qui paraissent naître quotidiennement des « entrailles de la terre », après avoir, cette fois, extrait la substance de ce ventre catastrophique, lui aussi, où la mort guette, et dont on peut ne pas sortir vivant, ou bien, vivant, en demeurer blessé.

Vincent prend le chemin par lequel on quitte le père, au risque de rencontrer celui de cette *Pietà* qui semblera (sur la toile qu'il peindra d'après Delacroix) jeter son fils, « cadavre épuisé », vers l'abîme, dans un élan qui est tout sien, « les bras vides en avant ». Bras vides entre lesquels pourtant se trouve le fils à l'état de cadavre et qu'elle a lâché. Utérus de Moe, plein de la mort du premier Vincent.

Etrange famille, celle du pasteur Théodorus, en Hollande, dans les vieux villages de Zundert, Etten, Nuenen, enfouis parmi les feuillages, les jardins, la culture drue d'une terre fertile et bien entretenue, les prières, les nids et les chants d'oiseaux. Un premier fils mort-né. Et puis deux fils qui se suicident, Vincent et

106

Cor. Théo dont la mort ressemble à un suicide et passe, comme celle de Vincent, par la folie. Wilhelmine, la sœur douce et triste, laissée-pour-compte, qui voulait devenir écrivain et qui, devenue folle, internée peu d'années après la mort de ses frères aînés, mourra, sans doute suicidée, dans l'asile où elle aura passé presque toute sa vie, âgée de soixante-dix-neuf ans, en 1941. Ravages. Oui ! Quels désastres autour de Pa et de Moe, si sereins dans leurs convictions, si touchants dans leur naïveté conservatrice et provinciale ; si meurtriers.

Si sourds. Et Vincent, attaqué sans cesse, maintenu par l'absence de tout enseignement dans un état de faiblesse sociale incompatible avec la condition qu'on lui assigne, Vincent accusé de fainéantise et de folie, Vincent critiqué, rejeté, se comparera à un grand chien hirsute chassé par les humains, tué par le garde-champêtre d'un coup de fusil (quel chien fut tué par Vincent dans les blés ?) ; Vincent dans le Borinage se sent comme un oiseau dans une cage au printemps. Un oiseau qui sait être bon à quelque chose, avoir quelque chose à faire : « Qu'est-ce que c'est ? Il ne se le rappelle pas, puis il a des idées vagues... il se casse le crâne contre les barreaux de la cage. Et puis la cage reste là et l'oiseau est fou de douleur. » Vincent à la recherche de ce qui l'agite et le paralyse à la fois, Vincent qui ne prendra jamais conscience du premier Vincent, lequel demeurera toujours à l'état « d'idées vagues », Vincent va découvrir à quoi il est bon, mais cela ne répondra pas, de loin pas, à la prière de l'oiseau : « Ah ! de grâce, laissez-moi vivre comme un oiseau parmi les autres oiseaux. »

C'était bien ce que demandait l'évangéliste qui allait vivre parmi les plus anonymes et les plus misérables, avec la volonté, mise en pratique maladroitement, de se confondre à eux.

Mais une constante, jusqu'alors négligée, car elle semble faire partie de sa respiration, un élément permanent qui n'est pas obsessionnel comme ses hantises, ni refoulé, et dont il n'est même pas conscient va tout focaliser. Le geste de la résurrection passe par la peinture. « Il faut être mort plusieurs fois pour peindre ainsi. » L'inerte et l'animé se rejoignent, engendrent non pas la naissance morte, mais la mort naissante : la vie.

La chose amorphe devenue organisme, la naissance, l'être, ne passent plus par la banalité biologique, mais s'inventent, à partir d'un organisme humain, une autre forme de naissance, qui évite l'engendrement, le maternel. C'est à travers cette reproduction-là que Vincent, selon Artaud, mettra « à nu le corps de l'homme hors les subterfuges de l'esprit ».

Pour Théo, marchand de tableaux, pour Vincent, qui l'a été (et tous deux si jeunes), pour les deux frères grandis dans une famille de négociants d'art, de collectionneurs et qui ont pour cousin un peintre notoire, Mauve, ces domaines sont leurs terrains familiers, dont la permanence va de soi. Leur culture, leurs goûts, leur gourmandise même répondent à tout ce qui est graphique : tableaux, gravures, lithographies, qui ont passé par leurs mains ou qu'ils ont pu voir en reproduction. Avec quel enthousiasme ils échangent les listes des artistes qu'ils préfèrent, des reproductions qu'ils achètent, de celles qu'ils épinglent à leurs murs. Avec quel naturel ils se réfèrent, à propos de tout, à des peintres, à des tableaux ! Comme Swann avec Odette, comme, souvent, le Narrateur dans *A la recherche du temps perdu*[1], Vincent compare aussitôt ceux ou celles qu'il rencontre avec quelque figure d'une œuvre déjà vue. Partout il voit des sujets possibles. Tel paysage serait un cadre rêvé pour tel peintre ou ressemble à telle toile ; ses oncles réunis lui rappellent ou non les Pèlerins d'Emmaüs de Rembrandt. Si quelqu'un le déçoit, c'est qu'il avait pris un mauvais tableau, ou même une copie, pour un chef-d'œuvre. Il vit dans un monde de tableaux, divers et stable à la fois. Il a l'œil d'un connaisseur, comme Théo. Souvent il rappellera sa compétence de marchand.

Cette passion heureuse, dynamique, le demeurera. Jamais le temps du travail ne sera morbide pour Vincent. Aux heures des pires défaillances, aux prises avec le vertige — devant une toile, il est debout. Il respire avec ce qu'il peint. Il peut s'investir jusqu'à la fin. Très peu de temps avant sa mort — Moe inscrit sur la lettre « Toute dernière lettre d'Auvers » — il lui écrit, à elle et à Wilhelmine : « Je suis entièrement absorbé par cette étendue infinie de champs de blé. » Ces champs qui l'absorberont entièrement, en effet.

1. Marcel Proust, Gallimard, « La Pléiade ».

Théo, lui, respire avec ce qu'il voit peint. Cet homme, si emprunté lorsqu'il tente de se livrer un peu à Vincent (mais il écrit des lettres charmantes, élégantes à Pissarro, Degas, Gauguin) [1], décrit, analyse, compare les toiles, les expositions parmi lesquelles il vit, avec une acuité, une exigence alliées à une audacieuse, une intarissable curiosité. C'est un découvreur et ce timide se montre, là, tout à fait sûr de lui. D'ailleurs ses responsabilités sont grandes ; Goupil & C° (devenu Boussod-Valadon) est la plus grande firme internationale de tableaux. Si sa relation au travail de son frère est ambiguë, oscillante, il entend, il comprend tout ce que Vincent lui confie, et que Vincent peut mieux, dès lors, investir dans l'action.

C'est toujours à travers la peinture, à partir d'elle, que Vincent parle à Théo. Si, arrivé dans le Borinage, il l'avertit aussitôt : « Tu comprendras qu'il n'y a pas de toile dans le Borinage et qu'en règle générale on ignore même ce que c'est qu'une toile », cette absence de toiles dans le pays choisi par Vincent marque le signe d'un retrait. Peut-être le silence des deux frères, alors, provient-il de là.

Quelques mois plus tard, Vincent s'inquiète pourtant de ce qui se passe dans le monde de la peinture en Hollande, à Paris ; il a rencontré des peintres, des collectionneurs, des marchands à La Haye, à Londres, à Paris, cet évangéliste ! « Ne perds pas de vue que je comprends encore peu ou prou quand tu me parles peinture, bien qu'il y ait belle lurette que je n'ai plus vu de toiles. » Et l'année suivante, il insiste encore : « Tu te rappelles bien que j'ai su (et il se peut que je sache encore) ce qu'était Rembrandt, ou ce qu'était Millet ou Julien Dupré, ou Delacroix ou Millais, ou M. Matis. Bon. Maintenant, je n'ai plus cet entourage-là, pourtant quelque chose qui s'appelle âme, on dit que cela ne meurt jamais et que cela demeure toujours et cherche toujours et toujours et toujours encore. » Et puis alors, soudain

1. Les lettres de Vincent et de Théo sont écrites en français à partir de l'époque où Vincent vit en France. Déjà dans le Borinage, où il évangélisait en français, Vincent écrivait à Théo en cette langue. Dans la plupart de ses lettres (et l'édition hollandaise respecte cela) il mélange de manière sophistiquée l'anglais, le français, le néerlandais. A ses correspondants anglais, il écrivait dans leur langue.

« *loin du pays, j'ai le mal du pays pour le pays des tableaux*[1] ».
Mais, au lieu de désespérer, il a pris « le parti de mélancolie
active » et choisi « le pays où la patrie est partout ». Mallarmé
disait : « Je ferme le livre et les yeux, et je cherche la patrie. »

La patrie ! Une semaine plus tard, Vincent demande à Théo
de lui envoyer *les Travaux des champs* de Millet. Il veut les
copier. Il a commencé déjà. Il a beaucoup travaillé semble-t-il,
au cours de son long silence. C'était cela qu'il taisait, mais
insinuait, lorsqu'il écrivait, avoir comme les oiseaux vécu à
l'écart le temps de la mue, pendant presque une année. En
vérité, exactement... neuf mois !

Le boulanger Denis raconte comme Vincent était « occupé au
dessin de fautographies et de charbonnage » (les « fautogra-
fies »... sans doute des portraits) ; le vieux pasteur aussi :
« Quant à sa peinture, je ne puis vous en parler en connaisseur,
d'ailleurs on ne la prenait pas au sérieux ! » Mais à présent, avec
le recul, il pardonne à Vincent d'avoir été malgré ses reproches
« un incorrigible fumeur... petite ombre au tableau ; il en faut
pour les peintres ».

Au sérieux, on ne prendra jamais la peinture de Vincent
durant sa vie. Théo ? Peut-être... Ses pairs ? Oui. Toulouse-
Lautrec, Signac, Gauguin, Seurat, d'autres, qui échangeront des
toiles avec lui (mais il sera pour certains — pas pour Gauguin —
le frère du marchand Théo). Deux ou trois critiques, du reste
enthousiastes. Le Dr Gachet aussi. Mais combien nombreux
ceux à qui (par exemple, les médecins de Saint-Rémy, d'Arles)
Vincent offrait ses toiles et qui n'en voulaient pas, ou les
acceptaient contraints ! Le bon, l'excellent Dr Rey, d'Arles,
interne à l'hôpital, avait emporté bien malgré lui un premier
tableau offert par Vincent en guise de remerciement. Au second,
tout de même, non ! il se récuse et le propose, affolé, au
pharmacien de l'hôpital qui passe par là ; celui-ci s'enfuit,
indigné. L'économe de l'hôpital, en fin de compte, l'accepte. Il
le revendra des années plus tard. Très cher !

Quant au premier tableau, c'était un portrait de l'interne. Jugé
atroce par la famille Rey, il finit, après un séjour au grenier, par

1. Souligné par Van Gogh.

servir enfin à quelque chose : à obstruer la porte du poulailler. Après une suite de hasards (et après la mort du peintre), Ambroise Vollard[1] eut vent de ce « Van Gogh », traité comme du temps de Van Gogh ! Lorsque Félix Rey se proposa de lui en demander cinquante francs, la famille fut scandalisée par le projet, qualifié par le père d'escroquerie. Vexé, le docteur décida d'en demander le triple et fut suffoqué lorsque Vollard, trop heureux, accepta de payer. Reconnaissant, il aida le marchand à écumer la région à la recherche d'autres Van Gogh. Le portrait du docteur Rey, se trouve aujourd'hui au musée de Moscou.

A Saint-Rémy, pour cinq francs, on ne voudra pas d'un Van Gogh. D'après son gardien là-bas, M. Poulet, Vincent racontait qu'il avait souvent proposé son travail en échange à des bouchers, des épiciers ; parfois, on lui offrait la marchandise, mais on refusait toujours les tableaux ! Vincent parti de Saint-Rémy, le fils (adulte) du médecin de l'asile, trouvera une caisse contenant des toiles laissées par le peintre. La porte du poulailler n'étant pas endommagée, reste un autre usage : les toiles serviront de cible sur lesquelles il tirera à cœur joie avec un ami.

Combien de ses tableaux furent vendus à Paris par Vincent lui-même à des brocanteurs, qui les revendaient comme toiles à gratter et repeindre !

Quant aux tableaux partis dans les enchères du Tambourin, ces « cadeaux » ficelés par paquets de dix, ils trouvèrent preneur à cinquante centimes pièce.

Le peintre Hirschig, compatriote de Vincent, raconte qu'à Auvers, où il vivait en même temps que d'autres peintres et que Van Gogh, celui-ci apportait chaque jour de nouvelles toiles à l'auberge Ravoux ; « elles étaient sur le sol, accrochées aux murs. Personne ne les regardait jamais ».

Il se fait bien des illusions, Vincent, lorsque, à peine sorti du Borinage, il écrit à Théo au début de son apprentissage en 1881 (il étudie seul le dessin avec la *Méthode Bargue*) : « Est-il concevable que dans une famille comme la nôtre où deux hommes qui portent notre nom se sont enrichis dans le com-

1. Célèbre marchand de tableaux.

merce d'objets d'art, je veux parler de C.M.[1] et de l'oncle de Princehague[2] et où deux autres, toi et moi, ont choisi le même métier dans deux sphères distinctes — est-il concevable, dis-je, que je ne puisse compter, d'une façon ou d'une autre, sur les cent francs par mois qui me sont indispensables jusqu'au jour où j'aurais trouvé un emploi stable comme dessinateur ? » Et il ajoute : « L'oncle Cor a si souvent aidé d'autres dessinateurs. » Il y a mille façons de lui venir en aide, remarque-t-il, comme de le mettre en relation avec des peintres qui pourraient lui apprendre beaucoup, ou lui trouver du travail dans une revue illustrée. « Je suis tout de même membre d'une telle famille. » Raison de plus ! Tout à fait concevable, le fait qu'on ne l'aidera jamais. Jamais. Et l'oncle Cent mourra en 1888. La production de Vincent était alors importante ; son travail évidemment, pour le moins, sérieux... Jamais.

Parmi les peintres, on savait. Mais les peintres étaient eux-mêmes « aux abois ».

Le premier dessin copié par Vincent est *le Semeur*, un thème qui va le poursuivre et dont il écrit déjà qu'il l'a dessiné cinq fois « et pourtant je le reprendrai encore, tellement cette figure me préoccupe ». Il ne se doute pas à quel point ! Ni qu'il va intimer à Théo, lors de la naissance du troisième Vincent — mais croyant parler seulement de son propre travail : « Je fais halte-là ! au *Semeur*. »

Il copie ensuite *les Bêcheurs* : deux jeunes hommes, très évidemment des frères, creusent, côte à côte, dans un paysage désert, avec de grandes pelles... quoi ?

Vincent est « en route », il l'écrit, et c'est aussi le titre d'un de ses premiers dessins, qui a beaucoup de charme. Il fait nuit sur la route ; un homme d'un certain âge, marche, un peu voûté. Il s'éclaire d'une lanterne. Comme Pa.

Mais la route de Vincent ne suit plus celle du pasteur Théodorus ; les termes dans lesquels il parle de son but, qui devient « plus défini », expriment ce que sera sa vie : « Ce but.. se dessinera lentement et sûrement, comme le croquis devient esquisse et l'esquisse tableau. »

1. L'oncle Cor. 2. L'oncle Cent.

De cette vie supprimée, on se nourrit encore. Vincent a protesté : « Je vendrai cher ma peau. » Très cher, un Van Gogh ! Mais la peau ? Où est-elle ? Qui empoche ? Très bon marché, la peau. La sienne, à présent, fondue, bouffée, nourrit (a nourri) les blés près du cimetière d'Auvers. Tout raté. Il l'a dit aussi : « Je me sens — raté. » Presque sa dernière lettre. Après toute cette vie, cet effort, et l'œuvre ! Pathétique, Atroce. Absurde ? Non. Il a tout raté.

Ses toiles ? Résultat d'un désastre. Beaucoup de « grandes œuvres » ne sont pas autre chose. Que pourraient-elles être d'autre ? Elles réussissent à souligner cela. A indiquer d'autres possibles : la vie au lieu d'une existence manœuvrée ; et l'impossibilité, que prouvent les dégâts causés par la vie dans l'existence de ceux qui assument, expriment ce qui empêche de dormir, de vivre anesthésié. De tourner en rond dans une rationalité fabriquée, arbitraire et servile.

« Qui commande, la logique ou moi ? » demande Vincent Van Gogh. A partir de là, il pourra créer. Oser sa propre logique, avec ce qu'elle charrie d'inconscient et ce qu'elle traverse des champs dits irrationnels : espaces neufs, offerts à partir de l'émotion à l'intelligence.

Mais cette logique-là, cette intelligence d'un seul (qui, par là même, signale tous les autres), pour n'être pas inscrites dans le programme systématique, passent pour démentes, à moins qu'elles ne s'intègrent à l'ordre d'un opus accepté — et signé. La signature est comme un point final. Une séparation. Il n'y a plus « un » individu, inquiétant et pluriel, mais « celui-là », résumé dans son nom. Presque hors l'espèce, modèle inaccessible. Isolé.

113

Son nom l'emporte sur son œuvre et sa personne, l'encercle, empêche que ça déborde. Où irions-nous si n'importe qui se prenait pour quelqu'un ?

Personne, en vie, ne s'est pris pour Van Gogh. Personne ne l'a été. Surtout pas lui. « Je ne suis pas un Van Gogh. »

Le scandale ne tient pas du public qui ne l'a pas reconnu, ni même des professionnels qui avaient pourtant le pouvoir : les marchands. Cela allait de soi. Il créait une différence, *sa* différence, et le moyen de le rejoindre là ; mais il y fallait du temps. Or il est mort à trente-sept ans. Il échangeait déjà ses toiles avec qui il voulait ; il exposait dans des groupes d'avant-garde ; les critiques commençaient à le remarquer. Et il ne peignait, à sa mort, que depuis huit ans. Encore un instant, M. le bourreau — et peut-être aurait-il connu « le succès » ?

Mais il *est* mort à trente-sept ans. De sa propre main. Celle qui peignait. Le scandale, c'est que, pour parvenir à vivre tel qu'il était, il lui ait fallu peindre — et mourir suicidé. L'horreur, c'est cette vie suppliciée, où la torture va dans le sens de la logique qui commande (et qui n'était pas la sienne). Selon cette logique, Vincent a toujours tort. En permanence à côté de la plaque. Le scandale, c'est qu'en refusant aujourd'hui encore sa logique et la maladresse, le ratage qu'elle engendre, on admire son œuvre. Pourquoi ? Et à partir de là, on l'accepte lui, et ses pires légendes.

L'horreur, c'est qu'il faille créer une œuvre comme celle de Van Gogh pour parvenir à devenir autre chose que le duplicata d'un cadavre. Qu'il faille accomplir une tâche aussi difficile et se livrer à des opérations aussi insensées, qu'il faille piéger outre-mort, outre-vie, de telles preuves que la vie existe, pour se protéger, pour faire écran à une société où vivre est interdit. Où vivre, quand cela arrive, aboutit dans un musée. Après le massacre.

L'horreur, c'est que pour obtenir ce qu'il y a de plus naturel, vivre à même la vie, ce qui devrait être l'évidence et conduire à la paix, il faille passer par une telle passion et qu'une affaire aussi simple dégénère en extase, en affres, mais surtout, une fois de plus en production.

114

Si la production est rentable, la noce qui passe applaudit le « mis-de-côté » (dans une tombe cette fois).

Après les échecs existentiels de Londres, de Paris, d'Amsterdam, du Borinage, et plus tard, d'Etten, de La Haye, de Nuenen, il a fallu à Van Gogh passer par l'hospice d'Arles, l'asile de Saint-Rémy et le suicide d'Auvers. Excellent numéro ! Tout à fait négociable.

Le scandale, c'est que la foule profonde, silencieuse, soit privée de vie. Et que, pour rester à l'abri de la vie, de la mort, de la menace, la majorité se groupe en troupeaux, chaque élément interdit d'identité. L'angoisse de la mort est déplacée sur des structures coercitives, carcérales. Partout des parois rassurantes, un découpage artificiel qui permet des solutions bidon d'où la jouissance non codée, non prescrite est éliminée ; où, grâce à la peur encouragée, manipulée, échangée contre la liberté, quelques-uns ont toujours le pouvoir sur beaucoup. Où tous, y compris ces quelques-uns, fuient, complices, les affres de la vérité. Avec l'arbre de l'ignorance, le serpent fait un tabac.

Ceux qui ne sont pas clients ? Des fous. Or, Vincent, les parois, d'instinct, il les fuit. La tombe de Zundert, il en a comme fait l'épreuve dès avant d'être né. Il vivra hors les structures dites logiques, tout en voulant s'y intégrer — mais fidèle au moi qui commande la logique.

Quoi de plus logique que la conduite de Vincent évangéliste ? Il aide les mineurs, il les sert, il prend leur apparence, leur mode de vie, et, surtout, il se range à leurs côtés lors d'une grève, collecte des fonds pour eux. Quoi de plus naturel ? Les autorités le traitent de meneur. Ses supérieurs estiment que, par sa conduite et son aspect, il nuit à la dignité de ses fonctions, ce qui est vrai quant à l'idée qu'ils se font, eux, de ces fonctions. La plupart des exégètes de Van Gogh respectent l'excentricité de ce futur « génie fou », mais jugent sa conduite exagérée.

L'exagération, où se trouve-t-elle ? Dans l'émotion, les réactions d'un homme de vingt-six ans, bouleversé par la découverte de cet aspect de la « civilisation » ? Ou bien l'exagération — démente — résidait-elle dans la misère organisée, codée, *payée* des porions ? Dans les accidents, les blessures, la topographie ténébreuse des mines ? Dans le travail des enfants, le profit ?

Dans tout ce qui, familier à présent, classé, historique, est accepté (comme inacceptable) aujourd'hui. Mais que Vincent a dû recevoir comme un choc comparable — toutes proportions gardées — à la découverte, plus récente, par d'autres, des camps nazis. A l'exagération insensée du régime, il répond par une conduite *dite* exagérée. L'exagération ne se trouve-t-elle pas dans le comportement du clergé, docte et « charitable », raisonnable, adapté aux raisons des plus forts ?

Cette tiédeur règne, permanente, diplomatique et politique, qui permet de récupérer toute évolution. C'est le monde de Pa et de Moe. Leur point de vue l'emporte. Ils ont la sagesse, la raison. Ce sont eux qui jugent, en fait. Immortels. Leur fils, enfin muré, publiquement — non seulement dans une tombe, mais dans des musées, des catalogues, des livres, des cotes, est *jugé* : l'exception.

A ce compte, tout lui est permis. Il est domestiqué. Les catafalques aux murs des musées ne réveillent aucun cadavre.

« Il y a bien des raisons de haïr cette vie et ce corps de mort », écrivait Vincent à Londres. Il le savait : pas de prix, aucune peau. Un monde du déchet. Voluptueux. Et c'est là, sans doute, la pire des douleurs, cet excès. Lui, Vincent, qui représente l'excès d'un autre Vincent Wilhelm mort ; lui, Vincent, emblème excessif du nom d'un cadavre, c'est cela qu'il exhibe. Ses toiles assènent l'excès de la présence, d'abord statique, et puis la présence de l'excès dans l'effervescence.

Mais l'excès même fait partie de la perte. L'oreille mutilée, les toiles rajoutées ne changent pas l'économie ambiante. « Je voudrais laisser par-ci, par-là, quelques signes de vie », rêvait-il à Amsterdam, lorsqu'il ne peignait pas, ni ne songeait à peindre encore. Il a laissé des signes de la vie d'ordinaire dérobée. Il montre ce qu'Elisée *voyait* : la vie disparaître vivante en la personne d'Elie, parmi les chars de feu. Il a laissé des signes et de la vie autour desquels errent ceux qui ne veulent, ni ne peuvent, maintenus par la violence du calme, se voir disparaître vivants, ceux qui se préfèrent morts à la vie durant leur existence.

Signes de vie ! Signatures aux murs des musées. Signes de richesses dans les demeures privées.

Qu'importe ! Pourquoi peignait Van Gogh si ce n'est, dans un dernier sursis (après trente ans de tentatives diverses, toutes inefficaces) afin d'animer l'inertie ? « La place de l'absent. » Chaises vides. Faire advenir sur la toile ces présences qui, ailleurs, installent l'absence de celui qui n'est pas. « Le sujet. » Le faire naître où c'était nul. Où il n'y avait rien, recopier ce qui est. D'une surface amorphe faire un être organique, ressusciter.

Lorsque Vincent mentionne, en 1889, dans une lettre à Théo, la naissance proche « de ce garçon projeté par ta femme, je trouve cela assez drôle qu'elle se fait si fort qu'il soit un garçon » (s'il était une fille on ne pourrait l'appeler Vincent), il trouve cette équivalence : « En attendant, je ne peux faire que tripoter un peu dans mes tableaux. »

A Etten, en 1881, de retour du Borinage, de tableaux il n'est pas encore question, lorsque Vincent débarque chez ses parents, profitant du passage de Théo pour atténuer l'effet « retour de l'enfant prodigue ». Il arrive équipé du *Cours de dessin,* des *Exercices de dessin au fusain* de Bargues, édités par Goupil & C°, manuels pour autodidactes, et des *Esquisses anatomiques à l'usage des artistes* de John. Peindre ? Non. Du dessin. Du dessin. Cela durera deux ans. S'il lit le *Traité d'aquarelle* de Cassagne, c'est pour se renseigner sur le sépia et le dessin à l'encre. Nous sommes au printemps 1881. En juillet 1890, à sa mort, toute l'œuvre de Van Gogh existera.

Ses dessins, à Etten, perdent parfois leur charme évocateur et deviennent raides, malhabiles. Il le sait. Il assume la transition et préfère ce qui brise la facilité et va lui permettre de s'exprimer selon son tempérament, son caractère personnel, à quelques pièces réussies, trop abouties justement. Il sait déjà qu'il ne cherchera pas à exprimer « une espèce de mélancolie sentimentale, mais la douleur tragique », et qu'il veut savoir tirer parti de chacun de ses états d'âme.

Etten est calme, sans histoire. Il lit Balzac, correspond avec Van Rappard, un peintre jeune, riche (ce qui l'a d'abord intimidé), rencontré à Bruxelles, grâce à Théo. Van Rappard lui rend visite chez Pa et Moe ; ils se promènent, travaillent ensemble. Vincent reçoit les conseils de Mauve, le cousin, peintre célèbre, qui habite à La Haye mais séjourne parfois à

Etten en visite chez le pasteur ou à Princehague chez l'oncle Cent, avec qui on voisine. Si Vincent se désole, c'est que les gens du pays s'entêtent à poser en habits du dimanche où « ni les genoux, ni les coudes, ni les omoplates, ni les autres parties du corps n'ont imprimé un creux ou une bosse ». Des mois calmes. Et puis soudain : « Je suis amoureux fou de Kee. »

Le cousin et la cousine se sont beaucoup parlé au cours de nombreuses promenades dans la campagne d'Etten. Kee séjourne au presbytère avec son petit garçon pour quelques semaines. De Vincent, elle affirmera plus tard : « Il s'imaginait qu'il m'aimait, il était si gentil pour mon petit garçon. » Oui ; il ne s'imaginait pas qu'il aimait, il s'imaginait, cependant, qu'il l'aimait.

Lorsqu'il se déclare à Kee (avec gaucherie, confie-t-il à Théo), il le déclare aussitôt à Pa et à Moe, à l'oncle et à la tante Stricker, à l'oncle et à la tante de Princehague. A toute la famille qu'il a sous la main. C'est un peu elle qu'il demande en mariage. La réponse de Kee est brutale, spontanée : « Jamais, non, jamais de la vie », et sa réaction immédiate : elle fuit Etten et retourne à Amsterdam chez ses parents, avec qui elle vit depuis son veuvage. La famille lui fait écho, indignée ! Jamais, non, jamais de la vie, on n'acceptera Vincent. On le supporte, tout au plus.

Pourtant le frère de Mme Stricker et de sa sœur, Moe, a deux filles mariées à des peintres. L'une au fameux Mauve, l'autre est la femme d'un certain A. Le Comte, peu connu. Mais Vincent, pas question pour lui d'entrer dans... sa famille !

Il s'obstine. C'est le scandale. A-t-il raison d'espérer faire fléchir Kee ? Sinon, pourquoi toute cette agitation ? Seul l'oncle Cent s'amuse de le voir ne pas tenir compte de ce « jamais, non, jamais de la vie ».

L'oncle Stricker et les autres lui opposent son manque de « moyens d'existence ». Des moyens d'existence ! Lui, l'usurpateur, qui n'est pas sûr de son droit d'exister, en trouver les moyens présentera toujours un problème qu'il ne résoudra pas, sinon par l'intermédiaire d'un frère qui, seul, a le pouvoir de lui donner, avec les moyens, ce droit d'exister à la place d'un autre frère.

Devant cette difficulté, posée devant lui comme un pavé par le

118

pasteur Stricker, dont la grâce n'a rien d'aérien, Vincent réagit une fois de plus par la simplicité. Il élague et va à l'évidence. Il remarque : « On pourrait dire, par exemple, cet homme existe, je le vois, il me parle... son existence me paraît évidente. » Il voudrait tant qu'il en soit ainsi. Il en est tellement incertain. Quelle inquiétude sous l'ironie et quel désir de (se) persuader. « Mais voilà, on ne raisonne pas ainsi, surtout un certain monsieur d'Amsterdam. Avant de croire à l'existence de l'intéressé, ils ont besoin de voir, de palper ses moyens d'existence, car son existence ne suffit pas à prouver la réalité de ses moyens d'existence. »

A sa famille, pire qu'un saint Thomas, le palper vivant, ne suffira pas à prouver son existence. « Dans mon cas, il me faudrait donc d'abord leur montrer mes pattes de dessinateur, non en un geste d'attaque ni même de menace. Ensuite, il faudrait me servir comme je peux de mes pattes de dessinateur. »

Pattes de dessinateur ou non, attaqués ou pas, les Van Gogh se refuseront à les lui donner ces moyens d'existence, sauf Pa et Théo, qui en ont si peu les moyens comparés aux autres (et l'oncle Cent, si fortuné, n'a pas d'enfant).

Mais les « moyens d'existence » se réduisent pour l'instant au prix du voyage à Amsterdam où il voudrait aller « évaluer ce jamais, non, jamais de la vie ». Ses dessins pourraient le lui permettre : « Explique-moi pourquoi ils sont invendables et comment on pourrait les rendre vendables. » Enigme qui ne sera pas, tant qu'il vivra, résolue.

Ce qui l'attire à Amsterdam, ce n'est pas Kee, mais le prolongement, l'analyse de cette phrase, ce « jamais, non, jamais de la vie », qui le fascine. Vincent ne semble pas même remarquer l'absence de Kee ; il est tout à sa réponse et ses étranges effets. Dans l'euphorie, le plus souvent. Cette phrase lui suffit, semble-t-il, ou du moins le combat qu'il mène contre elle en imagination et qu'il semble à peu près sûr de gagner. La lutte le passionne.

Il gagnera, car ce qu'il recherche, c'est le corps, la présence d'une femme. Il a gagné déjà de désirer consciemment et de le déclarer. A Londres, il s'en souvient alors, du temps des Loyer, ses « désirs physiques étaient faibles ». Ils existent, affirmés, à présent.

S'il prétend opposer à ce « jamais non, jamais de la vie », un « elle et aucune autre », il sait bien qu'il s'agît plutôt d'un « elle ou une autre », et qu'il « la » trouvera.

Ce dynamisme neuf l'enchante. Il lui arrive quelque chose « dans le monde des femmes ». S'il est parvenu à ce monde, ou à le désirer, par l'entremise de Kee, rien de surprenant : « Sans le savoir, elle aussi est enfermée dans une sorte de prison. » Les obsessions inconscientes qui le maintenaient dans un monde fantomatique, il les reconnaît, conscientes, chez sa cousine. Sa décision d'exorciser en elle ce qui le paralyse lui deviendra désir pour la femme qui en est la proie, lorsqu'il découvre « qu'elle pensait constamment au passé et s'y abîmait avec dévotion, bien que je respecte ce sentiment et que son deuil profond m'émeuve et me touche, je le trouve un peu fatal ».

En combattant la pétrification de Kee, sa fixation sur un passé irréversiblement disparu, il lutte sans le savoir contre ses propres hantises. Il se veut « ferme et résolu comme une lame d'acier ». C'est un duel. Le voilà passionné. Kee n'est pas l'enjeu, mais ce qu'il reconnaît de lui-même en elle et qui lui permet un échange, même hostile, avec une femme. Du moins, imagine-t-il l'échange, car sa cousine ne semble aucunement troublée, ni le moins du monde affectée. Elle ne le verra plus, non, jamais de sa vie. Voilà tout.

Mais lui ne s'excite pas moins à l'idée de « faire naître quelque chose de neuf qui, s'il n'efface pas le passé, aura quand même droit à l'existence ». Il pourrait s'agir là du rôle qui aurait pu être celui de Vincent à sa naissance. Il eût évité ainsi, accepté par Pa et Moe, ce à quoi il veut arracher Kee : « Ce mal fatal qui consiste à s'abîmer éperdument dans le passé. »

Peut-être, de reconnaître chez une autre, simplifié, avoué, ce qui le tourmente insidieusement le conduit à cette euphorie tout de même surprenante. « Mon vieux, je me réjouis tant du " bleu " que j'ai reçu, je voudrais crier ma joie. » Il joue au stratège. Le voici chirurgien. Un chirurgien aux anges d'avoir « donné un coup de bistouri » et qui « rit dans sa barbe ». Il la guérira, sa cousine, qu'elle le veuille ou non ; il s'approchera d'elle « à l'improviste, à l'occasion quand elle ne s'y attend pas » sinon « son mal fatal deviendra sept fois plus violent ».

Autant de fois qu'il y a eu d'enfants sortis du ventre de Moe, morts ou vivants, autant de fois que le ressuscité d'Elie éternue, etc., etc.

Armé d'instruments phalliques ou devenu l'un d'eux, lame ou bistouri, il est prêt à extraire l'amour. Il est amoureux. Mais de qui ? Amoureux, c'est tout. Lame ou bistouri pour Kee, il devient soc pour Théo. Soc de charrue. Qu'importe l'instrument ? L'opération l'emporte.

Réveiller les Belles au Bois Dormant, une façon comme une autre et plutôt agréable, d'exercer la pratique de la résurrection. Tout est bon pour Vincent à mettre au diapason de son désir, et d'abord Théo : « O homme d'affaires, rongé par la fièvre commerciale », déclame-t-il, s'adressant à son frère, « je vais te réveiller d'abord, puis je sèmerai des paroles plus tendres dans le cœur de Son Excellence ; il s'agit de labourer pour commencer le cœur de cet homme qui brasse des affaires... en attendant, vite encore un bout de soc de charrue ». On croît rêver ! De qui s'agit-il ? De Kee ou de Théo ? Chercher la femme ! Comme toujours, impossible. Vincent poursuit ses confidences à propos de Kee, mais c'est à Théo qu'il s'adresse, les interrompant : « Le bout de soc de charrue continue à s'enfoncer — ne t'en fâche pas ? »

Qu'importe le flacon ! Pour l'instant l'ivresse est toute pour Vincent qui, insatiable, va s'attaquer à Van Rappard dans une lettre où se déchaînent des sarabandes de sorcières. Mais de quel sexe est-il, ce Vincent métaphorique qui se défend d'être auprès de Van Rappard « une espèce de tentateur qui projette de vous faire tomber dans un puits » !, et qui reprend plus loin « au cas où je prendrais à vos yeux figure de tentateur, où j'aurais l'air de vous attirer dans un puits profond, il se pourrait que ce soit le puits de vérité » ?

Lame, soc, bistouri, puits, où en est-il Vincent, lorsqu'il écrit à Van Rappard cette lettre sibylline où, sous couleur d'allégorie, il lui décrit sa propre situation entre deux femmes ? Et cette lettre prouve qu'avant d'en parler à Théo et lorsqu'il courtise encore Kee, il a déjà rencontré Sien. Il s'agit selon lui de deux symboles : l'une est la peinture académique, l'autre une plus vague dame nature. Vincent se prend un peu les pieds dans ses comparaisons et ne sait plus toujours laquelle est laquelle, mais il tient à ponctuer ses allusions criantes à sa vie privée par des « c'est purement artistique, n'est-ce pas — mon cher ? » rieurs, « as-tu compris mon cher ? C'est purement artistique, bien entendu, n'est-ce pas », de celui qui ne veut pas être entendu, mais qui meurt d'envie de se confier. Il finit par éclater : « Eh quoi ! Si en dehors et outre de ça c'était encore autre chose, tant mieux, je ne m'en dédis pas, quand bien même je voudrais prendre mes paroles au sens figuré. As-tu compris, mon cher... »

Mais qu'y a-t-il à comprendre, à propos de Kee, sinon que de cette histoire d'amour mal enclenchée, il a tenté de faire, une fois de plus, l'histoire d'une résurrection. « Old boy », déclare-t-il à Théo, « je considère provisoirement ce jamais, non, jamais de la vie ! comme un glaçon qu'il faut serrer contre mon cœur pour le faire fondre ». Comme Elie avec l'enfant de la veuve. « Quant à prédire ce qui l'emportera, le froid du glaçon ou la chaleur de la vie, c'est un problème délicat. » On voit quel est l'enjeu, identique toujours. « Une entreprise de fou », crie la famille, et c'est bien à elle que s'attaque Vincent, en vain, il le sait, mais il semble vouloir en acquérir la preuve avant de rompre les amarres. Et se faire dramatiquement repousser. Ce drame est totalement, de part de d'autre, fabriqué.

On arrive au final.

L'une des sœurs de Vincent lui sert d'espionne à Amsterdam. Elle observe les Stricker et lui fait savoir quand leur fille se trouve là. Théo envoie la somme nécessaire au voyage. Il s'est rangé du côté de son frère même s'il n'intervient pas, comme l'en supplie Vincent, en plaisantant avec légèreté le « jamais, non jamais de la vie », afin de le dédramatiser.

Chez les Stricker, Vincent arrive à l'improviste. C'est l'heure du dîner. Le temps qu'il accède à la salle à manger, Kee a disparu. Son couvert aussi. « Où est-elle ? » Le pasteur, l'air étonné, demande à sa femme : « Mère, où donc est Kee ? » « Elle est sortie. » Vincent n'insiste pas. On parle de choses et d'autres, d'expositions de peinture surtout. Après le repas,

Vincent revient à la charge. Stricker explose : « Quand elle a su ton arrivée, elle est partie. » Et l'oncle lit à Vincent une lettre qu'il lui destinait (sans doute en réponse à celle que Vincent lui a envoyée... recommandée !).

L'oncle Stricker est homme de lettres. Il a publié, en 1868, un *Jésus de Nazareth* en deux volumes, basé sur des faits historiques. « Sais-tu », écrit son neveu, critique partial, « que l'oncle Stricker est vraiment un homme très capable et, après tout, un artiste ? Ses ouvrages sont excellents et témoignent d'une grande sensibilité. J'ai lu cet été une étude qu'il venait de publier sur les petits prophètes et certains livres de la Bible qu'on lit relativement peu ». Cela encourage l'espoir de Vincent d'être un jour reconnu par son oncle comme lui le reconnaît. Mais ils se rencontrent sur d'autres terrains, pour lesquels ils ont tous deux bien moins de compétence et de goût.

Johanès Paulus Stricker est consterné de ne pas voir son neveu « transporté par l'intelligence et la sensibilité humaines de sa lettre ». Cette fois, il fulmine : « Quand tu approches cette maison, Kee s'enfuit. A ta décision " elle et aucune autre " elle réplique par un " lui en aucun cas " ; ta persévérance est dégoûtante. »

C'est alors qu'a lieu l'incident si souvent exploité, exagéré : Vincent se brûlant la main par amour, dans une crise d'exaltation. En vérité, Vincent, qui sait sa cousine absente, propose, dans le salon familier des Stricker, d'être autorisé à voir leur fille aussi longtemps qu'il pourra maintenir sa main sur la flamme de leur lampe. Il y met les doigts... et les Stricker soufflent sur la flamme ; c'est tout. Ils déclarent : « Vous ne la verrez pas ! » Alors Vincent, il le dit lui-même, noie le poisson, c'est son habitude, « j'aime bien Pa et l'oncle S. à ma façon ». La tragédie se termine par une invitation à passer la nuit chez les parents de Kee. Il refuse avec hauteur. « Où logez-vous ? » demandent l'oncle et la tante. « J'ai répondu que je ne le savais pas encore. Ils ont voulu à tout prix me conduire à un hôtel, et mon Dieu, ces deux vieillards sont sortis avec moi dans les rues froides, brumeuses, boueuses et m'ont amené à un hôtel bon marché... J'ai trouvé ce geste humain, vois-tu, et cela m'a calmé. » Les jours suivants, il retourne bavarder avec l'oncle Stricker, mais il

123

ne voit pas Kee. Il finit par trouver tellement ennuyeuse la semi-amabilité du pasteur et de sa femme qu'il se reprend et décide, avant tout, de ne pas « verser dans la mélancolie ».

A ce récit fait suite un autre, que Vincent donne à Théo comme la conséquence du fiasco d'Amsterdam. Or, il y a tout lieu de croire que le voyage de La Haye avait précédé cette visite fâcheuse ; que la rencontre avec les Stricker représentait une dernière tentative avant d'accepter de mettre un point final à la poursuite de Kee. Il peut à présent aller vers Sien.

Vers une femme, pas une veuve.

Il découvre, il crie à Théo la détresse de cette jeunesse passée « appuyé trop longtemps contre un mur d'église froid, dur et blanchi à la chaux ». Kee, c'était, une dernière fois, la fascination du monde des pasteurs, des temples protestants, du deuil et des tombeaux. A présent, il sait, il le répète quelques lignes plus loin : « Ce mur imaginaire ou réel m'a valu un refroidissement persistant des os et de la moelle, surtout de la moelle de l'âme. »

Et il sait aussi, à présent, qu'il « est très agréable de dessiner un être humain, une chose qui vit, c'est diantrement difficile, mais c'est exquis ».

Le « sentiment fatal » dont il voulait délivrer Kee, même s'il n'en devine pas la cause, il l'éprouve aussi et refuse de se laisser ravager davantage par un monde spectral.

Il sait ce qu'il lui faut. Qui il lui faut. Non ! Pas Kee Vos-Stricker en particulier, et, peut-être, précisément pas Kee, mais une femme. « Ce sacré mur est trop froid, j'ai besoin d'une femme. »

Cette femme, il n'aura pas à la chercher loin : dans une rue, la nuit, à La Haye, où elle-même guette un client.

Clasina Maria Hoornik fait donc le trottoir, cette nuit-là, à La Haye. Elle est malade, enceinte, pauvre. Assez grande, fortement charpentée, elle n'est pas jolie, le visage grêlé par la petite vérole. Elle n'a pas « des mains de dame », mais « quelque chose de très féminin ». Elle n'est ni grossière ni vulgaire. Et, naturellement, elle rappelle à Vincent quelques tableaux : « Une figure de Chardin, ou de Frère, ou même de Jan Steen. »

Il lui « trouve je ne sais quoi de fané qui donne tant de *charme*[1] au visage de celles qui ont été malmenées par la vie. Ah ! elle avait du *charme* pour moi. Je lui trouvais même quelque chose de Feyrin-Perrin, de Pérugin ». Il rappelle qu'il n'est « pas un bébé au berceau » et qu'il a déjà aimé de ces femmes « que les pasteurs maudissent, condamnent et couvrent d'opprobre du haut de leur chaire. Moi, je ne les maudis pas, je ne les condamne pas, je ne les méprise pas. J'ai presque trente ans, vois-tu ? Crois-tu vraiment que je n'ai jamais eu besoin d'amour » ? Christin a su lui en donner. Elle a été « gentille, très gentille et bonne, très bonne ». Elle n'est pas une Van Gogh. Ensemble, ils ont dépensé peu d'argent. Sa chambre est propre, simple. « On trouve le monde plus gai quand, le matin, au réveil, on ne se sent plus seul, qu'on aperçoit à côté de soi dans le clair-obscur, un autre être humain. C'est plus gai que les livres pieux et les murs d'église blanchis à la chaux dont les pasteurs sont amoureux. »

1. Souligné par Van Gogh.

Vincent est sorti de la tombe.

L'année suivante, Théo rencontre à Paris une certaine Marie dans les mêmes circonstances. (Marie et Christ-in !) Elle est pauvre, malade (Vincent l'appellera toujours « ta malade ») ; Théo la prend en pitié. Son histoire est calquée sur celle de Vincent qu'il a combattue, cependant, et qu'il continuera de combattre mais sur un mode efficace et sournois.

Vincent, toujours lié à Sien, a déjà raconté plus d'une fois leurs débuts à son frère, mais il tente à présent, pour Théo (qu'il assimile, identifie aussitôt à lui-même), de retrouver le choc initial : « Il nous est apparu à toi et à moi, sur un trottoir froid et impitoyable, une lugubre et triste silhouette de femme et ni toi ni moi n'avons poursuivi notre chemin... Une telle rencontre ressemble peu ou prou à une apparition. »

Il revoit « un visage pâle et un regard triste — comme un Ecce Homo sur fond noir — et tout le reste s'évanouit. Voilà le sentiment d'un Ecce Homo. Ce que la réalité exprime — en l'occurrence un visage de femme — revient au même. Par la suite cela change incontestablement, n'empêche qu'on n'oublie pas la toute première vision ».

Quelle analyse !

Celle devant qui s'évanouit le monde des tombeaux, les élans vers un père, la rapacité d'un mort et qui va, tout un temps, réparer la blessure initiale, l'apaiser, fut d'abord cette vision : un visage de femme qui revenait au même que le visage d'un homme. Pas n'importe quel homme. Ce « Voici l'Homme », cette apparition sur fond noir, si longtemps redoutée, désirée.

Voici l'homme triste et pâle. Celui-là. Et c'est elle. Hors les murs blanchis des églises ; les parois froides d'une tombe. Voici l'homme réconcilié avec le visage de la mère, pâle et triste, qui l'a raté. Voici celui qui va pouvoir, par la suite, changer, devenir une femme, ou, mieux, laisser place à une femme.

Et voici la femme. Son ventre est ballonnant. Christin est enceinte. L'Ecce Homo, est-ce elle ? Ou bien : voici l'homme complet, encore enveloppé par la femme qui le porte, encore entouré d'une vie féminine. Mais, déjà, sur le visage de la femme, est né son visage à lui. Naissance ou mutation ?

Celui-là que Vincent cherche à son insu, celui-là qu'à son insu, toujours, il fuit désespérément, voilà qu'il s'est manifesté, non plus ange vindicatif, cadavre indécollable, spectre noir, poète endormi dans le sein des hommes vieux, ni l'homme *De profondis,* accroupi dans la « cache » d'une mine, mais apparition ; celle d'un visage de femme à la tristesse avouée, consolable. Celle d'une silhouette au ventre ballonnant.

Le passé fantasmé, refoulé, a surgi là, tangible, « lugubre » mais présent et surtout tarifé. Une fois acheté l'Ecce Homo, il reste la femme chaude, le sang qui circule. Le désir. Ce qui s'étiolait.

« Je me figure que ta rencontre avec cette femme reporte sans doute tes pensées en arrière, à une époque vieille de dix, même de vingt ans ou davantage. Enfin, je veux dire que tu te retrouves toi-même en elle — un épisode de ton existence que tu avais presque oublié — ce qui fut. »

Quels souvenirs d'errances nocturnes datant de dix, vingt ans ou davantage pouvaient avoir Théo ou Vincent âgés respectivement, lors des rencontres avec Marie ou Sien, de vingt-six et vingt-huit ans ?

Sien, Vincent l'a remarqué il y a longtemps (lorsqu'au début de leur liaison, il tente de la décrire d'une façon moins grave, mais plus « réaliste », à Théo), ressemble, certes, surtout par sa voix éraillée, à Leen Veerman, leur nourrice à Zundert, laquelle ressemblait à l'*Ange de la Passion* de Landelle. L'ange qui annonce l'Ecce Homo. Et le visage de Sien, Vincent ne s'en aperçoit pas (en tout cas, il ne le dit pas) ressemble sur ses dessins, d'une façon criante, au visage de Pa. Ils ont le même profil. Un front démesurément grand, le nez très aigu, proéminent, le menton ravalé, les lèvres minces, la même disproportion entre le haut du visage étiré et le bas raccourci. Et une certaine finesse.

Père, nourrice, fantôme à vendre, madone engrossée, cette femme, qui est l'Ecce Homo, Vincent peut se retrouver « en elle », comme dans un frère.

Et retrouver — mais quel « épisode presque oublié », qui fut ? Souvenir trop ancien, comme ceux qu'il va frôler à l'hospice d'Arles, l'asile de Saint-Rémy, et qu'il vaut mieux ne pas approfondir, laisser dormir en Moe.

127

En cette Moe-sphinx à laquelle sont assimilées toutes les femmes, et que l'on peut voir sur des photos ou un portrait — visage de vieille femme, dont le sourire étrange, énigmatique, cruellement réservé, n'est pas sans ressembler à celui d'une Joconde âgée. Lorsque Vincent voudra quitter Sien, il croira reconnaître en elle un « air de sphinx » et « c'est un mauvais signe ».

« Une espèce de sphinx. » De ces sphinx dont il s'était senti par elle délivré. De ces femmes contre lesquelles, dans cette lettre sibylline à Van Rappard, il veut le mettre en garde, sous couvert de le soustraire à l'influence de l'Académie, symbolisée par une harpie.

Sur un mode qu'il veut allégorique, il décrit alors ses démêlés avec Kee, si semblable à Moe (confidente de Kee), et sa rencontre avec Sien. Mais, surtout, il laisse libre cours à sa terreur, à sa connaissance aussi des femmes fantasmées par les hommes, et aux avatars de Moe dans son imaginaire.

Entre les deux femmes censées représenter aux yeux de Van Rappard l'Académie et la Nature, il s'égare, les confond et elles se démultiplient en une armée de goules, de vampires, de « sphinx — vipères glacées ». Vaut-il mieux pour le malheureux Rappard tomber dans les griffes d'une de ces maîtresses qui énervent, flattent, gâtent « puis — puis — elles vous brûlent pas mal d'hommes », ou bien dans les rets des autres « collets montés, pharisiennes, jésuites ! ! ! Ce sont des femmes de marbre — sphinx — vipères glacées, qui veulent s'attacher des hommes tout entiers et pour toujours mais qui ne s'abandonnent jamais tout entières » ? Plutôt le genre de Kee, celle-là. De Kee, goule qui a possédé Christofel Vos, l'a épuisé, laissé exsangue, « l'ombre de lui-même ». Non sans avoir, en passant, produit un fils incapable de vivre. « Elles sucent le sang, ces maîtresses-là et elles glacent les hommes et les pétrifient. »

Evidemment, « c'est purement artistique, mon cher ». Celles qui brûlent : l'école artistique, qui tombe dans la banalité ; celles qui glacent, la réalité académique. Van Gogh s'embrouille ! « Tu as compris, mon cher ? » Sans doute non. Mais, à défaut de comprendre, peut-être Van Rappard entend-il l'écho de sa propre panique ?

128

De toute façon, Vincent le décrète, son ami, lorsqu'il peint, est la proie d'une maîtresse « qui te glace, te pétrifie, et te suce le sang ». Il l'exhorte de se dégager « des bras de cette femme de marbre (à moins que ce ne soit du plâtre, quelle horreur !). Sinon vous mourrez de froid ».

A vouloir réchauffer des glaçons !

Pauvre Van Rappard ! Il n'a d'autre recours contre les femmes brasiers ou les femmes glaciales qu'un « puits profond » : Vincent, le « tentateur » ! N'importe, c'est « la mégère » qu'il faut chasser. On ne sait plus très bien laquelle. « Envoie-là à tous les diables — Faites décamper plus vite que ça — c'est purement artistique, n'est-ce pas, mon cher ? »

Et c'est bien Kee, la répudiée ! Vincent a déjà rencontré Sien, il ne peut encore le dire à Théo ; il lui faut le confier à quelqu'un. Il trouve ce mode (bien mal) déguisé. Il sait déjà où son corps doit aller, et lui avec son corps enfin autonome, vivant, et non plus « ce corps de mort » qui voulait se faire aimer d'une veuve ; prendre la place d'un cadavre, encore une fois.

Cette femme-vampire « marbre, plâtre, que sais-je », conclut Van Gogh, dans un de ses interminables post-scriptum, souvent plus longs que ses lettres, elle est « tout au plus somnambule. Vivante, non ». Qui est-il en train d'exorciser ? Kee ? Le premier Vincent Wilhelm ? Le « cadavre de ce mort », en tout cas. Et cette chaleur enfin trouvée, cette palpitation de la chair, un monde souple, il va en jouir à La Haye, deux années durant, avec celle que l'on désignait cinquante ans plus tard, encore, comme « l'odieuse alcoolique de La Haye [1] ».

Vincent se dit « homme à passions humaines ». Il n'a plus le temps de s'occuper d'un « amour céleste et mystique », il en désire un « plus terrestre et plus franc ». Il ne veut plus de celle qui a « des prétentions sur le beau, le sublime, qui ne sauraient être que des résultats, non des intentions ». A celle-là, il déclare, du moins il désire que Van Rappard déclare : « De quelque part que tu viennes, certes ce n'est point du sein du Dieu vivant et puis ce n'est pas non plus du sein d'une femme. Va-t'en, Sphinx,

---

1. V. Doiteau et E. Leroy, *La Folie de Vincent Van Gogh*, préface de Paul Gachet, Paris, 1928.

décampe plus vite que ça — te dis-je — tu n'es qu'une blague. Tu n'existes point. »

Cette « blague », Vincent lui échappe, un temps. Il chasse le premier Vincent, l'ange Vincent Wilhelm, sous la forme d'une femme, elle-même originaire d'un ange déchu, Satan : « Si tu existes, cependant, si effectivement tu viens de quelque part, es-tu bien sûre et certaine que ton origine n'est pas Satan lui-même, père du mensonge, es-tu moins vipère, moins Satan que lui ? »

Voilà ce « monde des femmes », de « la Femme », plutôt, au phallus vipérien, adéquate à son propre père — peut-être le père même. « Jésuite, collet monté, pharisienne », comme Pa ; mais sphinx aussi, comme Moe. Pa, Moe, confondus dans leur censure lubrique et rabattant sous une dalle de pierre, entre les pages de livres pieux, les traces de leur fornication.

Sous le goût des femmes malades, vieilles, avariées, grouille pour Vincent Van Gogh le monde des *Psyché* capiteuses, mais d'autant plus suspectes, crasseuses et aviles ; prêtresses d'une luxure fardée. Miroirs de la Femme « charnier des misères et des hontes », râlait, pâmé, J. K. Huysmans admiré par Van Gogh, et qui savait cracher l'épouvante avide des hommes inventant celle qu'ils voudraient « la Bête véhémente et nue, la mercenaire de Satan, la Serve absolue du Diable [1] ». De quoi bander !

De Lady Macbeth, qui le fascine, à Nana qui le tente ; de l'Ecce Homo à la Pietà ; de Musset (auquel il compare Sien, lui sera George Sand) aux Arlésiennes qu'il ne pourra peindre « autrement qu'empoisonnées » ; des mineurs du Borinage enfouis dans la crasse des mines aux putains enfoncées dans la boue — oscillations, pullulement des sexes, dans les sous-sols où règne le Très Bas.

« Des ailes, des ailes, pour survoler la vie ! Des ailes pour survoler la mort et le tombeau ! » Ailes, sexes des anges ! Corbeaux. Lucifer. Satan. Surveillance des Berceuses. Derrière les parois blanchies à la chaux, le mur glacial des églises, c'est le Sabbat des Pietà, des madones de sépulcres. Les peintres jetés, selon Van Gogh, « dans la fosse commune à côté des putains »,

---

1. J. K. Huysmans, *Certains*.

est-ce une Mater Dolorosa « les bras vides en avant » qui, d'un geste ample, les laisse tomber ainsi, « cadavres épuisés » ?

Mais voici venir dans ce vaste caveau, d'où ne peut naître aucun Vincent, l'Ecce Homo.

Sien !

Et elle s'appelle — aussi — *Christin* !

Celle que l'on peut brandir, tel un crucifix, pour freiner le vampire.

« Voici l'Homme », annonce Vincent-Ponce Pilate, qui devra livrer à la foule celle dont il dira « je ne trouve en elle aucun crime », mais qu'il sacrifiera. On sait qu'à partir de là, le Christ peut ressusciter.

A partir de là, surtout, Vincent se tuera d'une balle de revolver, Christin se jettera à l'eau et mourra noyée. Deux suicides. Ils auront lieu sept ans et vingt et un ans plus tard seulement ? Mais chacun aura vécu cet intervalle à la dérive, après que Vincent-Ponce Pilate se sera lavé les mains, veule, obéissant à la foule qui hurle, en lui et hors lui : la seule autorité est celle de César-Pa. Vincent quittera Christin, cette « silhouette lugubre », au visage pâle et triste, qui ira errer à travers la Hollande — cet Ecce Homo dressé contre les sphinx dérivés de Satan ! Et qu'il ait eu « en l'occurrence le visage d'une femme » ne changeait rien.

Mais ce qui change ici, dans cette histoire d'un seul, où tout ce qui se manifeste émane de lui, revient vers lui, répond au même récit, c'est que cette fois, la seule fois, arrive un/une autre. L'autre. Une différence. Ici, nous ne sommes plus dans la rhapsodie vangoghienne, dans la procession lente vers les blés. Le jeu n'est plus celui des fantasmes. Sien n'entre pas dans cette ronde et fait fuir les fantômes. Quelqu'un refuse de se plier, ne peut pas se plier à l'envoûtement des Vincent.

Christin ne tombe pas dans les pièges masochistes où Vincent Wilhelm Van Gogh fait trébucher tous ses autres comparses, aussitôt moulés à la Passion des Van Gogh ou de Van Gogh. Jusqu'à Gauguin (au nom prédestiné, comme déjà englobé dans celui de Van Gogh — Van Gaugh, Van Gauguin !) ; jusqu'au troisième Vincent, créé par l'intermédiaire de Théo, et qui érigera le mausolée-musée !

Christin, elle, non ! Sa vie a la puissance, la force de celle de Vincent et, si elle le sauve pour un temps de lui-même, c'est qu'elle est la seule à ne pas s'être incorporée dans l'un des rôles, tous similaires, qu'en somme Vincent (lequel ?) distribuait. La seule à avoir gardé sa corporéité tout en faisant naître le corps de cet homme à son autonomie.

Cela durera le temps de l'apprentissage d'un métier de peintre, au cours duquel sexuellement fixé, mentalement libéré, Van Gogh pourra se concentrer sur un travail technique.

Avec Sien, plus de cadavres. Chassés, « et plus vite que ça ». Un enfant va naître vivant, qu'ils appelleront… Wilhelm. Sien ? Un corps de femme franchement, grossièrement voué au coït, à la maternité. La vie d'une femme venue d'ailleurs. Un personnage qui, pour la première fois dans cette histoire, et pour la seule fois, n'appartient pas à la troupe vangoghienne. Ni marchands de tableaux, ni pasteurs, ni amiraux, ni ouailles, ici. Et Sien échappe à la puissance de Pa ; elle n'est pas calviniste, pas même protestante. Elle est catholique. Et puis elle a une mère pour faire face à Moe ; de la force de Moe, et qui prendra de plus en plus de place. Les deux mères, par leur antagonisme même, deviendront des alliées. Toutes deux très savantes.

Vincent se trompe en écrivant : « Les mères, même si elles se conduisent indiciblement mal, ne sont pas méchantes, au fond. Elles ne savent pas ce qu'elles font. » Très renseignées, au contraire, Mme Hoornik et Moe. Méchantes ? Sans doute. Et invincibles, telles les Mères qui, dans le Deuxième Faust, détiennent le savoir et « ne voient que des schèmes ». Elles voient, par exemple, Mme Hoornik et Moe, que les hommes disparaissent. M. Hoornik est mort, il y a sept ans. Pa va mourir dans trois ans. Les César, les Christ, les Ponce Pilate ne pèsent guère en regard des Vierges en dormition.

Les deux mères savent qu'elles dureront. Elles vont survivre à Vincent qui, s'il ne crie pas avant de mourir : « Pourquoi m'as-tu abandonné ? », en écho à l'Ecce Homo crucifié, soupirera à l'adresse d'un frère — lequel ? « Mais que veux-tu ! » Elles survivront à Sien, Ophélie bien fanée qui rejoignit le clan des fils, un soir, sur un trottoir de La Haye.

Avec Sien entre dans ce récit, pour la première fois, la seule, un personnage qui n'est pas une projection de Vincent. Le temps d'une apparition, cette nuit-là, sur ce trottoir, elle incarne l'Ecce Homo au ventre ballonnant qui résume, absorbe toute la cohorte maléfique et fantasmée. Et ces fantômes, ces fantasmes, incarnés par elle (autour de qui « tout le reste s'évanouit »), vont quitter la scène, le temps qu'elle l'occupera. A travers elle, Vincent les a baisés ; elle est sortie du champ du symbolique, eux avec elle. Il ne reste qu'une femme : Clasina Maria Hoornik. Christin. Sien.

Assimiler Sien à l'histoire de Vincent et la résumer là paraît injuste, difficile. Alors que les autres protagonistes semblent être les personnages d'une pièce inventée par lui, même s'il est la victime, elle fait obstacle au scénario. Elle a sa dramaturgie personnelle.

Un roman de Sien, non dit, se dessine à l'arrière-plan de ce que Vincent laisse entrevoir de leur liaison, fluctuante avec le temps qui passe. Derrière la façon dont il manipule cette figure féminine, ou se montre par elle manipulé, par-delà cette sorte de fabulation que Vincent crée autour de son propre personnage, qui doit toujours avoir une fonction moralisante ou, du moins, un certain rôle dans une organisation morale, se profile une femme qu'il fait deviner, mais que lui ne voit pas. Une vraie femme, modulée, vulnérable et rude, très agitée. Une femme aux abois, elle aussi ; dure et pitoyable de par sa condition sociale, sa misère, sa mauvaise santé, mais aussi de par sa vie sentimentale, affective. Une femme tiraillée, complètement ignorée ; massacrée derrière l'épithète de putain. Une femme seule, entourée d'enfants qu'elle aime mais qui, dans la débâcle, lorsqu'elle devine Vincent prêt à l'abandonner et qu'elle les croit responsables, souhaitera n'en avoir eu jamais. D'ailleurs, on s'arrangera, plus tard, pour l'en priver.

Mieux que les descriptions de Vincent, ses dessins la révèlent. Non pas tant *Sorrow* où l'expressionnisme l'emporte, où le visage de Sien est caché, trop caractéristique pour exprimer quelque chose d'aussi général, mais, par exemple, l'étude où elle tient sa grande fille sur ses genoux. Le visage de Sien apparaît là : une certaine laideur, une ressemblance certaine avec Pa. Le corps solide délié, une certaine grâce — elle donne une impression de

133

dignité, parce que de présence. Avec une attention toute intérieure, sans rien d'attendri, mais avec tant de compassion, de solidarité, de science de la vie et de concentration vers l'enfant très confiante. Une femme sérieuse, qui se sait au monde, qui y a réfléchi. Quelqu'un.

Et Vincent a su la reconnaître.

Mais elle aura beau vivre libre, naturelle devant lui, avec lui, une femme à part entière, une associée : « mes dessins sont de mon modèle et de moi », affirme-t-il à Théo (avant de dire, Sien et lui séparés, que Théo produit avec lui ses toiles). « Ma collaboratrice dévouée, elle me suit partout, elle m'est chaque jour de plus en plus indispensable » et puis « je me sens chez moi quand je suis près d'elle » — elle demeure pour lui une de « ces femmes-là », une « pauvresse ». Il parle de « mésalliance » (alors qu'elle le soustrait à une alliance funeste), de se « déclasser ». Il faut que Sien « s'amende », se « corrige » et qu'elle parvienne, grâce à lui, à la « rédemption ».

Il n'est de meilleur bourreau que les victimes, et Vincent sera pour Christin ce que les Van Gogh sont pour lui, du moins quant à leur façon de juger, de vouloir modeler l'autre. « Une crise se dégage parfois, c'est toujours quand je me risque à attaquer quelque défaut que je surveillais depuis longtemps en secret. » Pauvre Pygmalion !

Or, en un sens, Sien est plus fine que Vincent. Elle ne vit pas, comme lui, portée, oppressée par un bloc gigantesque d'obsessions, dans un élan brutal et malchanceux — mais au jour le jour, ballottée par des humeurs changeantes. Quelque chose est demeuré en elle de très fragile, nerveux, sous son apparence « fortement charpentée » ; de très influençable ; une capacité de bonheur, un désir de paresse et des révoltes, des demandes interdites à une « fille des rues » — et à une femme laide.

Parfois on se demande si elle n'a pas aimé, si elle n'a pas la nostalgie d'un autre et si, malgré ses élans vers Vincent, elle ne se rebelle pas souvent, elle, mise de côté par excellence, contre cet homme qui n'est pas séduisant.

Il paraît certain que la révolte cette idée fixe de Vincent : la « réhabiliter ». Mais cela n'effleure pas Vincent. « Ces femmes-là », si elles discutent les voies de la vertu que leur ouvre un homme (et même si elles le font au plus secret d'elles-mêmes, sans en parler, sans qu'il se manifeste autre chose qu'une certaine impatience ou de l'apathie, mais rien de prononcé), c'est qu'elles ont la nostalgie du vice, ce dont s'inquiète Van Gogh.

On imagine mal comment l'horreur, la terreur que les hommes et les femmes peuvent avoir des femmes trouvait alors à se dégorger sur les « putains ».

A propos de Sien, devenue pour d'autres auteurs « l'odieuse alcoolique de La Haye », G. Cocquiot se demande dans un ouvrage paru en 1923 [1], quarante ans après la liaison de Sien et de Vincent, comment on peut « accorder une pensée propre, un sentiment louable à un de ces puits d'ordure, c'est absolument du même ordre que de vouloir régénérer des bagnards ». Vincent a dû, se désole Cocquiot, lire « cette sottise de Michelet " Comment se fait-il qu'il y ait sur terre une femme seule désespérée ? ", et c'est cette absurde, bêtasse légende qui a supplicié Vincent, pendant de longs mois rivé à cette fille publique ».

1923 ! On imagine à quoi Vincent faisait face, en 1882, lorsqu'il déclarait vouloir épouser Christin. Et surtout, quelle fut l'existence de cette femme, qui, elle, se vivait simplement comme Clasina Hoornik, appelée Christin et, par Vincent, Sien. Une femme née en 1850 (de trois ans plus âgée que Vincent, comme Moe avait trois ans de plus que Pa). Sa mère avait eu onze enfants légitimes. Sien était l'aînée des huit qui vivaient. D'abord blanchisseuse avec Mme Hoornik, elle avait aussi fait des ménages. A Vincent elle a raconté une histoire si classique qu'elle semble fabriquée : un homme, riche, puissant, si aimable avec elle, et qui l'aurait abandonnée enceinte, puis serait mort. Malade, Sien serait entrée à l'hôpital, dans la misère. Ensuite, pour l'enfant, elle se serait prostituée.

En vérité, Mme Hoornik a poussé sa fille à la prostitution. Sien, devenue une sorte de Théo qui entretenait en partie la famille, s'était vue dès lors méprisée par elle (voir Sonia, dans

1. G. Cocquiot, *Vincent Van Gogh*, Ollendorf, 1923.

Crime et Châtiment!). Ses frères, enfants de chœur à l'église, refusaient de lui parler.

Veuve de Théo (mais veuve aussi, depuis un an, d'un second mari), Jo, qui signe toujours Van Gogh Bonger, écrit en 1913 ses souvenirs relatifs à Vincent. Elle est intelligente, ambitieuse, tout à fait habile et s'emploie, comme son premier mari et son beau-frère n'y seraient jamais parvenus, à lancer Van Gogh. Elle n'a pas la sottise, dix ans avant Cocquiot, de traiter Christin comme il le fera, et tente d'être équitable, avec condescendance.

Elle voit bien la part de pitié, de détresse et de solitude qui avait attiré Vincent vers Sien, mais elle est navrée de penser « sur qui ces trésors d'amour ont été déversés », et d'imaginer son futur beau-frère aux prises alors avec cette créature « marquée par la petite vérole, qui parle d'une voix rauque, a mauvais caractère, qui est une adepte de l'alcool et qui fume des cigares, dont le passé n'est pas irréprochable et qui l'entraîne dans toutes sortes d'intrigues avec sa famille. Même les séances de pose qui l'ont d'abord séduit (elle a posé pour le beau dessin *Sorrow*) et dont il attendait beaucoup prennent fin. Cette aventure désolante le prive de la sympathie de tous ceux qui s'intéressaient à lui à La Haye. Ni Mauve ni Tersteeg ne pouvaient approuver sa prise en charge d'une famille, et quelle famille ! alors qu'il dépendait financièrement de son jeune frère. Ses relations et sa famille sont choquées de le voir se promener avec une souillon ; personne ne désire plus le fréquenter et sa vie de foyer est telle que personne ne vient plus lui rendre visite ».

Une souillon ? Non. Vincent admire « les coiffes adorables » de Sien et de sa mère, leurs robes de mérinos noir ; il aime lorsqu'elles posent « discerner sous les vêtements les longues lignes sinueuses du corps ». D'ailleurs, voilà de nouveau, comme au temps des Loyer, une fille *et* sa mère.

Jo ne comprend pas le réconfort trouvé par Vincent à vivre à la chaleur d'une chair vivante, facile à baiser. « Je n'ai jamais pu compter sur une auxiliaire aussi précieuse que cette femme laide (? ? ?), cette femme fanée. Pour moi elle est belle. Je trouve en elle exactement ce qu'il me faut. La vie l'a meurtrie, la souffrance et l'adversité l'ont marquée ; il y a quelque chose à tirer d'elle. Quand la terre n'a pas été labourée, on ne peut rien en obtenir. Elle, elle a été labourée, dès lors je trouve en elle davantage que dans tout un lot de femmes, qui n'ont pas été labourées. » (On voit le sens donné par Vincent, « soc » de charrue pour Théo, au terme « labourer ».) Que Sien fume et boive n'est pas pour déplaire à Van Gogh — ni au médecin accoucheur de l'hôpital de Leyde qui l'encourage à continuer ! Sien est une compagne qui n'a rien des « Lady Macbeth ambitieuses », redoutées par Vincent. « Elle et moi, nous sommes deux malheureux se tenant compagnie et portant ensemble leur fardeau. C'est cela qui a transformé un malheur en bonheur. » Lorsqu'il sent la pression des autres trop forte, Vincent, au début, supplie « nous sommes trop pleins d'une nouvelle joie de vivre ».

Mais la sympathie de Jo va vers Kee ; elle l'a sans doute connue, la trouve belle (!), et regrette qu'une idylle n'ait pas été encouragée. Elle imagine alors un Vincent rangé, obligé de gagner sa vie, et, sans doute, un Théo tout à sa femme et qui ne serait pas mort vingt-trois ans plus tôt.

Elle ne discerne pas à quel point Sien a rassuré Vincent, l'a protégé des menaces auxquelles, à part elle, Théo seul pouvait servir d'écran. La séparation d'avec « la femme », comme il nommait souvent Sien, allait le projeter bien plus violemment vers son frère et lui permettre de réclamer avec frénésie une compensation à cette perte, à cette castration opérée par son cadet, alors que Vincent s'extasiait de vivre avec sa compagne « dans l'ambiance d'un chez-soi, d'un home, d'un foyer à nous ».

« Est-ce vivre qu'être seul ? » Exaspéré de solitude, Vincent, après la rupture, à bout, sans issue, va se heurter à nouveau au mur terrible et froid de l'interdit et crier à Théo : « Tu ne peux me procurer une femme, tu ne peux me procurer un enfant, tu ne peux me procurer du travail. Mais de l'argent, oui. A quoi cela me sert-il ? »

C'est en lui faisant miroiter la liberté qu'il aurait, une fois seul, d'employer tout cet argent pour ses travaux que Théo a su déterminer son frère à quitter Sien. Or la liberté se révèle être la solitude définitive, mortelle ; les attaques du spectre, le retour de Pa et le recours impossible, interdit : Théo. Théo, qui ne peut devenir sa femme, ni lui faire un enfant et qui, pourtant, malgré les tabous de l'inceste, l'incapacité biologique qui les séparent, s'est débarrassé d'une rivale. C'est Vincent, maintenant, la prostituée, mais qu'on paie à ne pas copuler.

Il est vrai que les Hoornik ont intrigué tout autant que les Van Gogh pour détruire ce couple, qui les indignait tout autant. Sien, avec un seul homme dans sa vie, auquel elle se consacrait, pour lequel elle renonçait à son métier, ne rapportait plus rien. Cet homme ne profitait qu'à elle, et encore ! Il était couvert de dettes. L'argent de son frère, source fragile et ténue lorsqu'il s'agissait d'entretenir quatre personnes, il le dépensait surtout en fournitures pour ses travaux, qu'il ne vendait même pas. Mme Hoornik, selon Vincent, encourageait sa fille à reprendre son métier. Elle la persuadera même, vers la fin, de s'inscrire dans un bordel. Elle harcèle Christin comme les notables de La Haye harcèlent Vincent. Elle souligne que Vincent a promis le mariage. L'épouse-t-il ? Non. D'ici à les abandonner, elle et ses enfants ! Christin entend. Elle entend aussi les reproches, les leçons de Van Gogh, elle sent bien que, mis au ban avec elle, il s'ennuie, tout en l'aimant ; elle doute, s'affole. Son mauvais caractère, sa mauvaise santé la rendent exécrable. Théo prend la relève des Hoornik, dès qu'il sent Vincent las. Et Vincent finira par céder. Ce bonheur domestique sans doute lui pesait. Maintenant s'imposent l'appel forcené des fantasmes, la nostalgie des angoisses de son monde à lui, horrible et fascinant, des terreurs qui vont lui faire traverser la pellicule du semblant. « Oui, je suis averti du drame de la tempête dans la nature, du drame de la douleur dans la vie. Un paradis est beau, n'empêche qu'un Gethsemani est encore plus beau. »

Après Sien, les femmes seront pour lui celles des bordels, quand il pourra payer. Pour Sien ce sera l'errance à travers la Hollande. Bientôt la mère de Mme Hoornik prendra avec elle son arrière-petite-fille, Maria ; le frère de Sien, Peter, de six ans plus jeune qu'elle, élèvera Wilhelm. Ils interdiront aux enfants de fréquenter leur mère.

Si sa famille tenait à Sien pour des raisons matérielles, je ne serais pas loin de croire que Vincent, niché près de Sien, manquait à la sienne comme cible sur laquelle faire jouer des penchants sadiques. La victime, la brebis galeuse lui échappait. Son jouet.

Tout avait bien commencé, pourtant. Dans les normes, puisque c'était chassé d'Etten par son père que Vincent avait gagné La Haye. Tout semblait donc obéir à la routine habituelle. Respecté, le jeu traditionnel, d'autant que Vincent s'était bien gardé de mentionner sa rencontre avec Sien. (On s'indignait toujours de ses assiduités intempestives, épistolaires auprès de Kee.)

S'il désire alors rejoindre Christin, c'est encore sans se l'avouer. Jusqu'au bout il va lutter contre l'hostilité des siens, et recevoir comme des coups les « va-t-en », les « je te chasse », dont il est attaqué.

Au même temps, il insinue à Théo : « K. sait-elle qu'elle me barre la route sans le vouloir ? » et : « Sais-tu ce que je voudrais ? Que K. me dise quelque chose d'un peu mieux tout de même que " Jamais, non, jamais de la vie ". Il me serait possible alors de dresser le plan de campagne d'une expédition artistique. » On devine le genre de cette expédition ! « C'est purement artistique, n'est-ce pas, mon cher ! »

Comme il arrive souvent, Vincent crée inconsciemment les circonstances qui vont le faire aboutir où il désire aller sans le savoir encore. Mais les circonstances ainsi créées le blessent réellement.

Pa le harcèle. Accès de colère brutaux, fréquents, d'un homme faible, d'ailleurs tendre et bon, mais si peu doué, si raté en regard de son père, de ses frères ; si pauvre aussi, avec de telles charges (dont ce fils de vingt-huit ans). A longueur de journée Vincent est traité de fou, de personnage indélicat. Il se débat : « Si Pa me disait " je te jette à la porte ", non, non, je ne l'admettrais pas. Non, non, et non, ils se trompent, ils ont tort de vouloir me jeter dehors. Non, cela ne peut se faire. » Même attiré par La Haye, Vincent se démène avec horreur contre ce nouveau rejet qui le terrifie. Comment fera-t-il sans argent, sans les modèles, ailleurs chers et réticents, qu'acceptent d'être les paroissiens de Pa ; sans l'atelier qu'il s'est aménagé dans le presbytère ? Aucun arrangement n'existe avec Théo, qui aide Pa, ce qui inclut Vincent, mais ne lui garantit rien.

Une fois renvoyé d'Etten, Vincent, installé à La Haye, rappelle à Théo qu'à tout bout de champ Pa disait, le nez dans son journal, en fumant sa pipe : « Tu m'assassines. » Vincent s'étonne d'en avoir été aussi blessé — lui qui vit, mais il l'ignore, avec le remords d'avoir, dès avant de naître, usurpé une vie ; d'avoir été aussitôt, aux yeux de ses parents, celui par qui le scandale arrive et, quelque peu, de par le seul fait d'exister, une sorte de meurtrier ! « Suppose qu'une telle affirmation ou une autre du même genre » laquelle ? « parvienne aux oreilles de tierces personnes qui se mettent à me considérer comme un parricide ! » Et Vincent d'ajouter : « Du reste l'assassin a quitté la maison. »

Ce départ de « l'assassin » a lieu le jour de Noël, en 1881. Le 24 décembre 1888, veille de Noël, Vincent se tranche l'oreille (ou le lobe de l'oreille), à Arles. Théo et Jo viennent de se fiancer à Paris. Gauguin habite depuis quelques semaines la « maison jaune » mais, excédé, projette de quitter le Midi. Vincent ne l'ignore pas. Il a déjà peint le fauteuil vide de son ami. « La place de l'absent. » Ce soir-là, après une de leurs violentes querelles, il demande ce qu'il pressent déjà : « Vous allez partir ? » « J'avais dit oui », raconte Gauguin à Emile Bernard, qui le rapporte à Aurier. « Il a arraché d'un journal cette phrase et me l'a mise dans la main : " le meurtrier a pris la fuite ". »

Quelques heures plus tard, Vincent arrache une partie de son oreille et va la porter, la mettre dans la main d'une prostituée !

Qui fut cet assassin ? Qui fut ce meurtrier ?

« Sache que je me souviens avec un profond regret de ta visite de cet été, de notre entretien et de ce qui en est résulté... Tu as alors parlé inconsidérément... Je te dis sans détour ce que je pense : tu es cruel, avec toute ta sagesse, à l'instar de Pa. »

Vincent vient de revoir Sien et les enfants qu'il a abandonnés quelques mois auparavant. Tout ce temps, il l'a passé à errer dans la Drenthe. Malade, incapable de résister à la solitude et de travailler, il est retourné chez... son père, qui vit à Nuenen, à présent, sa nouvelle (et sa dernière) paroisse. Van Gogh s'est presque aussitôt rendu à La Haye, voir « la femme ».

« Frère, je l'ai trouvée dans une misère profonde. Evidemment je sais que c'est surtout de ma faute, mais toi, tu aurais pu parler autrement. » Sien, faible et malade lors de leur première rencontre, « peut-être atteinte de tuberculose », semblait avoir retrouvé la santé. A présent, elle sort d'une rechute et « le pauvre gosse dont j'ai pris soin comme s'il était le mien n'est plus ce qu'il a été ».

Puisqu'ils sont séparés, ils le demeureront, Sien et lui. Il voit bien qu'il ne peut recommencer à vivre avec elle. Et c'est Théo qui a rompu le charme. Vincent, mais il l'a toujours compris, semble découvrir que son frère, en le décidant à cette rupture, parlait moins en son propre nom qu'en celui « de certains autres, auxquels je ne ressemble point ».

Il définit alors parfaitement Théo, délégué permanent de la famille : « Je sais que tu essaies de vivre en paix avec tout le monde. Rester en bons termes avec tout le monde et obéir à sa conscience est impossible, à mon avis. J'entends dire que je t'en veux, et te mettre en garde contre ta politique. Que je trouve

141

trop politique. » Il lui reproche alors avec véhémence ce qu'il se reproche à lui-même ; il lui répète qu'il est « cruel, car est-il une chose plus cruelle que de ravir leur soutien à une femme aussi malheureuse, fanée et à son petit enfant ».

Et si Christin n'était « qu'une putain flétrie », sa fille et son fils « des enfants de putain », raison de plus, s'indigne Vincent, un peu tard, pour avoir sincèrement pitié d'eux.

Vincent et Christin se sont retrouvés sans plus d'illusion, lucides et pauvres et surtout refroidis, mais regrettant de l'être ; séparés pour de bon. Chacun dans son désastre ; celui de Sien est absolu.

« Je crois que nous sommes, ou mieux, que je suis allé un peu loin. » Le « nous » convient. Dans le couple Vincent/Sien, Théo a toujours été en tiers, ou plutôt son argent. Là encore, cette « salvation » de Sien, ils l'ont menée en commun — et ce qu'elle impliquait. Vincent avait remarqué qu'auprès d'elle il n'était « qu'un instrument » — celui de Théo —, et que, sans l'aide financière de son frère, il eût été « impuissant » !

C'est l'époque où Vincent se montre le plus humble, affable ; jamais encore Théo ne l'avait complètement et directement entretenu. Jamais l'enjeu ne sera plus le même : atteindre à former une famille, conserver une femme et devenir un peintre (avec, à la clef, la certitude d'être alors indépendant). Il n'y a pas encore de contentieux entre eux, comme après la rupture avec Sien, où Théo devient débiteur ; il n'y a pas encore l'amour-haine qui se développera au cours des deux années partagées par les frères à Paris.

Mais à Nuenen, après la ruine de son couple, Vincent, tragiquement, se débat, trop tard il le sait, contre l'emprise de son frère cadet et contre sa propre lâcheté, que Théo n'a fait qu'exploiter.

Il lui hurle qu'il hait son argent, qu'il n'en veut plus. Il sait en avoir impérieusement besoin.

Il provoque Théo. Il se prétend libre, et son enchaînement s'impose avec plus d'évidence. « Je suis donc en ton pouvoir... tu ne me réduiras pas à renoncer à elle, malgré toute ta puissance financière. » Mais il *a* renoncé. « Je ne céderai pas », dit-il. Il a déjà affirmé qu'en aucun cas il ne veut retourner avec Sien. C'est l'angoisse, la rage des retours en arrière impossibles ; c'est le jeu des récriminations inutiles. « J'éclaire la situation et je dis : " Minute ! " » En fait d'éclairer, Vincent embrouille tout, afin de ne pas voir à quel point c'est clair. Achevé. Irrévocable. Peut-être se doute-t-il du désastre affectif qu'il aborde ainsi.

Il découvre, il voit, en tout cas, la faiblesse de son ennemie, son malheur. Mais il est trop tard. Leurs familles les ont vaincus — parce que chacun d'eux ressemblait à sa famille. Et s'ils s'étaient rejoints, chacun le mouton noir des siens, c'était cette similitude, leur faiblesse commune, qui avait eu raison d'eux. « Je ne tyrannise personne mais je ne veux pas non plus être tyrannisé. » Vincent frappe du pied : « Non, Théo ! » Mais, quelques jours plus tard il reprend ses propos sur la peinture et raconte les querelles qui l'opposent à Pa. Il lui a déclaré (mensongèrement, par défi) vouloir retourner avec Christin et, sans doute, l'épouser. Il nargue son père ; au même temps, il confie à Théo qu'il ne voit aucune raison de revenir sur sa décision « de ne pas reprendre la vie commune. D'ailleurs Sien connaît ma décision ».

Une tempête dans un verre d'eau, mais parce que la vraie tempête a eu lieu déjà. La croisière a pris fin. On est en automne 1883. Il semble loin le temps où Vincent avait, en juillet 1881, regardé longuement, un dimanche, le fils de Christin à peine né, songeant qu'avec son « petit nez retroussé, il ne sait évidemment pas ce qu'on vend dans le monde ».

C'est le jour où, sauvée par lui, c'est vrai, et l'enfant avec elle — presque un enfant ressuscité (ils l'appelleront Wilhelm, une partie du nom fatidique et le nom même d'un premier fils de Sien, mort à quatre mois), Christin, qu'il voit d'abord de loin, épuisée, s'anime à sa vue (il est accompagné de Mme Hoornik) ; elle semble éblouie de bonheur, enjouée.

Le fantasme de l'enfant mort-né paraît s'être évanoui pour Vincent avec « tout le reste ». C'est pour Christin que Van Gogh a eu peur et sa joie est immense lorsque l'infirmière le prévient qu'il ne pourra rester longtemps auprès d'elle. « Elle aurait pu dire : " Vous ne resterez plus jamais avec elle ". » Cette fois, Vincent peut avouer à Théo : « Frère, grâce à toi, j'ai pleuré de bonheur aujourd'hui. »

A sa sortie de l'hôpital, Christin vient s'installer chez Vincent, au lieu de former « deux petits ménages à part ». Il a loué une demeure plus vaste, mais en mauvais état et la répare. Il s'est affairé à la meubler, la décorer pour l'arrivée de Christin, de sa fille et du bébé. Un poêle, un berceau, et le fauteuil où Sien, dont les relevailles seront longues, se tiendra devant une fenêtre ornée de fleurs. « Un atelier ni mystérieux ni mystique, où tout brille de propreté. » Des rayonnages pour les dessins, les toiles de Vincent, des rideaux de mousseline bien tendus aux fenêtres ; Vincent aime ce lieu et lui trouve « du cachet ».

C'est un samedi qu'il accueille Christin. Le mardi suivant, une visite de Tersteeg va saccager leur paix et faire de ce moment culminant de leur entente le début de leur échec.

Tersteeg ? Dès l'arrivée de Vincent à La Haye, il a pesé sur Vincent de tout le poids de sa puissance, avec Mauve et l'oncle Cor. Mais, à l'encontre de Mauve au début, de toute sa malveillance.

Les premiers temps de son séjour à La Haye, il a espéré des contacts avec des peintres, avec le monde de la peinture ; il a semblé trouver des appuis, tant que sa liaison n'était pas officielle et qu'il ne déclarait pas vouloir épouser Sien.

Christin, entièrement adonnée à la vie du couple, au point d'être jalouse, s'est imaginé à l'hôpital que Vincent, pendant ce temps, s'installait avec une autre ; lui, il est absorbé ailleurs ; il ne s'agit pas d'une femme, mais du dessin pour lequel il se passionne « comme un marin pour la mer ».

Le redoutable Tersteeg, de huit ans seulement son aîné, mais qui se comporte en vieillard despote, en imbécile pompeux, étriqué, persuadé d'être infaillible dans ses dictats esthétiques et moraux, daigne admettre que ce Vincent Van Gogh, neveu du propriétaire de l'ancienne maison Vincent Van Gogh, se destine au métier de dessinateur ; il va jusqu'à lui prêter les méthodes et les planches Bargues... éditées par Goupil ! Placé à la tête de cette firme, à La Haye (l'une des plus importantes en Europe), il a eu Vincent comme employé lorsqu'il débutait lui-même comme directeur. Il admet... mais il s'empresse de décourager Vincent, refuse de le mettre en relation avec d'autres peintres, lui répète qu'il est trop vieux pour débuter et qu'il a « perdu tous ses droits ».

A la vue des dessins, quelques mois plus tard, il ne peut s'empêcher de s'exclamer : « Je ne l'aurais jamais cru ! » Il va jusqu'à en acheter un (petit) dix florins.

Quant à Mauve, il se prend d'amitié pour son jeune cousin, et le reconnaît peintre ; c'est l'idylle maître-élève. Vincent ne voit plus que par ses yeux. Il espère tout de lui, et se sent pris en main, soutenu et reconnu. « Où Mauve va, je vais. »

Beaucoup d'artistes vivent à La Haye, et jouent des coudes dans un réseau compliqué d'intrigues. Vincent qui s'attendait — déjà ! — à rencontrer une association d'hommes passionnés et cordiaux, solidaires, n'en revient pas de tant d'indifférence ou de discorde. L'oncle Cent est encore tout-puissant. Tersteeg, par exemple, agit en fonction des faveurs qu'il espère de lui, soit en aidant — le moins possible — Vincent, soit en le persécutant. « S'il intervient », remarque son souffre-douleur, « c'est qu'il croit faire plaisir ou rendre service à l'oncle Cent, ou à Pa. »

Vincent va très vite faire l'unanimité contre lui. De toute façon, il dérange. Sa liaison scandaleuse fera le reste, prétexte à tous les déchaînements, puis à la mise en quarantaine. Un scénario qui devient redondant.

Tersteeg, malgré son achat, ou s'en autorisant, injurie Van Gogh, affirme qu'il n'a rien d'un artiste, qu'il dessine pour obtenir de l'argent de Théo, qu'il est absurde de commencer si tard une carrière, honteux de ne pas gagner son pain, ridicule de s'en tenir au dessin, de ne pas faire tout de suite de l'aquarelle. Les dessins de Vincent ne sont que « des piqûres d'opium que tu t'administres toi-même afin d'étourdir la douleur de te savoir incapable de faire des aquarelles ». Mais Vincent tient bon : « Je ne peux en aucun cas me laisser aller à lancer sur le marché des œuvres qui ne portent pas la marque de mon caractère personnel. Or mon caractère personnel commence à se manifester surtout dans les dessins les plus récents et dans les études que Tersteeg a décriées. Je réussirais peut-être, oui, peut-être pourrais-je faire dès maintenant quelque chose dans le genre de l'aquarelle qu'on parviendrait à vendre en se mettant en quatre. Seulement cela équivaudrait à " forcer " les aquarelles dans une serre chaude. Toi et Tersteeg, vous devez attendre la bonne saison. Nous n'en sommes pas encore là. »

L'oncle Cent ? Catégorique ! Devant les dessins de son neveu, il a déclaré sans ambages : « Ce n'est ni fait, ni à faire. »

Oncle Cor a dû avoir vent des commérages à propos de « ce soi-disant modèle » dont s'inquiète Pa. De passage à La Haye, ce grand marchand de tableaux, toujours en activité, se rend chez son neveu, sous couleur d'une visite d'atelier. Il lui parle morale ; explique, lui aussi, qu'il faut « gagner son pain » et, surtout, insinue que De Groux, un peintre coté, admiré par Vincent, mène une vie privée regrettable, qui lui fait un tort extrême. « Mon cher Rappard », s'exclame Vincent, « je ne sais pas au juste si je dois rire ou pleurer de tout cela ! »

Mais l'oncle finit, tout de même, par commander (la seule commande que Van Gogh ait jamais reçue) douze petits dessins à la plume, des vues de La Haye. Il les paiera — Vincent a fixé le prix — deux florins et demi pièce ; s'il est satisfait, il renouvellera la commande et fixera lui-même un prix plus élevé. « Théo », s'écrie Vincent, « c'est quasi miraculeux ! » Il ajoute : « Gare, Tersteeg, gare ! Tu as carrément tort ! » Eh oui ! Mais il n'y aura pas de final hollywoodien à ce duel ; le bon n'aura pas, du vivant de Vincent, raison du méchant. Tersteeg, après la mort de Van Gogh et sa notoriété, puis sa gloire croissantes, devra répondre de son attitude. Mais cet homme compassé, toujours tiré à quatre épingles, demeurera sur sa réserve ou bien persistera à décrire Vincent comme un raté semblable à son père, le pasteur des petits hameaux. Il donnera toujours, et son fils après lui, Vincent pour un psychopathe, un faiseur, qui ne songeait qu'à pressurer le bon collègue Théo.

La protection de l'oncle Cor ? Un feu de paille. Vincent, « paralysé » par les remarques de plus en plus acerbes de Tersteeg, a du mal à terminer la seconde série de dessins. Et puis Oncle Cor a qualifié de « scélérat » De Groux, ce peintre révéré par Vincent. Il a « radoté » comme les autres à propos du « droit chemin », quitté par son neveu. « Pour l'oublier je m'allonge à plat ventre dans le sable devant une vieille racine d'arbre, et je dessine affublé de mon sarreau de toile, ma pipe au bec, je plonge mon regard dans la profondeur du ciel bleu — ou je contemple la mousse et l'herbe — cela me calme. » Négligeant sa promesse, Cornélis Van Gogh n'a fixé aucun prix à l'avance pour la seconde série. Il ne la paie pas plus chère que la première et demande, indigné, à Vincent s'il imagine ses dessins vendables. C'est la fin de leurs relations.

Plus douloureuse, déséquilibrante, la rupture avec Mauve, après laquelle Vincent trouve la vie « morne et solitaire ». « J'ai l'impression de vivre la gorge serrée comme dans un étau. »

Mauve, si chaleureux, si généreux d'abord, repousse soudain Vincent, sans doute encouragé dans ce sens par l'oncle de Princehague, Tersteeg et Pa, inquiets de la présence de cette femme enceinte auprès de Vincent (ils ne vivent pas encore ensemble). Mais l'irrite, surtout, peut-être douloureusement, l'autonomie croissante de son disciple, plus si disciple que ça.

Vincent, au début si malléable et docile, a beau se tourmenter de voir son vieux cousin s'éloigner de lui, l'insulter comme font les autres, refuser de plus en plus souvent de le recevoir, il n'en résiste pas moins, désormais, à certains conseils du peintre chevronné. Mauve, vieillissant, malade, coléreux, doit en souffrir et va jusqu'à imiter méchamment son jeune neveu et surtout ses grimaces et sa voix : « Cette histoire a duré tout l'hiver. Comment ai-je pu mériter un tel traitement ? Quand Mauve me singe et qu'il imite ma façon de parler en disant : " Tu parles comme ça ", je lui réponds : " Mon cher, si vous aviez passé autant de nuits humides dans les rues de Londres que moi, ou autant de nuits glaciales à la belle étoile dans le Borinage, affamé, sans toit et frissonnant de fièvre — vous aussi, vous feriez de temps en temps de vilaines grimaces, et votre voix en conserverait le souvenir par-dessus le marché. " »

Et c'est l'incident qui les sépare définitivement. Il peut sembler superficiel, mais il provient des régions les plus obscures hantées par Vincent, et trouve un écho chez Mauve, puisque celui-ci réagit si violemment ! Mauve enjoint Vincent de continuer à dessiner d'après des modèles de plâtre, Vincent refuse. C'est la fin.

« J'ai pris vraiment au sérieux la parole de Mauve : " C'est fini entre nous ", non au moment où il me l'adressa (elle m'a laissé assez indifférent alors, je l'ai bravée comme les Indiens qui

147

disent pendant qu'on les torture, ça ne fait pas mal !), mais quand il m'a écrit : " Je ne m'occuperai plus de vous durant deux mois. " Enfin, depuis que j'ai brisé les plâtres. »

Le plâtre, pour Vincent c'est la mort, le déchet. Le contraire de la résurrection. Il l'associe aux « femmes de marbre (à moins qu'elles ne soient de plâtre, quelle horreur !) ».

Rentré chez lui, il jette « ces pauvres moulages dans la boîte à charbon » et déclare qu'il ne dessinera d'après des modèles de plâtre que lorsqu'il n'y aura « plus de pieds et de mains d'hommes vivants ».

Il jette les bribes de corps morts, de femmes de marbre « en plâtre (quelle horreur !) » dans le « puits d'ordure ». Il livre le cadavre morcelé aux entrailles de la mine, au ventre souillé de la mère. A ce lieu sale, cette crasse où, l'oreille coupée, en état de crise, il ira se laver, à l'hospice d'Arles : la boîte à charbon. Les femmes, les murs terribles et froids blanchis à la chaux, les entrailles sales, le charbon, la boîte, le plâtre ou la chair, les modèles vivants ou « le cadavre de ce mort »... Pauvre Mauve, à quoi s'attaquait-il ! Pauvre Vincent, qui déclare à Mauve : « Mon vieux, ne me parlez plus de modèles en plâtre, car j'en ai horreur. » Si Mauve décide alors de ne plus le voir de deux mois, ils ne se reverront, en vérité qu'une fois et par hasard, malgré de nombreuses tentatives de réconciliation, refusées par le vieux peintre.

Cette dernière scène aura lieu dans les dunes de Scheveningen, une plage immense, ouverte à perte de vue sur une mer âpre, désolée ; un village de pêcheurs alors, et comme un faubourg de La Haye. Les deux cousins se croiseront dans cet espace perdu, et Vincent suppliera Mauve de venir voir son travail. L'autre refusera net ; il n'ira plus chez Van Gogh. En s'éloignant, il lui lancera : « Vous avez un caractère perfide ! », puis il lui tournera le dos. « J'ai tout de même des oreilles pour entendre, Théo ! » Est-ce pour en avoir trop entendu qu'il mutilera l'une d'elles ? « J'ai fait demi-tour et je suis revenu seul, le cœur débordant de tristesse, en songeant que Mauve avait osé me dire cela. Je voudrais tant que Mauve regrette ses paroles. »

Lorsqu'il pensera à lui, par la suite, à cet abandon, à ce reniement, il aura « le cœur serré et je suffoque, bien que j'essaie de jeter ce souvenir par-dessus bord, comme du lest inutile ». Il fait alors cette étrange réflexion : « On nourrit des soupçons contre moi — c'est dans l'air — je dissimule quelque chose. Vincent a un secret qui craint la lumière. »

Il songe à Sien, sans doute ! Mais sait-il à quel point c'est vrai : à quel point (moins à présent, protégé par la chaleur d'une femme, d'un enfant en chair et en os, que durant tout le reste de sa vie) il est habité par ce terrible secret, enfoui dans une tombe de Zundert et « qui craint la lumière », au point que jamais Vincent lui-même ne percevra clairement ce qu'il dissimule ? Même à travers la lumière inédite qu'il inventera sur ses toiles.

Mauve ? Un vrai, un très bon peintre. Ce qu'il a pressenti de puissance chez Vincent, débutant, l'a peut-être blessé inconsciemment, lui, l'artiste, l'homme déclinant.

A la mort du vieil homme, Vincent n'aura jamais cessé de l'admirer, de lui être reconnaissant. Seul, Mauve l'a aidé techniquement ; il lui a ouvert grandes les portes de sa maison, prêté de l'argent pour s'installer à La Haye. Surtout, il l'a encouragé et, seul aussi, rassuré quant à son avenir, même financier ! A tort. Ou à raison.

Vincent vient de peindre deux arbres, deux pêchers(!) roses, aux branches entrelacées, et les rapporte chez lui, dans la « maison jaune », à Arles, lorsqu'il reçoit de Hollande un article dédié à la mémoire de Mauve mort. « Un je ne sais quoi m'a empoigné et serré la gorge d'émotion et j'ai écrit sur mon tableau :

Souvenir de Mauve
Vincent et Théo. »

En vérité, sous les deux arbres entremêlés, il a seulement écrit :

Souvenir de Mauve
Vincent

Il fera cadeau de cette toile à la nièce de Moe, Jet Mauve, veuve de celui qui avait été un de ses rares bienfaiteurs, un de ses rares amis.

C'est peut-être le reniement de Mauve qui a, d'abord, ébranlé le couple Vincent, Sien. Sans appuis, sans amitié masculine, Vincent se sent perdu. Sien apparaît comme ce qu'elle est : un

149

dernier recours, une « mise de côté », elle aussi. Elle n'est déjà plus valorisante. Et, dès avant la scène de Tersteeg, avant la naissance de Wilhelm, Vincent écrivait à Théo : « Il m'arrive de soupirer après de la sympathie comme si j'en avais faim et soif. » Aussitôt après la visite de Tersteeg, il s'écrie : « J'ai une telle envie de te voir, un si grand besoin de sympathie et de chaleur. Je voudrais tant pouvoir me promener avec toi, bien que le moulin de Rijswijk ne soit plus là ! Enfin. »

Ce même jour, dans la même lettre, il capitule. Il annonce à Théo qu'il n'épousera pas Christin. Du moins pas avant d'en avoir les moyens financiers. C'est remettre le projet aux calendes grecques. Il le sait.

Pourtant, quatre jours plus tôt, avait eu lieu le « retour merveilleux » de Sien avec le bébé, par une journée chaude et belle : « Vraiment c'était un retour merveilleux. Christin était agitée de tout, surtout du bureau, de son fauteuil d'osier et du reste. Mais elle était particulièrement enchantée de revoir sa fillette, à qui j'avais offert une paire de chaussures pour la circonstance ; elle était mignonne. » Après l'accouchement au forceps « l'enfant non plus n'est pas hors de danger — tu sais que la délivrance a été très laborieuse — l'enfant s'en ressent évidemment. On ne pourra se prononcer sur l'issue que dans quelques six semaines. Il va de soi que pour lui tout dépend du lait ».

C'est trois jours plus tard, le mardi, que Vincent, affolé, déclare à Théo : « Je dois te raconter la visite de Tersteeg. » Celui-ci ignorait-il vraiment qu'il allait trouver Sien et ses enfants installés ? Est-il venu de lui-même ou Vincent l'a-t-il invité, espérant l'attendrir avec le tableau de la nouvelle accouchée ?

A peine arrivé, à la vue de Christin qui, terrifiée, entend presque tout de la pièce voisine, Tersteeg part en imprécations : « Que signifient cette femme et cet enfant ? » Il tempête : où Vincent est-il allé prendre « la fantaisie de vivre avec une femme et des enfants par-dessus le marché » ? Il déclare cela ridicule, aussi ridicule que si Vincent se promenait « en ville avec une voiture particulière, à quoi je lui ai répondu que ce n'était pas la même chose ». Tersteeg ne décolère pas. Vincent n'est-il pas

« un peu marteau » ? Il est sûrement « malade de corps et d'esprit ». Le négociant menace d'alerter Pa, Moe, l'oncle Cent. Vincent réagit peu, mais fait remarquer que provoquer de l'angoisse, de la nervosité chez Sien équivaut à un assassinat.

Tersteeg renonce à écrire au presbytère avant que Vincent ne l'ait fait, mais il le déclare « aussi dingo qu'un homme qui veut se jeter à l'eau » et dit avoir l'intention, lui, de l'en empêcher. A quoi Vincent-Pilate le reconnaît plein de bonnes intentions, lui propose de regarder ses dessins ! L'autre jette un coup d'œil distrait. Cette fois, Vincent, exaspéré, déclare en avoir assez. Tersteeg part, convaincu, dit Van Gogh « que je suis la sottise et la bévue même ».

Le couple est égaré de peur. Ils décident d'émigrer, malgré leur piètre santé, si on leur rend la vie trop impossible. Sous les insultes, Vincent, comme souvent, semble avoir perdu tous ses moyens. En fait, il donne toujours raison à ses adversaires, qui représentent le « Van Gogh » qu'il se défend d'être, qu'il ne peut pas être, mais qui demeure en lui, le juge et le condamne.

A Van Rappard, il expose (bien tard) sa situation, et lui dira que les gens préfèrant, en général, ne plus frayer avec lui pour des raisons de respectabilité, il évite de se rendre où il pourrait être de trop. « D'autant plus que je comprends un peu, un peu, mais alors un tout petit peu le préjugé de ceux qui veulent s'en tenir ou qui essaient de s'en tenir aux seules convenances sociales. » Il les comprend tout à fait.

Et Vincent, le lendemain de la visite fatale, va encore vers Théo : « Il se fait tard, je veux pourtant t'écrire. Tu n'es pas ici et je ne peux me passer de toi. »

Mais est-ce par hasard si, dans cette même lettre où il renonce à ce mariage qui contrarierait Théo, il s'écrie : « J'ai parfois une envie folle de peindre — une envie folle et de l'ambition » ? Donnant, donnant ? Le pacte n'est pas énoncé. Mais il va s'établir.

Le recul de Vincent ne lui ralliera pas la sympathie des Mauve, des Tersteeg, ni de ses oncles, mais il lui permettra de vivre, mis en quarantaine, soutenu par son frère, plus d'un an encore avec Sien.

Et puis d'autres attaques viendront, plus graves, venues du

151

presbytère. Là, c'est l'horreur depuis plusieurs mois, Pa menace de faire mettre Vincent en curatelle ou même, comme au temps du Borinage, de le faire interner à Gheel. De quel poids pèseront ces agressions successives sur l'internement « volontaire » de Vincent à l'asile de Saint-Rémy !

L'agitation de Vincent n'a pas de bornes. Il pourrait savoir que Pa bluffe, que ses intentions n'ont aucune chance d'aboutir, c'est d'ailleurs ce qu'il explique à Théo, mais avec une telle fièvre, des propos si absurdes que sa véhémence même à se dire rassuré trahit son épouvante et l'horreur d'être ainsi visé.

Le rôle équivoque de Théo ne lui échappe pas. Mettre Vincent en garde contre les projets de Pa, les présenter comme dangereux, parvenir à terrifier son frère, c'est faire encore une fois le jeu de la famille. « Il suffirait que deux témoins, même de faux témoins viennent déclarer que tu n'es pas capable de gérer tes finances, pour que Pa obtienne de te priver de tes droits civils et te mettre en curatelle. »

Vincent n'est pas dupe : « Il m'est arrivé déjà dans ma vie, il y a des années de cela, de recevoir une lettre du genre de ta dernière missive. De H. G. T. [1], auquel j'avais demandé conseil sur une affaire. J'ai toujours regretté de lui en avoir parlé. J'avoue avoir été pris de panique en ce temps-là. J'avais peur de ma famille. »

Il a toujours peur de cette famille, terrifiante, en effet ! Mais, puisque Théo agit en allié des autres et se prétend son complice à lui, Vincent va l'utiliser, lui aussi, comme intermédiaire. A travers Théo, il contre-attaque ; sa défense est aussi dérisoire que les menaces de Pa : il vient, comme par hasard, d'entendre parler d'un homme injustement menacé d'être mis en curatelle : « quelqu'un dont on voulait se débarrasser » et qui, s'en défendant, eut gain de cause. Un autre a carrément tué son surveillant d'un coup de tisonnier ; il s'est constitué prisonnier et, reconnu « en droit de légitime défense », il a été acquitté. Mieux : une famille très riche, « de vieille roche », malgré une armée de juristes, d'avocats n'a pu obtenir satisfaction, pourtant

1. Tersteeg.

elle avait mis en avant l'incapacité de son parent à gérer ses biens et... sa déficience mentale.

Van Gogh en est là ! A se battre pour ne pas être privé de ses droits civiques, interné comme débile, ou même fou ! Et cela au moment où il s'apprend lui-même son métier de peintre — et quel métier ! — avec un sens très efficace, presque politique de l'économie de sa vie.

Vincent insiste : « Bref, il n'est pas aisé de nos jours de mettre en curatelle celui qui proteste, posément, énergiquement, sincèrement. A vrai dire, je ne crois pas la famille capable d'en arriver là. Tu me répondras qu'elle a déjà voulu le faire, à preuve l'histoire de Gheel. Hélas ! Oui, Pa en est capable, mais je t'assure que je lui tiendrai tête jusqu'au bout, s'il osait bouger. » A bon entendeur salut ! Théo transmettra. Par son intermédiaire Vincent conseille à Pa de réfléchir avant de se risquer à l'attaquer, mais dans la même phrase il poursuit en expliquant qu'il se défendra... en laissant faire ; ainsi ses adversaires se couvriront-ils de honte et auront « les frais du procès à leurs guêtres ». Il compte cependant sur Théo pour protester si, en cas de maladie, on profitait de sa faiblesse pour manigancer « quoi que ce soit » contre lui.

C'est le dressage de Vincent. Dans sept ans, il sera prêt à entrer de lui-même à Saint-Rémy. Pa lui trace le chemin qui ira se perdre derrière son bureau, dans l'*Enterrement dans les blés*. Il faut à tout prix remettre ce Vincent-là, échappé — mais d'où ? de quelle tombe à Zundert ? — à sa place. Enfermé.

« Il n'est pas impossible, évidemment, que les individus qui se mettront en tête d'affirmer que la société et la famille gagneraient à me déclarer fou soient de grandes lumières, au point de tout savoir infiniment mieux que mon médecin. Enfin ! » La première chose à laquelle Vincent pense lorsqu'il est hospitalisé à La Haye un peu avant l'entrée de Sien à l'hôpital de Leyde, c'est d'obtenir éventuellement un certificat du médecin quant à sa bonne santé mentale, et aussi du médecin de Leyde. Au cours des trois semaines passées à l'hôpital, où Pa lui rend d'ailleurs visite (et Sien venue, elle aussi, l'apercevra dans la salle d'attente), il s'intéresse aux médecins qui feraient de si beaux modèles ! des saints Jérôme en particulier. Mais il revient sans cesse à la charge, harassé : « Je dois te dire encore une fois que l'antécédent de Gheel empêche la famille de changer brusquement son fusil d'épaule. Elle ne peut chercher à présent des prétextes d'ordre financier, au lieu d'en chercher dans le domaine physique, puisque c'était pour des raisons d'ordre physique qu'on avait alors essayé de me faire enfermer. »

Etrange guerre ! Etrange jeu !

« Il vaudrait mieux », songe Vincent si lié aux siens, si respectueux, en fait, « ne plus avoir de maison paternelle, pas de père et pas de mère, pas de famille ». Il vaudrait mieux surtout qu'il n'y ait pas eu un premier Vincent, mort. Car qui est l'accusé dans cette histoire ? Quelle est l'accusation réelle ? Ecoutons Vincent se débattre : « Un conseil de famille ne serait pas habilité à prendre une décision au sujet d'un *absent*[1]. Il faut que l'accusé (plus exactement la personne qui a donné lieu à la réunion du conseil) soit présent. »

Avant de se couper l'oreille, d'entrer à l'hospice d'Arles, de se faire interner à l'asile de Saint-Rémy, Vincent a peint le fauteuil de Gauguin, *la Place de l'absent,* et aussi sa propre chaise, vide.

Après la reddition de Vincent, tout se calme du côté d'Etten. Vincent désire inviter Pa, qui pourrait constater la fraîcheur de ce foyer, et reprendre confiance dans l'avenir de son fils aîné. « Je voudrais qu'il jetât à mille lieues de lui l'idée de me mettre en curatelle ou de m'envoyer à Gheel. »

Pa viendra, plus tard. Ils parleront, Vincent et lui... des croix du cimetière ! Il ne rencontrera pas Sien. Parfois des colis arriveront contenant des gâteaux, du linge, des cigares. Pa envoie l'hiver un manteau chaud ; rien n'est dit, mais Vincent comprend que c'est pour Christin. Quand le pasteur recevra une somme d'argent inattendue, il voudra que Vincent en ait une part. On détruit. Mais on garde ses proies.

C'est parmi cette hostilité générale, les heurts, les rejets sempiternels, le bien-être chez soi, puis la détérioration lente de son couple, que Vincent s'acharne à son métier et le conquiert. Il ose peindre enfin. Il a presque trente ans, plus que huit ans à vivre. « J'ai la peinture dans la peau... Peindre frise l'infini. » Et

1. Je souligne.

ce qui lui avait semblé inaccessible, au point qu'il en avait réprimé si souvent le désir, se révèle étrangement aisé : « Pour t'avouer la vérité, j'en suis moi-même étonné. Je m'étais dit que mes premiers essais n'auraient l'air de rien, je ne veux pas me vanter, mais ils ont certainement l'air de quelque chose... Je sens que la notion de couleur se fait jour en moi pendant que je peins. »

Et voici Vincent travaillant « à genoux avant l'orage et, pour continuer, j'ai dû m'agenouiller dans la boue ». Le voici quelques semaines après ses débuts qui s'échine à peindre une futaie. « J'ai commencé par les peindre (les arbres) au pinceau, mais les touches se confondaient au fur et à mesure avec les empâtements du sol et je me suis mis alors à indiquer les racines et les troncs en pressant directement le tube et j'ai remodelé ça à l'aide du pinceau. Oui — les voilà plantés dans le sol, ils en jaillissent, mais ils y sont enracinés avec puissance. En un sens, je me félicite de ne pas avoir appris à peindre. J'aurais peut-être appris à passer devant un tel effet. Maintenant, je dis : non — voilà exactement ce qu'il me faut ; si ça ne va pas, eh bien, ça ne va pas, mais je veux essayer de le peindre bien que j'ignore comment je dois m'y prendre. » C'est simple : la nature lui a « raconté quelque chose », il a « sténographié ses paroles, encore que certains mots de ma sténographie sont indéchiffrables ». Une histoire d'oreille, en somme ; d'écoute.

Vincent conclut, paisible : « *Je* dois consacrer à la peinture toutes les forces que *nous* pouvons y mettre [1]. »

Alors — peut-être est-ce l'essentiel ? L'œuvre. Ce que *nous* possédons de forces doit lui être consacré, et cela exclut Sien. Même si elle était une des forces de Vincent.

Sien, nous l'avons croisée, avec qui Vincent a fait une halte et elle une avec lui. Elle va rester en arrière, abandonnée, ou si l'on préfère, repartir, chassée. Et vivre encore vingt et un ans, méprisée.

A-t-elle « trahi » d'abord ? Qu'importe ! Vincent n'a pas su ressembler à ses propos donquichottesques, et ressemble là plutôt à Tartarin, qu'il appréciait tant. Peut-être retrouvait-il en

1. Je souligne.

155

lui Pa, ses clichés édifiants, pontifiants, ses menaces à la noix, ses « tu m'assassines » ? Les Van Gogh, avec leur jeu maniaque d'exigences hystériques, de dépendance autistique, de principes destructeurs, Vincent et Théo leur ressemblent tant, qu'ils balaient sur leur passage Sien et Jo. Au niveau de l'existence, ils sont, comme leurs parents, nuls. Il se trouve que Vincent avait, lui, le sens inné de la mort, cru, cruel et brut. De naissance. Et par là la science de la vie. C'était sa différence. Son travail en surgit. Sa vie s'y abîme.

Et Sien reste là. Ou part. De cette histoire, en tout cas. Avec son épaisseur, sa densité, son poids, les sons qu'elle a émis, son haleine, les pas qu'elle a fait sur ces trottoirs qui ont dû lui paraître encore plus, et de plus en plus « froids, impitoyables » après. Avec les sensations furtives, les émotions brutales, la complication indicible de toute vie. Avec sa vie qui vaut tout autant que celle de Van Gogh. Une vie plus en friche, plus mystérieuse, en fait, qui ne se résoudra pas en tableaux. Entre elle et nous, plus rien. La foule, où elle disparaît. Tandis qu'il peint. Cela, nous le savons. C'est prouvé. On peut toucher, palper, sinon ses « moyens d'existence », du moins l'existence de ses moyens : toiles, cadres, signatures. Prix.

Elle ? Oui. Une trace : *Sorrow* et d'autres dessins. Vêtue ou nue, flétrie, Sien dans les musées. Mais aucune marque de son errance recommencée sur les trottoirs de Delft, d'Anvers, de La Haye, de Rotterdam, après ce semblant de conjugalité, de respect, la tiédeur provisoire d'une famille.

Alors, voilà. Le poids de cette vie, délesté. Etrange de poursuivre son histoire à lui plutôt que son histoire à elle. Une vie — une vie. Mais la vie de Christin, c'est pour un roman. Ça ne se raconte pas. Ça s'invente. La biographie de Sien, de Clasina Hoornik ? Elle n'en a pas. Aucun chic, Clasina. Pas même celui des putes. Trop ménagère. Et *laide*.

Pourtant.

Pourtant, en cette année du centenaire de Virginia Woolf, qui est celle du centenaire du début de la liaison Sien/Vincent, 1882-1982, eh bien, oui, Virginia et Sien partagent avec Ophélie, l'eau. Et comme, à travers l'œuvre de Virginia, la circulation de l'eau annonce sa fin, à travers l'épisode « Sien » dans la vie de

Vincent, les signes prémonitoires ne manquent pas. Elle-même annonce sa noyade : au début de ce qui va devenir leur rupture, Vincent harcèle Christin, exige d'elle « un tas de promesses, par exemple d'avoir plus d'ordre, d'être plus travailleuse, de poser comme il faut, de ne plus aller voir sa mère », et l'adjoint de corriger ses défauts « la négligence, la nonchalance, le manque d'adresse et de courage au travail ». Mais quel travail ? peindre avec passion ou frotter les parquets ? Il la sermonne, lui affirme qu'elle n'est pas entièrement corrompue, que « quelque chose a été épargné dans le fond de son être et que cela survit dans les ruines de son âme, de son cœur et de son esprit ». (Il s'agit de la même femme qui était sa « dévouée collaboratrice », avec qui il était comme « chez lui auprès d'elle ». Mais elle est épuisée d'avoir allaité l'enfant, elle est tiraillée par les Hoornik qui sapent sa confiance en Vincent ; elle est un frein — croit-il — à sa réussite, un écran entre lui et les peintres, ses pairs.) Elle ? Elle est excédée par les sermons, les morigénations de son compagnon endetté. Découragée, elle répond aux reproches : « Oui, oui, je suis apathique et paresseuse, je l'ai toujours été, il n'y a rien à faire » et « Oui, oui, je sais, Tu ne me garderas pas auprès de toi. » Et puis, soudain, le cri : « Mais oui, je suis une putain et en dehors de ce métier, il n'y a pour moi d'autre issue que de me jeter à l'eau ! »

L'eau, la métaphore de l'eau, prennent, au cours du passage de Christin, une importance qu'on ne retrouve pas ailleurs dans la correspondance. Etait-ce son idée fixe à elle, qui déteignait sur Vincent ? Ou bien a-t-elle été influencée par lui ?

La mort, le danger, c'est alors pour Vincent toujours la noyade. Si Théo n'envoie pas d'argent, il condamne Vincent à la mort « par noyade ou par strangulation ».

Si Tersteeg « voyait Christin se noyer », il conclurait que sa mort est un bienfait pour la société. Par contre, le même Tersteeg tente d'empêcher ce « dingo » de Vincent de se « jeter à l'eau ». D'ailleurs Vincent, en arrivant déçu par Kee à La Haye, comprend « ceux qui se jettent à l'eau ». Et lorsqu'il décide d'agir avec énergie, « d'utiliser la tempête pour faire avancer le navire », c'est pour ne pas envoyer ce navire « au

157

royaume des crabes ». Ces crabes incongrus, lourds, qu'il peindra, assez maladroitement, par deux fois, à Saint-Rémy.

De Christin, il n'y aura même plus trace dans les lettres. La cohorte fantasmée qu'elle conjurait — trop, sans doute — la remplace. Aucun souvenir d'elle, aucune évocation. Une exception peut-être : *la Berceuse,* qui est, je crois, entre autre, Sien. Le deuil de Sien ! Le regret. La Berceuse qui ne berce pas, qui ne peut pas, qui ne peut plus bercer. Sien figée. Muette. Elle ne ressemble pas à Mme Roulin, la femme de l'ami facteur, qui a posé pour cette toile, exécutée cinq fois. Mais le regard absent ressemble à son absence. A l'impossibilité qui fut. Le dernier enfant que Vincent a vu et entendu bercer, c'est un petit Wilhelm par Sien, à la voix éraillée. Cette voix qui ressemblait à celle de Leen Veerman, la nourrice de Zundert.

Vincent est en train de peindre *la Berceuse* au moment de la crise d'Arles : l'oreille, Gauguin, l'hospice, Théo qui va se marier. Et pour ajouter encore aux abandons, à la tristesse, l'ami Roulin, « si fort, si rassurant, le préposé des postes », qui gagnait pour faire vivre sa femme et trois enfants 135 francs par mois (15 francs de moins que n'en recevait Vincent de Théo) part pour Marseille, où il est promu à un autre poste un peu plus avantageux. Il part d'abord sans sa famille.

C'est la soirée d'adieux. Roulin chante pour son bébé qu'il fait sauter sur ses genoux. « Sa voix avait un timbre étrangement pur et ému où il y avait pour mon oreille un doux et navré chant de nourrice. » C'est encore par l'oreille que Vincent peint cette toile. Cette femme taciturne. Le chant ne passe pas. Et il me semble que c'est Sien qui ne peut plus chanter. A Gauguin, il écrit alors, puisque c'est ensemble qu'ils ont parlé des pêcheurs d'Islande et que c'est pour eux, perdus en mer (encore l'eau et Christin, s'il s'agit de Christin), pour ces marins « enfants et martyrs », qu'il peint ce chant de nourrice, afin de les bercer là-bas. Un chromo, voulu tel, qu'ils pourraient épingler dans la cabine d'un de ces navires qui risquent de sombrer au royaume des crabes.

A Gauguin donc, qui a fui Arles, Vincent écrit : « Dans ma fièvre cérébrale ou folie, je ne sais trop comment commenter ça, ma pensée a navigué sur bien des mers. J'ai rêvé jusqu'au vaisseau fantôme hollandais et le *Horla,* et il paraît que j'ai alors chanté, moi qui ne sais pas chanter en d'autres occasions, justement un vieux chant de nourrice, en songeant à ce que chantait la Berceuse qui berçait les marins et que j'avais cherché dans son arrangement de couleurs avant de tomber malade. »

Voilà Vincent devenu la Berceuse, tel cet Ecce Homo, qui ressemblait à Leen Veerman, apparu sur fond noir, le visage triste et pâle et qui chantait à Wilhelm de vieux chants de nourrice repris par un facteur républicain pour les pêcheurs d'Islande !

Et c'est beau.

Sien, pendant ce temps...

« Vivre avec une femme sans danger est plus difficile que de ressusciter un mort », a dit saint Bernard. Ici, bien à propos !

Quitter Sien, pour Vincent, n'est pas très difficile. A coup d'aphorismes les Van Gogh peuvent tout prouver et ils n'en sont jamais à court. Contre son couple, tout le monde s'est ligué. Ils sont faibles, tous deux. Vaincus d'avance. Certains de ne rien valoir dans le jeu des valeurs des autres, ils ont cru, liés, trouver ensemble la paix. Non. Et Sien, écoutant les Hoornik, fait le jeu des Van Gogh qui, profitant de cette brèche, font le jeu des Hoornik.

Vincent voit bien la panique de Sien ; elle se torture, ne connaît plus ni trêve ni repos. Mais, du haut de sa maîtrise, à présent qu'il a trouvé plus faible que lui, il ressemble aux enfants qui font subir à leurs poupées les brimades dont ils sont eux-mêmes, par ailleurs, l'objet : « Il faut lui répéter plusieurs fois la même chose ; elle me décourage parfois, mais quand elle se décide à dire ce qu'elle veut dire — elle ne le fait que rarement —, elle semble alors étrangement pure, malgré sa corruption. »

Cette femme ne sait pas s'exprimer, elle s'étrangle. Comme Vincent, elle est d'avance convaincue d'avoir tort ; comme lui, elle explose en colères ; comme lui elle a honte profondément. Mais on n'aime pas, chez les Van Gogh, qui vous reflète (Pa n'apprécie guère les difficultés de Vincent qui lui rappellent les siennes). Comme le remarquait Vincent : « On ne hait que ses amis ».

159

Et c'est l'hallali sur ce pauvre gibier. Il va parler à Sien, tout un après-midi. Avec calme. Avec l'autorité bienveillante de celui qui sait avoir raison. Il s'écoutera parler, pour raconter à Théo comme il a bien récité sa leçon et, sans doute, pour se persuader lui-même, car pour Sien : « l'expression de son visage ressemble à celle d'une brebis qui dit : " Si je dois être tuée, je me laisserai faire " ».

Vincent a dû souvent avoir cette expression.

Cet après-midi-là, décidé à partir pour la Drenthe (il a déjà pris la résolution avec Théo, au cours d'un bref séjour de celui-ci à La Haye, de s'en tenir à « la ferme décision de ne plus me soucier de rien, sauf de mon œuvre ». Il a longtemps hésité à emmener Sien et les enfants et même à l'épouser avant de partir ensemble, « mais elle n'est pas assez gentille »), Vincent explique à Sien qu'il est criblé de dettes et ne peut plus l'aider. Elle doit amener sa famille à recueillir les enfants, afin de pouvoir « se mettre en service ! » La respectabilité ! Chère Moe ! Et lui ? Lui va partir peindre avec l'argent de Théo. Normal !

Mais quelle générosité envers cette fille publique : si elle se montre une mère pour ses enfants, aussi bonne pour eux qu'il a été bon, il lui assure qu'elle aura... sa considération, « même si tu n'es qu'une pauvre servante, même si tu n'es qu'une pauvre putain ». Il est content de lui, il se trouve admirable. « Voilà comment je lui ai parlé, frère. »

Ce n'est pas à Sien qu'il a déclaré plus tôt : « A condition de faire tout notre possible, nous tiendrons le coup et nous ne sombrerons pas, mais nous ne devons pas nous séparer. » C'est à Théo.

A Sien, il conseille de se marier, « si elle trouve un mari à moitié bon, cela suffira » ; d'épouser un veuf, par exemple : « elle pourra racheter ses manquements envers moi, en se comportant mieux avec un autre ».

Elle épousera, en effet, un veuf, à 51 ans, en 1901. Arnoldus Francescus Van Vijk. Un mariage bidon avec un homme qu'elle ne connaît même pas (et avec lequel elle ne fera pas connaissance), pour que ses grands enfants aient une mère respectable. En 1904, Mme Van Vijk se jettera à l'eau, dans un port de Hollande.

Maria et Wilhelm ne feront jamais état du passage de Vincent dans leur vie ; il eût fallu évoquer Sien, leur mère. Avouer qu'elle était une putain. Cependant, en 19, un journaliste parvient à découvrir Wilhelm et à lui faire rencontrer devant la presse le grand poète hollandais d'alors : Peter Hoornik, son cousin, le neveu de Sien.

Dès son arrivée chez Wilhelm, le journaliste remarque une douzaine de crayons bien taillés dans une timbale, sur le bureau. Le bébé qui poussait de petits cris en regardant les dessins de Van Gogh, « il se tient toujours tranquille dans l'atelier, il passe son temps à regarder les études fixées au mur », est devenu dessinateur... à la compagnie des eaux !

Il avait treize mois lorsque sa mère, sa sœur et lui étaient demeurés près de Vincent jusqu'à la dernière minute, dans le train qui partait pour la Drenthe : « Le petit bonhomme m'aimait beaucoup, je l'ai tenu sur mes genoux alors que j'avais déjà pris place dans le compartiment. » Les adieux sont assez déchirants.

Mais « l'argent joue un rôle brutal dans la société », avait remarqué Vincent, qui est heureux, aujourd'hui, de se libérer « surtout de ce loyer écrasant, et des soucis qui m'assommaient ».

Un rôle brutal !

Et puis, il y a le vrai Wilhelm qui l'attend. Celui qui s'appelle aussi Vincent. Il ne l'aime pas beaucoup ; on ne peut pas le tenir sur les genoux, cet Ecce Homo sans visage de femme, sans ventre ballonnant. Mais on ne peut pas, celui-là, le quitter. Il ne vous quitte pas.

Et il y a le musée. Le troisième Vincent.

Alors, « en route, sans bagage, tout seul, vers l'étude ». Sien ? Adieu.

« J'ai devant moi une carte de la Drenthe. J'y vois une grande tache blanche, sans nom de village et je lis " Tourbières " dans cette tache blanche... A la limite, il y a un lac — le lac noir — un nom qui porte à réfléchir. »

Dans ce noir, dans ce blanc, Vincent erre plusieurs mois, vivant, comme halluciné, ces couleurs ou cette absence de couleur et l'obsession du rayon noir et du rayon blanc et le retour de la terrible figure de Pa et des spectres ; la femme est redevenue « la désolation du juste » selon Proudhon, une Lady Macbeth fatale, et Théo celui contre qui les élans passionnels, le désir inassouvi, la haine, la rage et la réflexion viennent buter.

Encore une fois, d'instinct, il a choisi un pays métaphore ; non plus les cavités, la saleté de la mine, mais le limon, la vase ; ces « racines pourries de chêne noyées dans la boue », qu'il dessine avec le goût retrouvé de ce qui est au fond d'entrailles cette fois humides, fangeuses, et qu'on peut exhumer, car les racines de ces arbres « enfouies peut-être pendant un siècle dans la tourbe ont elles-mêmes formé la tourbe ; l'exploitation de la tourbière les ramène au jour ».

Les mines. Les tourbières. « La tourbe couleur de suie... Je crois vraiment que j'ai trouvé mon coin. »

A La Haye, les dernières semaines, il dessinait *le Bourbier, le Dépôt d'ordure, le Charger du charbon*. Rompre avec une femme, selon lui corrompue, le ramenait aux domaines frelatés. « Te rappelles-tu », écrivait-il à Théo, « que je t'ai écrit il y a quelque temps : " je reste assis devant deux grands châssis vierges et ne sais encore ce que je vais pouvoir mettre dessus " ? Eh bien,

162

depuis lors, le tas de fumier est venu sur l'un et j'ai avancé un peu le deuxième qui finira par ressembler à un tas de charbon » !

Sien n'est plus là pour, à la fois, polariser et exorciser le stupre. « La mare boueuse avec ses racines pourries » le fascine, cloaque féminin, maternel, plus humide et gâté que la mine, après le renoncement à Sien ; Sien, qui l'avait comme réconcilié avec la topographie interne des corps, la génitalité, et amené à la mer océanique, aux dunes sèches de Scheveningen, aux rues douillettes de La Haye.

Dans la Drenthe ce ne sont (ou il ne voit) que de « curieuses oppositions de noir et de blanc ». Les « racines noircies sous l'eau qui miroite », les autres « comme blanchies par le temps sur cette plaine sombre ». Un « sentier blanc court le long de ces souches » et au-delà, c'est « la tourbe couleur de suie ». « Un canal aux rives blanches à travers une étendue couleur de suie. Des figures noires sur un ciel blanc et, à l'avant-plan d'autres variétés de noir et de blanc dans le sable. »

Cet effet ressemble à celui des « blanchisseries d'Overdeen par Ruysdaël ». Les blanchisseries le hantent. S'il est obsédé par Lady Macbeth, il l'est aussi, comme elle, par l'idée de laver et de laver, en vérité, le sang.

« Quoi ! ces mains seront-elles jamais propres ? Plus de ça, Monseigneur, plus de ça ; vous gâtez tout avec ce début-là. Voici l'odeur du sang encore…

« Je te le dis encore, Banquo est enterré ; il ne peut sortir de sa tombe… ce qui est accompli ne peut être défait. »

Le sang ! Quel sang ? Celui de l'assassin ? Quelle souillure ? Le sang qui coulera (peu) de la blessure fatale à Auvers ? Le choix d'une mort sanglante ?

Laver.

Vincent pense souvent à Sien. « Pauvre, pauvre créature ! » Il n'a pas de nouvelles. Elle lui en avait promis et il espérait qu'avec sa mère, elle ouvrirait… une petite blanchisserie.

Plus tard, à Margot Begeman, qui aura tenté de s'empoisonner par amour pour lui, il offrira, en guise de cadeau d'adieu et de consolation, le dessin d'une blanchisserie.

Mais surtout, lorsqu'il se sera coupé l'oreille en Arles, des flots de sang maculeront l'intérieur de la « maison jaune » et

163

l'escalier, à la veille de Noël et du jour où Théo et Jo, fiancés à Paris cette semaine-là, devaient partir le fêter en Hollande. Il offre son oreille à Rachel, une prostituée, dont le vrai nom est Virginie ! Il note pour justifier, auprès de Théo, ses frais supplémentaires :

« Payé pour blanchir toute la literie et le linge ensanglantés : 12 F 50. »

Quel poids de chair pour payer le crime de l'assassin, du meurtrier qui a pris la fuite et quitté la maison ? Quel prix pour ensanglanter le linge et la literie et s'identifier à Jo ? Quel prix pour laver le sang de la naissance ? Pour être l'accouchée ? Pour naître à nouveau dans le sang ? Pour blanchir le linge souillé par Moe et par la mort de Vincent Wilhelm I ? Pour laver le sang de Sien, les souillures de Sien ? Pour la payer de laver, blanchisseuse, ceux des autres ? Pour blanchir le rayon noir ? Quel prix pour saigner du sang des vierges jalousées ? Quel prix pour supprimer, pour blanchir le « début » dont parle Lady Macbeth et qui a tout « gâté » ? Quel prix pour épouser Théo ?

Dans la Drenthe, déjà, se préparaient Arles, Saint-Rémy. Christin, dernier écran, dernier barrage, écartée, la horde déferle, spectrale, qui accule Vincent (ou le porte) à faire — son métier ! A peindre. A entrer dans une toile — *l'Enterrement dans les blés*.

Alors, plus que jamais, de la Drenthe, Vincent supplie Théo de venir se faire peintre avec lui. « Je dis que c'est trop pour moi seul. J'ai besoin d'un compagnon », et : « J'ai des projets qui sont tels que je n'ose presque pas les entreprendre seul. »

La demande devient ouvertement amoureuse. « Nous ne serions seuls ni l'un ni l'autre ; nos travaux conflueraient un peu comme les eaux qui coulent ensemble. » Désir de fusion. Interdite, toujours. Presque toujours. Et qu'il cherche auprès du plus interdit, Théo, qui a le même désir, mais l'ignore, et qui mourra pour obtenir cette fusion. Théo, vivant, résistera bien plus que Vincent. Et puis le don, l'offrande tiennent lieu de « confluence » pour lui. Nécessaires. Et qui, peut-être, sans qu'il le veuille sciemment, le retiendront de réussir à vendre les travaux de *Vincent*.

« Viens te planter dans la terre de Drenthe », implore

164

Vincent, qui y est, là, dans la Drenthe où il voudrait que vienne s'enfoncer son frère ; ce frère que, lui, « soc » de charrue, labourait, il n'y a pas si longtemps.

« Tu y germeras », promet-il. « Ne reste pas à te dessécher sur le trottoir. » Sur le trottoir, il suffit de Sien. « Tu diras qu'il y a des plantes de ville. Sans doute, mais blé tu es, et ta place est dans les champs de blé. » Dans un enterrement, derrière le bureau paternel, face à la *Mater Dolorosa.*

Peut-être la place de tous les frères. Cette place où Théo ne viendra pas, qu'il ne prendra pas ; cette place indiquée par le tableau de Pa, cette place où Vincent las d'avoir attendu en vain, finira par se tuer, comme dans un tableau... vivant ! Cette place où, enfin, dans le cimetière d'Auvers entouré de ces champs, Théo sera déposé par sa femme près de son frère, tombe contre tombe plus de vingt ans après leur mort.

Et Vincent dans la Drenthe, insiste encore, sans tenir compte du désastre matériel où ses parents et lui seraient plongés si Théo démissionnait de son poste chez Goupil, c'est-à-dire chez Boussod-Valadon ; une fois de plus il est en conflit, une fois de plus en position de faiblesse et d'avance vaincu.

« Dis-toi », lui conseille alors Vincent à propos de ses ennuis professionnels, « je me heurte à un mur, ce mur est à l'usage des taureaux qui veulent bien s'y heurter... Supposons maintenant que tu te heurtes quelque part à un mur et que tu rencontres un homme qui se sent disposé comme je le suis. Est-ce que son calme ne te donnerait pas envie de faire une promenade avec lui ? ».

Mais Théo ne se laisse pas draguer. Même si, jamais à court d'associations et d'images révélatrices, Vincent propose encore : « Suppose qu'il existe après tout quelque part un gouffre et des promontoires de rochers pointus... Tu m'accorderas que ces rochers existent, puisque c'est toi qui m'as sauvé du gouffre, quand les forces me manquaient pour continuer la lutte. Je veux dire que tu dois te tenir à grande distance de cette passe dangereuse et la contourner. »

Un temps, Vincent croit avoir fait fléchir Théo. Et c'est le bonheur si fou à l'idée d'être « nous deux, de vivre ensemble au sein de cette nature d'une beauté indicible, que je n'ose presque pas y penser et que je ne puis pourtant pas m'en empêcher bien que ce bonheur me paraisse trop grand, tant pour moi que pour toi, parce que nous ne sommes pas habitués au bonheur dans notre existence et que nous sommes portés à croire qu'il est réservé aux autres, plutôt qu'à nous ».

Qui sait ? Peut-être avait-il raison ? Théo aimait, connaissait la peinture plus que Vincent, peut-être. Ils avaient, se rappelle Vincent, du temps où ils travaillaient tous deux chez Goupil, eu la même envie violente mais si secrète que chacun la devinait chez l'autre sans avouer la sienne : celle d'être peintre, de créer au lieu de vendre. Mais à Théo convenait le rôle que Vincent avait tenté de jouer dans le Borinage ou auprès de Sien, celui du pasteur et que leur père n'avait su tenir, le lui déléguant.

C'est l'offrande qui lui convenait. Une offrande affective, financière, calculée et qui devait maintenir la survie de ce frère. Donner la vie. Et créer à travers cette vie créatrice. Recevoir, comme une mère, la production qu'il faut bien voir, alors, fécale. Régulière. Non pas quotidienne, mais hebdomadaire, contrôlée, commentée.

Mais, tout de même, qui sait ? Un changement de rôles, de relation, l'association au lieu de l'échange, l'amour au lieu de la résistance... Peut-être, oui, Vincent, avait-il raison ! Vincent, qui semble toujours avoir tort et qui était après tout Van Gogh.

Et il y croit, pas longtemps, quelques jours. Il prend aussitôt son frère en main : « Il te faut la foi du charbonnier, commencer brusquement, avec l'idée fixe : être peintre... Une chose ne te serait d'aucun secours c'est de te dire : " Vincent, tais-toi ! ne parle pas de ça ! " Car à cela, je répondrais : " Théo, c'est *en toi-même,* peut-être, que ça ne se taira pas ". »

Et Vincent lutte pour séduire Théo définitivement, pour l'amener à travailler « amoureusement, en s'appuyant l'un sur l'autre, avec une compréhension mutuelle particulière, en collaboration intime ».

Il veut l'arracher au groupe des Van Gogh, des Goupil, être deux contre eux, avoir un double heureux, et non plus un double néfaste, mort-né : « Il est une chose qu'on doit savoir chez nous, c'est que toi et moi avons toujours devant les yeux le même but... mais qu'un chemin nous est barré, que nous devons nous en créer un autre, que, pour cela, nous avons besoin de leur silence sur la question et qu'ils ne nous gênent pas. »

Ce chemin barré, qui mènerait à cette absorption l'un dans l'autre risquée à Paris (et Vincent de l'asile en parlera longuement à Moe, ajoutant que « la vie n'est pas faite pour ça »), ce chemin n'est pas celui de l'art ; l'art est « créé » au contraire, pour en tenir place. Mais sur ce chemin-là, au moins, que Théo le suive. Car c'était même « une erreur », écrit-il à son frère, « de ne pas avoir commencé plus tôt ». Il en est temps encore, toutes leurs forces « concentrées en la direction " peindre " comme si c'était le radeau qui permet de gagner la côte après le naufrage ».

Et c'est l'appel : « Pour le moment, notre position l'un vis-à-vis de l'autre est nette : il est souhaitable que nous nous unissions de plus en plus étroitement. »

Une vraie histoire d'amour. Impossible et possible. Vécue. Refoulée. Une vraie histoire d'amour : Tristan et Iseut, en somme. Mais il serait absurde d'employer les termes d'homosexualité latente, d'inceste. Ces termes-là, ces cloisonnements-là ont assassiné Vincent et Théo. Ces mots-massacres prétendent rendre compte de régions en vérité illimitées, en les remisant au ghetto de l'interdit par la vertu du discours. L'interdit, qu'il n'est pas même nécessaire de formuler, tant il est diffusé dans la langue, construite, découpée en fonction de ce qu'elle censure ou légifère. Interdit qu'un Vincent, un Théo ne repèrent même pas, mais qui les ligote, les étrangle, qui les assassine.

Il y a du possible. Tous les possibles. Les corps, la vie sont là, innocents, libres, avec la seule contrainte de la précarité. L'interdit passe par les mots qui dénaturent l'instinct. Et la précarité de la vie, désignée comme « la mort », sert à négocier la dictature d'une langue faite pour en reconduire et en atténuer, à la fois, la terreur.

L'instinct dénaturé, prend le relais. C'est l'instinct qui semble désormais interdire ce qui lui est défendu. L'instinct devient le produit du travail des mots dans les corps, empoisonnés par eux.

Cette nouvelle forme d'instinct ne supprime pas l'autre qui, refoulée, entre en conflit ; conflits qui servent à mieux contrôler des êtres avides de se délivrer de ces tourments ; avides des règles, qui mettront de l'ordre dans cet enfer désormais indéchiffrable ; des êtres culpabilisés, avides de châtiments.

Au temps de Vincent, de Théo, cela se traduisait en terme de morale ou se reflétait dans des textes littéraires. Mais la logique du désir se nommait folie, silence ou crime lorsqu'elle se manifestait trop — même dans le refoulement.

Cet interdit, qui semble être le « début » qui a tout « gâché », n'est que le résultat d'un gâchis : celui pratiqué sur la vie par un discours arbitraire, coercitif et qui produit cette « société d'argent et de militaires », dont parle Van Gogh. Cet interdit, à quoi bon en faire état, à quoi bon cloisonner la vie de Van Gogh ; lui ne la cloisonnait pas ! D'où les débordements des limites, d'où la production illicite — c'est-à-dire la production de vie... ressuscitée. Et qui part, peut-être, du sang initial, de ce début ineffaçable dont parle Lady Macbeth — du sang inutile, crapuleux de Moe lorsqu'elle a fait naître la mort. Ou, peut-être, la vie, dans un raccourci caricatural.

A quoi bon entrer dans ce jeu où l'on mesure le degré des investissements, où l'on énumère leur distribution. A quoi bon faire état des innombrables diagnostics, un véritable catalogue de tous les effets « folie », dont on affuble Van Gogh ?

La « maladie » ? Il y avait Vincent, non dissocié. Il y a eu la pensée de Vincent, aux limites ; son désir fracassé, son désir projeté. La maladie ? Ce fut surtout la « santé » des autres, leur prétendue santé ; ce fut l'absence organisée d'identité des autres. « Il y a », écrit Artaud, jamais si proche de Van Gogh que lorsqu'il écrit à propos de lui-même, « une certaine histoire de la douleur dans laquelle ma vie entre, quand elle n'a jamais pu entrer dans l'histoire de la vie ordinaire, qui n'a jamais fait que foutre le camp (se mettre en état de recul, calculé, lové, méthodique et prémédité) devant la douleur[1] », et il ajoute ce que Vincent écrit souvent, moins « spectaculairement » et dont il essaie désespérément de se défendre, lui aussi : « Je suis un supplicié de naissance, mais ce n'est pas une raison pour qu'on me supplicie (systématiquement et à tout bout de champ)

---

1. Antonin Artaud, *Œuvres complètes,* Paris, Gallimard, 1974, t. 12.

comme pour m'empêcher de fuir devant ma nature, ne serait-ce que pour un instant [1]. »

Une histoire de supplice et d'amour, Vincent — mais lequel ? — et son frère, mais lequel ?

Théo ne répond pas aux avances de Vincent malgré les heurts qui se multiplient avec Boussod et Valadon. Il continue d'exercer son métier de marchand, menacé cependant, comme il le sera souvent. Vincent déçu, s'affole : « Frère, tu sembles m'abandonner à mon sort sans me prévenir. »

N'y a-t-il pas là quelque Lady Macbeth, une rivale ? En l'occurrence « ta malade », Marie, demeurée, elle , à la différence de Sien. « Je m'inquiète », écrit Vincent, « d'une inquiétude générale ». Pas si générale que ça car « voici l'essentiel de bien des problèmes — ta femme est-elle bonne ? est-elle sincère ? est-elle simple ? A-t-elle les pieds sur la terre ferme ? Ou bien y a-t-il des mauvaises herbes, une manie assez dangereuse de ce que j'appellerai la folie des grandeurs dans son blé ? J'ai pensé à Lady Macbeth. Macbeth était un honnête homme mais... il fut envoûté ».

Oui, Marie a le pouvoir de charmer, et ce charme pourrait être fatal, car il risque d'engourdir « les fibres importantes du cœur, celle du sens de la justice et de l'injustice ». Le sens de la justice se rapportant, bien sûr, à Vincent.

Mais surtout, Vincent ne veut pas que son frère subisse le sort de Macbeth qui « tomba... mais tomba majestueusement », victime d'une femme ambitieuse dont « Lady Macbeth est le prototype ; ce sont des femmes fatales et il vaut mieux les éviter malgré leur charme ». Mais les femmes ne sont pas seules, dans leur blé, à être fatales. Vincent s'écrie : « Je ne voudrais pas m'épanouir, s'il devait en résulter que tu te dessèches. » Il ne consent pas à ce que Théo étouffe ses tendances artistiques « à cause de qui que ce soit, un frère ou une femme ». Lady Macbeth, c'est moi !

Où sont les femmes ? Tout reprend place dans le désordre fantasmé. Toute la cohorte est là. La horde ; Pa, en tête des légions, devient le centre des préoccupations des deux frères.

1. *Ibid.*

« Pa est Pa. » Pa est le rayon noir. Et il y a le rayon blanc, répète Vincent, dans la Drenthe, ce pays de tourbière où il a été chercher, près d'une tache blanche, un lac noir. « Pa est plutôt affligé du rayon noir. Corot était plutôt doté du rayon blanc, mais tous deux ont été gratifiés d'un rayon d'en haut. » Il est vrai que Millet, lui, « fut doué plus que les autres du rayon blanc », qui manque à Pa et que Vincent souhaite à Théo. « Mais Millet est un évangile, et je te le demande : y a-t-il une différence entre un dessin de lui et un beau prêche ? » On se croirait à Londres sept ans auparavant !

Et Vincent s'égare, titube : « Oh, ces vétilles ! Oh, ces hésitations ! Ne va pas croire que le bon est bon, que le noir est noir, que le blanc est blanc ! » Mais, tout de même : « Pa est pour moi un rayon noir. Pourquoi n'est-il pas un rayon blanc ? C'est la seule critique que je lui adresse. Elle est grande ? Tant pis. Je n'y puis rien. A toi, je dis : cherche le rayon blanc, mais blanc, entends-tu. »

Un père parfait, qui serait un frère sans maléfice. Vincent se débat. Il reconnaît sa détresse retrouvée ; les murs froids, blanchis à la chaux, des pasteurs, l'absence de chair chaude ! « Ma jeunesse a été sombre, froide et stérile par suite de cette influence du rayon noir. A vrai dire, ta jeunesse également, frère... Le rayon noir est indiciblement cruel — indiciblement. Je sens en ce moment en moi les larmes retenues que je voudrais verser sur tant de choses. »

Vincent le sait, Théo ne viendra pas « se faire peintre » dans la Drenthe ; il n'a rien, lui, Vincent, d'une Lady Macbeth. Il renonce à son errance et, plus que jamais sous l'emprise de Pa, il se tourne vers lui encore une fois, vers « le plus doux des hommes cruels ».

Van Gogh est seul, démuni. Le peu qu'il a eu, Sien, on l'en a arraché. Il est, à présent, sans autonomie, sans femme, sans foyer, sans argent. Avec « la peinture dans la peau », et, autrement, dévasté. Un territoire nu où peuvent s'engouffrer les fantômes, les spectres, les revenants. Il est, plus que jamais, hanté.

« Il y a beaucoup de vérité dans l'*Homme hanté* de Dickens. Connaissez-vous cet ouvrage ? Ni dans *Quatre-vingt-treize* de

Hugo, ni dans *l'Homme hanté,* je ne me retrouve tout à fait moi-même — parfois tout est à l'envers — mais il reste beaucoup de choses qui se sont passées en moi et qui se réveillent quand je lis, ses personnages sont des résurrections », écrit-il à Van Rappard.

Qu'allait-il chercher à l'écoute du souffle inspiré de Dickens, dans ce conte aux scansions souvent échevelées, aux rythmes éperdus et contrôlés, si évocateurs, envoûtants, qui annoncent Faulkner ? Que retrouvait-il dans la liberté prise par un Shakespeare, un Dickens ici, ou par un Edgar Poe — d'insérer le fantasmatique, sous forme de fantastique, dans le quotidien ? De donner voix humaine, banale et perceptible — une langue familière — aux êtres spectraux ? Ce qui est autre chose — plus subversive et brutale — que de travailler les mythes ou les textes sacrés — la présence de l'absence, représentée par des formes qui ne peuvent passer à l'action, mais qui ont le pouvoir d'inhiber — au lieu que les mythes, les religions mettent en scène, activent et recensent le refoulé.

Dickens, avec une science innée de l'*inquiétante étrangeté,* sait, techniquement, faire se côtoyer, s'interpénétrer l'intime, le banal et le visionnaire et les maîtriser, mettre dans le même champ le trivial, l'insensé. S'il ne pratique pas l'analyse, l'interprétation, il y a là, néanmoins, perception du refoulé, repérage de la forclusion, de l'interdit. Et déblocage, non par des commentaires, ni de la théorie, mais par l'écoute, le regard, à travers le récit. Les éléments forclos ont la faculté de passer dans les régions de l'inconscient. Le pire, le non-résolu (même par les mythes, les religions), émerge, à peine déguisé, avec son impact d'horreur et d'abjection, qui en appelle, chez les protagonistes du récit comme chez le lecteur, au processus mental capable de percevoir l'insoutenable et de le refuser, de le refouler. De le faire entrer dans un langage, celui de l'inconscient. Il n'y aura pas métaphore, mais mensonges avoués. Ce n'est pas l'adhésion qui est requise comme les mythes, les religions, mais la résistance. A cette résistance Vincent adhère si bien, qu'il s'y « retrouve ».

Déjà, les illustrations qui ornent le frontispice et la page de garde de la première édition ont pu bouleverser Van Gogh.

D'ailleurs J. Tennie, le dessinateur, faisait partie des artistes anglais qu'il admirait et dont il achetait souvent des reproductions.

Sur le frontispice, une troublante représentation de doubles évoque l'ombre de Théo, jamais absente, et qui servait d'écran à l'homonyme dont Vincent, qui se disait « toujours secondaire », n'était jamais coupé.

A la faible lueur de l'âtre deviné, un homme âgé, aux cheveux longs, à la longue silhouette souple et sombre, est assis, voûté, le menton appuyé sur la paume d'une main. Derrière lui, debout, une silhouette identique, comme l'ombre pâlie d'une ombre, est penchée, voûtée, le menton appuyé sur la paume d'une main, son double impressionnant.

Le dessin en forme de cercle, est entouré de légions d'anges et de démons juvéniles qui luttent entremêlés, et forment, autour du couple lugubre, comme une couronne d'épines.

Sur la page de garde, le dessin, toujours à l'intérieur d'un cercle formé cette fois par le titre : *l'Homme hanté ou le marché du fantôme*, représente un enfant de trois ou quatre ans, tenu au-dessus du sol (comme envolé debout) par deux figures. L'une est une jeune femme aux ailes blanches, à la tunique blanche, au visage clair entouré de longs cheveux ; l'autre, silhouette presque noire, homme ou femme, disparaît dans des voiles ou un suaire sombre qui recouvre jusqu'à ses cheveux ; celui-là ou celle-là cache son visage sauf les yeux de son bras replié qui retient les draperies de son ample vêtement. De l'autre main, il ou elle agrippe le poignet de l'enfant.

Quel enfant, aux prises avec le noir et le blanc et l'ambiguïté de leur apparente opposition ? Le premier Vincent Wilhelm emporté dans les limbes et partagé entre le désir d'être ange ou démon ?

Le double, cette paire d'hommes identiques, s'est-il dédoublé pour former, non plus un duo, mais un duel, opposant le noir et le blanc, le masculin et le féminin, néfastes ou bénéfiques, et qui entourent et se disputent un enfant ? Mais lequel ?

Et lequel des deux éléments du double fut-il cet enfant ? Et cet homme, qui est-ce, dont « tout le monde disait qu'il semblait hanté » ? « Cet homme qui vit dans une demeure solitaire, semblable à un caveau[1] ? »

C'est M. Redlaw (loi rouge), un vieux savant, un professeur, que nous découvrons d'abord seul. Seul ? « Sûrement, il ne pouvait y avoir aucune silhouette penchée sur le dos de sa chaise ; aucun visage regardant par-dessus sa tête, aucun pas furtif n'avait pu frôler le sol ; il n'y avait aucun miroir où sa forme aurait pu imprimer son ombre — mais Quelque Chose était passé, obscur, et avait disparu. »

On est à la veille de Noël. Pas n'importe quand. Pour Vincent non plus.

William et Milly Swidgers, gardiens de la vieille fondation où M. Redlaw vit, cherche et enseigne, viennent servir son dîner dans la grande salle, moitié laboratoire, moitié bibliothèque qui est son lieu de séjour. Le père de William, le vieux Philip Swidgers, les accompagne, « heureux et joyeux » d'avoir quatre-vingt-sept ans, et de se souvenir de tant de choses tristes ; de sa mère défunte, de sa femme morte, d'un fils aîné déchu.

Ce soir, comme à chaque veille de Noël depuis tant d'années, il vient décorer la vieille maison de guirlandes de gui et de houx, selon le vœu d'un des fondateurs qui, au temps de la reine Elisabeth, a laissé un legs à cet effet, et dont le portrait orne un des murs. C'est un gentilhomme au visage paisible, à la barbe en pointe, une fraise à l'ancienne autour du cou et, sous ce tableau, sur un parchemin, s'inscrit en vieux caractères anglais : « *Lord Keep my memory green* » ; mot à mot : « Seigneur garde verte ma mémoire », soit « Seigneur garde ma mémoire vive ».

Comme dans les histoires de fantômes, la chambre devint plus froide à l'approche de l'événement parapsychologique. Et, tandis que la pièce s'obscurcit davantage, il est question dans les propos de William et Milly de « Lui — vous savez. En bas du bâtiment ».

« Pourquoi n'ai-je jamais entendu parler de lui ? demanda M. Redlaw.

« — Il ne voulait pas être connu de vous. »

Toute l'histoire, ou plutôt les histoires, qui composent le conte, s'articulent autour de la mémoire, de l'oubli et du refoulé.

---

1. Charles Dickens, *L'Homme hanté* (The Haunted Man, Penguin).

Milly reprend : « Il est pauvre, solitaire. Négligé. Comme il fait sombre. »

« — Quoi d'autre à son propos [1] ? »

Cet après-midi, l'étudiant parlait dans son sommeil « de quelqu'un qui était mort et d'un tort très grave commis envers lui ou envers un autre, mais non par lui, et qu'on ne pouvait jamais oublier ».

Milly s'exclame : « Comme il fait sombre, très sombre. La chambre devenait de plus en plus froide et de plus en plus obscure et les ténèbres et les ombres rassemblées derrière la chaise s'alourdissaient. »

Mais l'étudiant ne suffit pas au dévouement de Milly, qui le soigne ; ce soir même, elle a trouvé « une créature plus semblable à une bête sauvage qu'à un jeune enfant, et qui frissonnait au seuil d'une porte ». Elle a pris *ça*, a séché *ça*, a nourri *ça*. Et « c'est » resté à fixer le feu, devant la cheminée des Swidgers, « à moins que *ça* n'ait fui » [2].

William et Milly s'en vont avec le vieux Philip qui leur recommande de prendre garde « aux longs passages obscurs, comme l'année dernière et l'année d'avant. Ah ! je me rappelle, malgré mes quatre-vingt-sept ans ! " Seigneur, garde ma mémoire vive. " Une très bonne prière » !

La porte se ferme derrière eux, la chambre devient plus sombre encore et « comme les ténèbres et l'ombre s'épaississaient derrière son dos, à l'endroit où elles s'étaient amassées, si noires, cela prit lentement — ou cela devint, par quelque procédé irréel, sans substance, et que les sens humains ne pourraient repérer — une horrible ressemblance avec lui-même, l'effroyable apparence d'une existence, muette, sans mouvements. Comme il posait le bras sur celui de la chaise [3], *ça* se

---

1. Charles Dickens, *op. cit.*
2. Le genre neutre sert le texte anglais qui joue sur le « it » neutre affecté au fantôme ou à l'enfant — ce qui les situe bien tous dans la même région supranaturelle (encore que le garçon soit en chair et en os, mais, pourrait-on dire, sans âme), tandis que les autres, Redlaw en particulier, ont droit, naturellement, au *he* ou *she* (il ou elle). En anglais, l'expression d'*inquiétante étrangeté* est accentuée par le fait qu'on lit « l'a pris, l'a séché, l'a nourri ».
3. Il s'agit donc d'un fauteuil. Mais fauteuil se dit *arm-chair* en anglais et chaise *chair*. Dickens utilise, comme il arrive souvent, le mot *chair* pour

174

pencha sur le dos du siège, tout contre lui, telle une terrible reproduction. C'était ça le Quelque Chose qui avait passé et fui ; c'était *ça,* le compagnon effroyable de l'homme hanté ».

M. Redlaw s'adresse à son vieux fantôme, sans se douter qu'un être bien pire va peser sur sa vie.

« Encore ici ! dit-il.

« — Encore ici ! répondit le fantôme.

« — Je te vois dans le feu », dit l'homme hanté. « Je t'entends dans la musique, dans le vent, dans la tranquillité des nuits. Pourquoi viens-tu me hanter ?

« — Je viens lorsqu'on m'appelle.

« — Non. Sans être appelé.

« — Alors, sans être appelé. Je suis ici. »

Ils sont là, « l'homme vivant et l'image animée de lui-même mort. Vision affreuse dans le coin le plus reculé, le plus solitaire d'un amoncellement de bâtisses, par une nuit d'hiver, avec le vent strident qui poursuivait son mystérieux voyage — d'où, vers où, nul homme ne le sut jamais depuis le commencement du monde — et les étoiles, par millions inimaginables, scintillaient dans les espaces éternels ».

Alors, sous cette nuit étoilée, le spectre parle. Le double (mort, comme le premier Vincent) d'un Redlaw ou d'un Vincent animés, et sous l'emprise de ce mort. Et le double se plaint :

« Regarde-moi ! Je suis lui. »

Qui est « lui » pour Vincent ? Ce « lui » dont parle son double mort ?

« Je suis lui. Négligé durant ma jeunesse, lamentablement démuni, et qui a lutté, souffert et lutté et souffert encore, jusqu'à ce que j'aie exhumé le savoir, de la mine où j'étais enterré.

« — Je suis cet homme, répondit Redlaw. »

Et Vincent pourrait reprendre cette réponse, en écho — Vincent qui a été jusqu'à la mine à la recherche de l'autre, vers l'autre. Et pour savoir ce que sait cet autre, le double de son

---

indiquer aussi un fauteuil. Le mot « chaise » ayant un sens particulier chez Dickens pour Vincent, je conserve ce terme. A noter que sur la première lettre, écrite en hollandais, où il est question de *La Chaise vide* de Dickens par Fildes, les mots *The Empty Chair* sont écrits en anglais, seuls sur une ligne, en plus gros caractères que ceux du reste de la page.

175

nom ; pour savoir, pour reconnaître, ce double, pour devenir le double de ce double, enterré à Zundert, qui n'a pas atteint la vie. Cette vie dont Vincent détient, peut-être, l'apparence seulement. Dans quel sens se reflètent-ils ces doubles ? « Parfois tout est à l'envers ! »

Mais le spectre poursuit — parle-t-il de la famille Van Gogh ? — : « Mes parents étaient de ceux dont les soins prennent fin très vite et qui laissent aller tôt leurs enfants, comme font les oiseaux ; si les enfants réussissent, ils en réclament le mérite et s'ils échouent, ils se font prendre en pitié. » Il poursuit encore, mais de qui parle-t-il ? de Vincent et Théo ?

« Je suis lui. Celui qui, dans sa lutte pour remonter, s'est fait un ami. Je l'ai fait — je l'ai séduit — je l'ai lié à moi. Nous avons travaillé ensemble, côte à côte. Tout l'amour et la confiance qui n'avaient pas trouvé d'issue dans ma première enfance, ni trouvé d'expression, je les investis en lui.

« — Non, pas tout l'amour, répondit Redlaw, avec brusquerie.

« — Non, pas tout l'amour. J'avais une sœur.

« — J'en avais une, répondit l'homme hanté. »

Mais cette sœur, le meilleur ami l'a conquise. « Je la vois dans le feu. Je l'entends dans la musique, dans le vent, dans la tranquillité des nuits. »

Ce double, frère et sœur à la fois ? Un jour, à Van Rappard, Vincent écrit qu'on les néglige tous deux en tant que peintres comme s'ils étaient « frère et sœur ». Féminin et masculin, le double de Redlaw !

L'ami, d'abord accepté par le frère comme époux de sa sœur, car ils formeront, croit-il, un trio, écarte, en fait, Redlaw, « passant entre moi et le nœud du système de mes espoirs et de mes luttes, il la prit pour lui seul et détruisit ainsi mon frêle univers ».

Abandonnée avec un fils par l'ami, la sœur est morte. « Aussi », ricane le fantôme, « je porte en moi une douleur et un tort ».

Sous le persiflage du spectre, le savant bondit et porte une main à la gorge « de son autre soi ».

« Pourquoi toujours, toujours des sarcasmes dans mes oreilles. »

Parmi toutes les causes qui ont pu porter Vincent à se couper l'oreille, il est évident qu'entrent des hallucinations auditives, qui se répéteront au cours des crises suivantes, et aussi le désir de ne plus entendre. Quoi ? Mauve, singeant sa voix ? « Théo, j'ai des oreilles pour entendre ! » Pa, criant : « Va-t-en » ? Le pasteur Laurillard suppliant de le « délivrer du cadavre de ce mort » ? Kee répondant : « Jamais, non, jamais de la vie » ? Ou bien le silence de la voix des nourrices ? Voix de Leen Veerman, qui ressemblait à la voix de Sien, et toutes deux tues ? Ou les persiflages, les murmures d'un spectre ? La voix de Théo, forclose aux mots qu'il pourrait et ne peut prononcer ? Ou la voix de Gauguin ?

« Si je pouvais oublier *my sorrow,* ma douleur et ma faute, je le ferais », répète le fantôme. « Si je pouvais oublier ma douleur et ma faute.

« — Esprit démoniaque de moi-même », répondit l'homme hanté, d'une voix tremblante et basse, « ma vie est obscurcie par ton murmure sans fin.

« — C'est un écho, dit le fantôme. »

Il propose alors un marché. Pas même un marché, un don. Celui d'oublier. Il offre à l'homme hanté d'oublier *the sorrow, the wrong :* La douleur et la faute[1]. Il ajoute aussi : les difficultés. Mais il assure que Redlaw n'oubliera rien de sa science, ni du résultat de ses recherches. Il perdra seulement cette part de la mémoire et de l'oubli où Freud allait, à la fin du siècle, trouver du sens enfoui, et que déjà le spectre et Dickens définissent, en 1853, en ces lignes que Van Gogh lisait presque chaque année : « La chaîne enchevêtrée des sensations et des associations, chacune dépendante à son tour des autres et par elles nourries. Les souvenirs reniés. Les souvenirs bannis. »

Dickens met à jour le refoulé. Le spectre offre le refoulement.

L'homme hanté se rend. « Je voudrais oublier si je le pouvais. Suis-je le seul à le penser, ou cela fut-il la pensée de milliers et de

---

1. *Wrong* veut à la fois dire faute et torts (subis ou imposés).

milliers, génération après génération ? Toute la mémoire humaine est lourde de douleur et de difficultés. »

Alors, devant le consentement de M. Redlaw, le spectre le délie, renonce à le hanter. Mais il ajoute que tous ceux qu'approchera l'homme, désormais dénué d'une certaine mémoire, en seront eux aussi dépouillés. « Le cadeau que je t'ai fait, tu le donneras à ton tour ; va où tu veux. »

Le fantôme s'évanouit. Redlaw n'est plus hanté. Il n'a plus de mémoire. Du moins pas celle de la douleur, de la faute et des difficultés.

Le spectre a disparu. Mais le vrai revenant va faire son entrée. Le double véritable.

A la seconde qui suit le départ du fantôme familier, « un cri strident atteignit les oreilles » de l'homme qui n'est plus, en principe, hanté. Redlaw crie en réponse et un cri lui répond et, de cri en cri, il approche le cri.

Il va dans la salle voisine.

« Holà », cria-t-il « Holà ! Par ici ! Viens à la lumière ! »

Alors apparaît le « secret de Vincent qui craint la lumière ». Alors, au lieu du spectre, du double à la forme identique, surgit l'image de l'oubli. De ce qui est oublié. De ce qui, sans mémoire, ne peut oublier. La forclusion. Ce qui, forclos, forclot : quelque chose se faufile comme un chat sauvage et va se tapir dans un coin.

« Un petit tas de lambeaux tenus dans une main, qui, de par sa taille et sa forme était celle d'un enfant, mais, de par son cramponnement avide et désespéré, celle d'un vieil homme méchant. Un bébé sauvage, un jeune monstre, un enfant qui n'avait jamais été un enfant. »

Alors Redlaw fait un effort « pour se rappeler quelque chose — il ne savait quoi — ce qu'il faisait là, d'où il venait ». Cet « objet monstrueux » tente d'échapper à Redlaw, qui le retient par ses haillons.

« Quel est ton nom ?

« — Je n'en ai pas.

« — Où vis-tu ?

« — Vis ! Qu'est-ce que c'est ? »

Dialogue rêvé ou redouté par Vincent, avec un enfant qui, la vie, ne sait pas ce que c'est? Ou encore, familier? Avec un enfant qui n'avait jamais été un enfant ; un bébé monstrueux. L'enfant retourne vers la femme, vers Milly.

Les spectres sont partis. Redlaw demeure seul dans cette affaire de double, d'homonymie, de mort et de reflet. D'exclusions, de possessions, de fatales promesses. Dans cette affaire d'oreilles, d'étoiles et de *sorrow*. Il est assis, le visage caché dans les mains, comme s'il avait peur de lui-même « car, désormais, il était vraiment seul. Seul, seul ! ».

L'homme hanté, qui ne l'est plus, vit étranger à lui-même, comme dans un rêve, sans plus d'intérêt pour rien. « Mon âme devient aveugle. » Il est la proie d'une apathie monotone et froide, qui le fait ressembler « à l'image de marbre au-dessus de la tombe » de l'homme qu'il était avant d'avoir accepté la promesse du spectre.

« Rendez-moi à moi-même », éclata Redlaw, tel un fou. « Je suis contaminé ! Je suis contagieux ! Je suis infecté de poison ! » Car il sème autour de lui, chez tous, l'oubli, l'indifférence, chaque fois désastreux. Mais un être, un seul, échappe à son influence : la « chose odieuse, monstrueuse et sauvage ». Le garçon. Redlaw va donc trouver cette « chose impénétrable, à l'image d'un enfant ». Mais le garçon se débat. « C'est la maison de la femme, pas la tienne. »

Quelques *pence* le décident à guider Redlaw « où tu voudras », précise celui-ci, car cela sera, il en est certain, vers des gens mauvais et misérables à qui, Redlaw, très Van Gogh, pourra faire du bien !

« La chose sauvage » le guide. Trois fois, ils se trouvent côte à côte ; trois fois, Redlaw voit le visage du garçon et frissonne en y découvrant le reflet du sien. La première fois, c'est quand ils traversent un cimetière, parmi les tombes où Redlaw ne retrouve plus aucune pensée douce, tendre et consolante. La deuxième, c'est quand la lune apparaît et, dans toute leur gloire, sa cohorte d'étoiles, mais elles n'évoquent plus rien en lui, sinon leurs noms donnés par les sciences humaines. La troisième fois, il entend le vent, qui n'a plus de mystère.

Chaque fois, dans cette autre nuit étoilée, il découvre avec horreur que, malgré leur distance intellectuelle, malgré leurs

179

différences physiques, l'expression sur le visage de l'enfant est celle inscrite sur son propre visage. Ils arrivent enfin où l'enfant le conduit. Le garçon s'introduit dans une vieille maison en rampant dans la poussière et va s'abriter sous la plus petite voûte.

Ici, où tout est *sorrow*, celui qui apporte l'oubli ne saurait être néfaste.

Redlaw aperçoit une femme comme abandonnée, assise sur les marches de l'escalier, exactement dans l'attitude de Sien posant pour *Sorrow*. Elle n'est pas nue, elle n'est pas dite enceinte, mais sa tête penchée rejoint ses mains et ses genoux.

« Qu'êtes-vous ? » demande Redlaw. Elle relève son visage assez jeune, mais dont toute fraîcheur a été balayée. « Qu'est-ce que vous croyez », répond-elle, et elle rit. Redlaw (loi rouge) regarde « ce temple de Dieu en ruine » et quelque chose, qui n'est pas de la compassion, mais qui en est proche, l'envahit lorsque, sans le vouloir, il la fait sangloter, et qu'émerge ce qui reste encore en elle de féminin. Et Redlaw fuit, ne voulant pas supprimer « la dernière perversion et distorsion du bien chez cette malheureuse, toute *sorrow*, faute et difficultés ».

Rentré chez lui, l'homme qui n'est plus hanté regarde l'enfant, « cette créature qui le terrifiait tant ». Il songe : « Cette chose est le seul compagnon qui me reste sur terre. » Le seul qui restera à Vincent ; le seul fidèle à lui, sa vie durant. « Fantôme ! Punisseurs de pensées impies ! Ombres de mon ombre », implore Redlaw. « Esprit de mes heures sombres ! Venez, hantez-moi jour et nuit, mais délivrez-moi de ce don ! » Car mieux valent la douleur, la faute, les difficultés, que ce maléfice-là. Alors, comme il est assis à nouveau près du feu, dans l'attitude des vieillards au bout du désespoir représentés par Van Gogh, penchés, la tête dans les mains — une musique de Noël soudain l'émeut. Derrière le garçon endormi à ses pieds apparaît le fantôme, horrible toujours, moins cruel semble-t-il. A ses côtés, la forme de Milly regarde l'enfant avec pitié.

« Terrible instructeur », demande Redlaw, « pourquoi le garçon a-t-il, seul, résisté à mon influence et pourquoi, pourquoi ai-je décelé dans ses pensées une terrible affinité avec les miennes ?

« — Ça », et le fantôme désigna le garçon, « c'est la dernière et la plus complète image d'une créature humaine, totalement dépourvue de la mémoire que vous avez chassée. Aucun souvenir apaisant de faute ou de difficulté n'entre là, car ce misérable mortel est, depuis sa naissance, abandonné à la pire condition des bêtes. Tout n'est qu'espace sauvage et nu dans cette créature désolée. Et dans un homme dépouillé de ce à quoi vous avez renoncé, tout participe du même espace sauvage et dénudé. Malheur à cet homme ! Malheur, dix fois, à la nation qui compte des monstres tel celui qui est allongé là, par centaines et milliers. »

Et devant Redlaw, horrifié, le fantôme reprend : « De chaque graine de mal enfouie dans ce garçon, un champ de ruines pousse, qui sera moissonné, engrangé et semé à nouveau dans tous les lieux du monde, jusqu'à ce que les régions soient infestées d'assez de méchanceté pour faire monter les eaux d'un nouveau Déluge. » Etrange blé, moisson étrange ! Et quel semeur ! « Il n'y a pas un père, pas une mère qui ne soit responsable de cette atrocité. Il n'y a pas un pays sur la terre auquel il n'apporterait pas la malédiction. Il n'y a pas une religion qu'il ne nierait pas ; il n'y a pas un peuple sur terre auquel il n'apporterait pas la honte. »

Alors le savant regarde, tremblant de crainte et de pitié, l'enfant que le doigt du fantôme indique. « Voilà ton choix », poursuivit le fantôme. « Ton influence est sans effet ici car, du sein de cet enfant, tu ne peux rien bannir. Tes pensées sont en terrible affinité avec les siennes parce que tu as rejoint son niveau anormal. Il provient de l'indifférence humaine ; toi, de la présomption humaine. Vous vous rejoignez, venus des deux pôles du monde immatériel. » Redlaw fond de pitié devant l'enfant semblable à lui et qu'il ne peut plus abhorrer.

Et si quelqu'un avait parlé à Vincent de l'horreur, du péché de cet enfant et si Vincent s'était réconcilié avec l'image infernale de lui-même, peut-être eût-il, comme Redlaw, connu la guérison.

Bientôt, avec Noël, les diverses intrigues (trop longues à raconter ici) se résolvent. C'est la conclusion, si satisfaisante, que se permettaient les auteurs autrefois ; tout le monde se découvre le père, le fils, la fille de qui il faut pour que ça finisse bien. Mais ici, étrangement, l'enfant, reste en suspens. Sa venue abrupte n'est pas expliquée, ni sa présence autistique.

M. Redlaw, lui, a été tout à fait guéri de son amnésie partielle par Milly, aux genoux de qui il s'est jeté lorsqu'elle a raconté avoir eu un enfant... mort-né, et s'être réjouie de pouvoir s'en souvenir en songeant qu'une créature de lumière, au ciel, l'appellerait « maman » (!!!). Ce « cher petit enfant sur lequel nous avions bâti tant d'espoirs, et qui n'a jamais respiré le souffle de la vie. Je pense à lui chaque jour. Cette petite chose innocente qui n'a jamais vécu sur la terre est comme un ange pour moi ».

Désormais l'autre « chose » — innocente elle aussi autrement, trop innocente, et par là si dépravée — remplace l'ange et accompagnera Milly.

Mais qui accompagne Vincent ? L'ange à la voix de Pa ou la « chose » de Zundert ? Et qui accompagne Moe ? La « chose » de Zundert, enterrée, ou la « chose » qui a remplacé le premier Vincent, le seul légitime ? Ce deuxième Vincent, qui circule, suspect ?

A la fin du conte, tous les protagonistes sont assemblés autour d'un succulent repas de Noël (ces Noëls si fatidiques pour Vincent) : « Il était triste de voir l'enfant sans nom et sans lignée regarder les autres enfants qui jouaient, sans savoir comment leur parler ou se divertir avec eux. Plus étranger à eux qu'un chien sauvage. »

A travers la bestialité, Vincent rejoint la créature dont le spectre affirmait qu'elle « pourrait vivre, peut-être, et prendre l'apparence extérieure d'un homme, mais, à l'intérieur elle vivrait comme une bête ». L'enfant, « habitué à être tourmenté et chassé comme une bête », menace d'ailleurs Redlaw : « Si tu me bats, je te mords. »

A son arrivée à Nuenen, mal reçu, Vincent va se comparer avec une violence impressionnante à une bête. Un chien hirsute. Ultime degré atteint auprès de Milly par la chose-enfant :

« On hésite à m'accueillir à la maison, comme on hésiterait à recueillir un grand chien hirsute. Il entrera avec ses pattes mouillées — et puis, il est très hirsute. Il gênera tout le monde. Et il aboie bruyamment.

« Bref — c'est une sale bête.

« Bien — mais l'animal a une histoire humaine et, bien que ce ne soit qu'un chien, une âme humaine. Qui plus est, une âme humaine assez sensible pour sentir ce que l'on pense de lui, alors qu'un chien ordinaire en est incapable.

« Quant à moi, je veux bien admettre d'être un chien : cette maison est trop bonne pour moi ; Pa, Moe et toute la famille sont singulièrement distingués (en revanche, point sensibles du tout — et — et — ce sont des pasteurs — que de pasteurs !)

« Le chien comprend que si on veut le garder, ce serait pour le supporter, le tolérer dans cette maison ; par conséquent, il va essayer de trouver une niche ailleurs. Oh ! ce chien est le fils de notre père, mais on l'a laissé courir si souvent dans la rue qu'il a dû nécessairement devenir plus hargneux. Bah ! Pa a oublié ce détail depuis des années. A vrai dire, il n'a jamais réfléchi à ce qu'est le lien entre père et fils.

« Et puis — il se pourrait que le chien morde, qu'il devienne enragé et que le garde champêtre doive le tuer d'un coup de feu. »

Quel garde-champêtre fut Vincent ? Sur quel chien tira-t-il dans les champs de blé ?

Au temps de leur amitié, Mauve lui affirmait qu'il se trouverait lui-même en consacrant ses forces à l'art, en en pénétrant le sens. Eh bien, il s'est trouvé : « Je suis un chien... Le chien berger hirsute dont j'ai essayé de te brosser l'image dans ma lettre d'hier — c'est bien mon caractère et la vie de cet animal est ma vie. » Il se rappelle alors cette promenade au moulin de Rijswijk, il y a plusieurs années et les deux frères qui pensaient et croyaient à l'unisson. Ces deux frères, il les revoit l'été dernier, si différents, qui marchent côte à côte dans les rues de La Haye. « L'un dit : Je dois tenir un certain rang, je dois rester dans le commerce, je ne crois pas que je serai peintre. L'autre dit : Je vais devenir un chien, je serai pauvre, je continuerai à peindre et je demeurerai un être humain — au sein de la nature. » Contradiction involontaire. Mais en était-ce une de prétendre vivre l'animalité humaine ? la brutalité d'un corps

183

vivant, capable de percevoir, d'éprouver un monde vierge du trafic de « toutes les langues du monde » dans lesquelles Van Gogh s'est tu ?

Deux hommes, deux écrivains au cours de leur combat contre le père seront passés à l'ordre animal : Kafka, muté en cafard, Vincent en chien. Kafka aurait pu, comme Vincent, s'écrier : « Peut-on toujours se comporter comme si un père n'existait pas ? »

Peut-on se comporter comme si la douleur, le trouble, les difficultés n'existaient pas ? comme si la mort n'avait pas précédé toute vie ? comme si, dès la naissance, la rigidité hagarde du cadavre, le non-sens de ce double hallucinant, de cet étrange étranger n'était pas déjà présent, omnipotent, dans une zone d'ombre, et toujours murmurant à son reflet, pour un temps si bref animé, ses sarcasmes devant sa conviction d'exister ?

Peut-on abroger cette mémoire antérieure à notre naissance et qui, déjà, projette notre mort ? Peut-on vivre en oubliant la mort ? Peut-on faire mourir la mémoire, donner vie à l'oubli ?

Dickens ne pose pas ces questions, mais elles sont implicites dans ce récit, et tandis que tous festoient, à la fin, y compris l'enfant-chien, Dickens conclut : « De tout cela, *je* ne dirai rien, sauf ceci : rendu plus grave encore par le feu qui flambait dans la cheminée, depuis l'obscurité des boiseries sombres, le visage paisible du portrait à la barbe les regardait comme eux le regardaient ; clairs et nets, au-dessous des portraits, comme émis par une voix, s'inscrivaient les mots : " *Lord, keep my memory green* " — Seigneur garde ma mémoire vive. »

Celle de Vincent, telle une blessure demeurera à vif, mais lui, le blessé, n'aura de cesse qu'elle se ferme. En lui demeurera tapi l'enfant-vieillard, l'enfant mort, l'enfant tué par la naissance et qui la tue. L'enfant forclos. L'image plus ou moins « animée de lui mort ».

Mais puisque, dans le conte, il reconnaît que pour lui, Vincent, « tout est parfois à l'envers », il tentera, à partir de cette image de la mort, d'animer celle de la vie. Renversant le rôle des doubles, il sera le double mort qui regarde le vivant : l'homme mort qui regarde l'image inerte de lui vivant. Et, comme il y a identité de ces doubles, dans l'image inerte du vivant, le vivant anime encore l'image.

Au point de rencontre de l'inerte et du vivant, de l'homme vivant et mort, de l'image et de ce qui s'y reflète, s'inscrit l'espace de la toile, d'abord amorphe, qui a « un air imbécile » et qui, devenue tableau, s'avive « comme une apparition », comme une résurrection, comme un signe de vie. « La peinture est un monde en soi. »

Elle est ce lieu qui maintient la disparition, qui fait apparaître le semblant du semblant qu'est la vie. Elle est ce qui fait retourner la vie à la matière, laquelle par là se réanime. Elle devient un organisme vivant, qui ne répond pas aux lois de l'interdit, qui ne répond pas de la même mort que son créateur, ni du même type de naissance. Naissance non biologique, hors la pratique incestueuse opérée par deux êtres de la même espèce. Elle est, comme tout texte, témoin de la vie dont nous prive l'existence.

A Nuenen, Sien effacée, Vincent devient, à nouveau, l'homme hanté.

S'il dessine un tisserand, il prévient Van Rappard : « Dites-vous bien qu'il y a là, dans cette ambiance, un singe noir, ou un gnome, ou un spectre, qui fait claquer ces lattes du matin au soir. Lorsque j'eus assez soigneusement mis la dernière main au dessin, je trouvais si insupportable de ne pas entendre claquer les lattes, que j'y ai mis le spectre. Bon. Je veux bien, c'est le dessin d'une machine. Mais veuillez le mettre à côté de l'épure du métier. Le mien aura davantage l'air d'un dessin hanté. »

S'il faisait un portrait, comme le souhaite Van Rappard, « le petit spectre noir devrait être le centre, le point de départ, le détail le plus senti et le mieux achevé, tandis que tout le reste devrait lui être subordonné ». En attendant ce portrait, il envoie à Van Rappard un *Jardin hivernal* « qui m'a fait tant rêver. Depuis lors, j'en ai fait un autre. J'y ai également mis un petit spectre noir qui n'est pas un exemple à suivre pour la structure du corps humain, c'est une simple tache ».

Pourrait-on déceler d'autres spectres dans certaines toiles de Van Gogh ? La dernière qu'il mentionne, quatre jours avant son suicide, un jardin encore, *le Jardin de Daubigny,* il en termine la description par : « Un banc et trois chaises, une figure noire à chapeau jaune et sur l'avant-plan un chat noir, ciel vert pâle. » Les cyprès, qui le fascineront tellement (comme le contraire et l'équivalent des tournesols) seront « la tache noire ». Spectres, les corbeaux noirs, en forme de V et de W, signant un monde forclos ? Ou encore la signature *Vincent,* sur le coffre-cercueil, derrière la chaise vide ou la même signature sur un autre coffre, fermé, au premier plan d'une toile représentant quelques barques — sur l'une d'elles est inscrit le mot « Amitié » ? Ou encore — le vide ? Celui de sa propre chaise, celui du fauteuil de Gauguin ? Ou même, l'absence de celui que la Berceuse ne berce pas ? Et, peut-être, pourquoi pas ? les autoportraits !

Avec le spectre revient Pa, l'homme des églises, des cimetières, en relation avec l'au-delà, mais une relation sinistre, celle du rayon noir : « Le caractère de Pa est noir — rayon noir — je te l'ai rappelé un jour. » Il « manifeste une espèce de dureté de fer et de froid glacial — il me fait penser à du sable sec, ou à du verre ou à du fer-blanc, malgré sa douceur apparente ». Ce qu'il en est d'être une figure paternelle ! Ce petit pasteur borné, ce faible, ce tyranneau domestique, ce « joli révérend » méprisé par la hiérarchie, cet homme charmant, dont Moe semble encore amoureuse et à qui le chant des oiseaux, dans le jardin, donne envie de siffler, ce père qui lit à haute voix, le soir, à ses grands enfants, *Nicolas Nickleby,* du cher Dickens, devient un phénomène apocalyptique, insurmontable. Un de ces êtres qui paralysent « comme une chape de plomb » car « la lumière en eux est noire et répand de l'obscurité et des ténèbres autour d'eux ». Effets sataniques, tant prisés des écrivains de ce temps ; sperme glacial du diable, fatal au premier Vincent. Pa est « irrémédiable ». Il est la part sénile de la main enfantine dans le conte de Dickens.

« Tu estimeras », remarque Vincent à l'adresse de Théo, « que je vois tout en noir. Notre vie est une réalité terrible et nous déambulons dans l'infini ; ce qui est est... Voilà ce que je pense, les nuits où je ne trouve pas le sommeil ; c'est ce que je pense aussi quand je suis dans la bruyère, au milieu de la tempête, ou, le soir, enveloppé du triste crépuscule. Pendant la journée, dans la vie quotidienne. Je me sens parfois aussi insensible qu'un sanglier et je comprends parfaitement que les gens me trouvent grossier ».

En 1884, Van Gogh se croit de passage à Nuenen ; il ne se doute pas qu'il va y demeurer deux ans. La crise du retour s'exaspère avec la découverte d'une Sien malade et misérable qui, entre-temps, a été « notamment blanchisseuse » ; elle *avait* voulu donner de ses nouvelles, mais leur ancien voisin, menuisier, qui devait leur servir d'intermédiaire, avait cru bien faire en cachant à Sien les adresses de Van Gogh dans la Drenthe. « Sacré couillon, va ! » s'indigne Vincent.

Et puis, c'est le silence. Plus jamais le nom de Sien — est-ce une coïncidence ? — à partir du moment où Moe fait ce qu'il faut pour apaiser la tension excessive des siens : elle tombe. Et se casse le col du fémur. Vincent retrouve l'atmosphère du Borinage, se dépense auprès de la blessée qu'il soigne et que visite une voisine, Margot Begeman, elle-même toute dévouée aux nécessiteux des alentours. Elle a trente-neuf ans, un père méchant, un frère débonnaire et des sœurs jalouses, comme dans les contes de fées — mais elle n'a rien de féerique, encore qu'une photo la montre tout à fait jolie ; mais elle date, sans doute, d'avant la rencontre de Vincent, car il ne semble guère ému par Margot, pourtant douée d'une grâce qui manquait à Sien Hoornik ou à Kee Voss. Il regrette, d'ailleurs, de ne l'avoir pas connue plus tôt. « L'impression qu'elle produit sur moi est comparable à celle d'un violon de Crémone qui aurait été abîmé par des réparateurs incapables. »

Margot, elle, aime Vincent. Mais elle est l'éternelle vaincue. Par ses sœurs, son père.

Vincent ne précise pas comment il a été question de mariage, mais la famille de Margot leur demande d'attendre deux ans. Pour Vincent c'est « tout de suite ou jamais ». Il semble avoir un penchant pour « jamais ». Ce sera jamais, car les Begeman tiennent bon et malmènent Margot. Après une scène plus violente des siens, au cours d'une promenade avec Vincent, elle s'affale. Vincent croit à une crise de nerfs, mais elle suffoque, se tord de douleur. Souvent, au cours de ce qu'il appelle « nos paisibles promenades », elle lui a confié : « Je voudrais mourir en ce moment. » Il n'y avait guère prêté attention alors, mais s'en souvient à présent et demande : « As-tu avalé quelque chose ? » Elle crie : « Oui ! » et le supplie de ne prévenir personne. Vincent accepte à condition qu'elle vomisse ; il lui met les doigts dans le gosier, parvient à ses fins et l'emmène non pas chez M. Begeman et ses filles, mais chez le frère compatissant. Un médecin de leur connaissance accueille Margot chez lui, où sa femme pourra s'occuper d'elle pendant plusieurs jours. La dose de strychnine avalée par Margot s'avère trop faible et elle y a ajouté du laudanum, ignorant que c'est un contrepoison ; très malade, atteinte de dépression aiguë, elle ne mourra pas. On parvient à étouffer le scandale. La désespérée se résigne à l'être. Vincent observe cela de loin, protecteur, certes, mais surtout de lui-même. Margot lui rappelle Mme Bovary ; hélas ! pas la seconde : la première, « celle dont on ne dit presque rien, sinon comment et pourquoi elle mourut — en apprenant une nouvelle désastreuse concernant sa fortune ». La nouvelle n'a pas été pour Margot de cette sorte, « mais la manière dont on lui a reproché son âge, ainsi que d'autres choses similaires ». Et la manière dont Vincent, involontairement, par son indifférence conforta ces reproches !

« Qu'est-ce que ce rang social, qu'est-ce que c'est que cette religion dont les gens honorables tiennent boutique ? Oh ! Ce sont des absurdités qui transforment la société en espèce d'asile d'aliénés, en un monde à l'envers. Ah, ce mysticisme », moralise Vincent. Mais de quel côté se trouve-t-il ici ? Il n'aime pas Margot. Il n'y peut rien. Mais son malheur à elle ne tient à rien d'autre. Aucune famille, aucune sœur bienveillante ne pourraient l'en guérir.

N'est-ce pas plutôt la seconde Mme Bovary, Emma, que rappelle la pauvre Margot, lorsqu'elle déclare « triomphalement, comme si elle avait remporté une victoire et comme si elle avait trouvé la quiétude : Enfin, j'ai aimé ».

Touchante Margot ! Vincent est impressionné. Satisfait aussi : une fois de plus... il a fait le bien ! Il va pouvoir laisser derrière lui Margot Begeman, la seule qui l'ait passionnément aimé. Comment fut sa vie, ensuite, passée dans la campagne hollandaise, après cette défaite, parmi ses sœurs à nouveau, avec, sans doute, un sentiment de manque, au cours d'heures si longues et si décentes ? Il l'a tenue plusieurs fois en son pouvoir, explique Vincent à Théo, mais il l'a « respectée à un certain point de vue, afin que la société ne la tienne pas pour déshonorée », car il prévoyait la fin de cette histoire. Le médecin déclare qu'elle a toujours été un peu débile et qu'il vaut mieux pour elle la rupture qu'un mariage. Soulagé, Vincent remarque : « Briser la quiétude d'une femme, comme disent les gens férus de théologie (et parfois théologiens sans le savoir) signifie parfois mettre fin à la stagnation et à la mélancolie pires que la mort elle-même. »

Eugénie, Kee l'ont refusé. Il a délaissé Sien et Margot. Le compte est bon. Et puis, qu'est-ce qu'une Margot Begeman auprès d'un Pa ou d'un Théo! Là sont les vrais conflits passionnels. « La femme est la désolation du juste », a dit Proudhon? Vincent déclare que, « bien que les pasteurs en général, et Pa en particulier, ne soient pas des femmes », il trouve Théodorus tout aussi décourageant qu'elles, dans sa façon de parler et de se comporter.

Cette femme et ce juste dont, à l'époque de Sien, Vincent demandait « mais, d'abord, qu'est-ce qu'une femme et qu'est-ce qu'un juste? », traversent d'étranges avatars. Après avoir vu dans le rôle de la femme Pa et les pasteurs, Vincent songe à d'autres possibilités : « Ne pourrait-on pas répliquer *le juste est la désolation de la femme!* Pourquoi pas? On pourrait peut-être dire aussi : *L'artiste est la désolation du financier* et, à titre de réplique, *le financier est la désolation de l'artiste.* » Cherchez la femme, encore une fois! Vincent-Lady Macbeth, ou plutôt Dame aux Camélias, fait la désolation et se désole de Théo, financier! Et juste! Théo, notre couronne!

Devenu femme, Vincent désire rompre avec ce financier : « Je te propose de nous quitter à l'amiable » mais il ajoute... « dans quelque temps. » A Nuenen, Vincent pose le problème de son inféodation à Théo, qu'il trouve surtout trop froid, « d'une honorabilité glaciale ». Cette fois, c'est Théo qui va jouer le rôle féminin : « Si une femme ne veut plus de moi », se révolte Vincent, à propos de leur relation, « d'accord! Mais il est certain que j'irai me dédommager ailleurs ». Hélas! Où? Théo continue de ménager tout le monde et se garde bien d'aider son frère à se réconcilier avec Tersteeg et Mauve, malgré l'insistance de Vincent, qui le juge piteux.

A Nuenen, il travaille d'arrache-pied dans de mauvaises conditions. Tout juste toléré. Une ancienne buanderie lui sert d'atelier, qu'il décrit comme « une remise à charbon, avec égout et trou à fumier ». Or, il n'est pas du plâtre à jeter dans un seau à charbon — ou bien en est-il pour ses parents? Le considèrent-ils

190

véritablement né ? Comme un être de chair, vivant ? Ou bien comme l'immondice, le déchet ?

Vincent, blessé dans son orgueil par ce retour qui ressemble à une débâcle, fait le point. Il analyse, lucide, sa relation avec Théo. « Toi, tu te trouves au sommet. Ce n'est pas une raison pour te méfier de ceux qui sont en bas, de moi par exemple — je me propose d'ailleurs d'y rester, en bas. »

C'est bien le désir de Théo, « notre couronne ». Qui sait si ce désir n'a pas gouverné un manque d'effort chez lui pour faire connaître son frère, même si l'entreprise était malaisée et périlleuse, et s'il n'y croyait pas tant. Vincent le supplie : « Il faut que je me tire d'affaire, Théo ! » Mais il n'a plus confiance en lui, refuse de l'écouter comme un oracle et l'accuse de reculer, lui, bien avant le public, devant les travaux qu'il lui envoie. Vendre ses toiles est « au-dessous de la dignité de messieurs G. & Cᵒ, Van Gogh & Cᵒ ». Vincent désespère de cette fausse situation. Il ne peut traiter avec aucun marchand de sa connaissance comme avec un marchand. Tous sont des familiers. Ils ont tous des idées préconçues à son propos. Certes, Théo lui donne plus d'argent qu'il n'en obtiendrait, à présent, d'aucune galerie, mais il le coince dans cette situation. « Nous devrons bien rompre, du moment où je me rends compte que mes chances de vendre m'échappent parce que j'accepte ton argent. »

Cet argent sert à le tenir en laisse. A faire le silence autour de lui. A le maintenir en position d'assisté. C'est à Londres qu'en 1873, il y a une dizaine d'années, il copiait pour Théo un poème : l'Assisté, où « débouchait le sentier que le peintre suivait » tandis qu'à sa rencontre venait un chariot chargé « d'une moisson de blé noir » !

Vincent arrive au nœud du problème. Il n'y a pas association des deux frères, l'un peintre, l'autre marchand, ce qui n'aurait rien d'absurde. Mais une relation de charité. « Ton aide dégénère en protection... Théo, je ne veux pas être ton protégé. » Ce sont les derniers sursauts de l'animal traqué. Il dit attendre le salut de la misère la plus noire, la plus profonde. Mais peindre est un luxe ; la peinture, un métier qui ne peut

191

s'exercer dans la plus noire misère. Les châssis, les toiles, les couleurs sont chers.

Ils ont coûté à Vincent — Sien ! Il le sait. Il sait bien que Théo tire sur les cordons de la bourse lorsqu'il veut faire se ranger son frère à son avis, comme lors de sa liaison « avec la femme que ni toi ni les autres n'approuviez, que vous désapprouviez même, peut-être avec raison, mais il m'arrive de me foutre de votre avis et de vos raisons. Pour ce qui est de la femme, tu as été servi à souhait ». Et Vincent rappelle qu'à la gare de Roosendaal, il y a très longtemps, il avait déjà prévenu Théo qu'il préférait vivre avec « une méchante putain » plutôt que seul et qu'il préférait « une femme mauvaise plutôt que rien du tout ». Et Théo, maintenant que Vincent n'a rien, s'éloigne, figé dans cette attitude « d'honorabilité glaciale » qui l'apparente à Pa. « Je ne veux pas d'un Pa II — un seul me suffit. Si je ne rompais pas avec toi, tu serais un jour un Pa II dans ma vie. » Mais, c'est Vincent qui, assisté, deviendra aussi un Pa II pour Théo, dressé à protéger et entretenir son père, à être sa couronne. C'est la couronne de Vincent, l'aîné, le successeur de Pa, que Théo voudra devenir.

Vincent, qui n'a rien, réclame tout. « J'exige une compensation. » Il semble trépigner comme un enfant lorsqu'il reproche à son frère de ne pas lui procurer de distractions, de voyages, de femmes, d'enfants, de relations et de ne jamais parler de lui. Mais il a raison. Le rien prend une sorte de consistance et s'organise autour de lui, pris dans les filets de Théo. « Tu es trop habitué à trouver très bien que je sois un défavorisé. »

C'est le temps de sa vie où Vincent entrevoit qui est, peut-être, Théo, ce frère qui ne peut naître qu'à travers lui. Le frère qui veut l'empêcher de naître. Le frère qui veut être maître de la survie d'un Vincent bientôt consentant, par force : « Je suis voué au malheur et à l'insuccès », mais qui tente encore des menaces : « Si je crevais, tu serais juché sur un squelette et un squelette est un point d'appui très instable » ; il en sait quelque chose. Sur un squelette, ils sont juchés tous deux ; sur celui du premier Vincent. Et, dans cinq ans, Théo basculera bien avant que le cadavre de Vincent soit devenu squelette !

Vincent fait le point. Comment ne pas « tomber dans les

griffes de messieurs Van Gogh » ? Il laisse à tout le monde une impression désagréable, il ne peut se passer de l'aide de son frère et de son frère moins encore. Son frère refuse de le partager ou de se laisser dépasser. Alors vient la solution ! Elle semble puérile. Elle l'est. C'est pour cela qu'elle leur convient ; elle les maintient dans leur univers régressif, et c'est là qu'ils peuvent s'aimer et se déchirer, c'est là qu'ils peuvent s'organiser ; c'est là que Van Gogh peut puiser des forces, œuvrer. Ils vont jouer. Théo continuera de donner 150 francs par mois à Vincent, Vincent à envoyer à Théo ses travaux, mais « on dira » qu'il s'agit d'achats. « J'ai une proposition à te faire. Je t'enverrai mon travail, tu en prendras ce que bon te semblera, mais je tiens à considérer l'argent que je recevrai de toi comme de l'argent gagné... Je voudrais te vendre mes œuvres au sens littéral du terme. »

Eh bien, les tractations seront longues. Théo ne semble pas aimer cette solution-là. Elle l'engage, d'ailleurs, définitivement. S'il ne vend pas, tant pis pour lui. Il a un peintre sous contrat. Si l'on pense qu'il s'agit de Van Gogh !

Oui, mais c'est à Vincent qu'il s'adresse. Vincent, le débutant de trente ans, le frère maladroit, raté comme son père. C'est d'ailleurs, sans doute, ce qui décide Théo. Et c'est le pacte. Dur. Pathétique. Car Vincent est obligé de répondre, acculé : « Il va de soi que je t'enverrai tous les mois mes œuvres. Ces œuvres seront, comme tu le dis, ta propriété ; je suis parfaitement d'accord avec toi que tu auras le choix absolu de ne les montrer à personne et que je n'aurai rien à redire si tu les détruisais ! »

Un pacte masochiste, luciférien. Quel peintre a signé pareil contrat ? Théo se révèle là, maître et propriétaire, aux droits absolus. Il peut enfermer son frère, ne le montrer à personne et le détruire, s'il veut. A ce prix, Vincent sera nourri et fourni en matériel de peinture. Non plus assisté, mais sous contrôle. Il a un maître, pas un patron. C'est, peut-être, ce qu'il voulait.

En tout cas, une fois de plus, ils changent de rôles. Pa n'est plus le modèle de Théo, qui devient une mère nourricière. Ou plutôt une mère enceinte, une sorte d'Ecce Homo au ventre ballonnant. Une mère qui garde dans son ventre l'enfant, le nourrit et l'empêche de sortir. Lorsqu'il (ou elle) l'expulsera

193

pour épouser Jo et pour que naisse le troisième Vincent, le second, à l'exemple du premier, ne pourra survivre hors du ventre de la mère.

Une fois instaurée cette « relation d'affaire », Vincent incitera Théo à user de son influence en sa faveur « royalement, carrément, sans hésiter, sans te ménager une porte de sortie en cas d'alerte » — comme il le connaît bien ! Vaines recommandations. Théo lui déclare considérer ne recevoir de sa part « que de la merde en guise de remerciement ». Il ne croit pas si bien dire ! C'est analytiquement une vue très correcte de la situation.

Vincent se défend et conseille : « Ne considère pas notre petite affaire de peinture comme un fardeau inutile, ne la traite pas comme ferait une marâtre, pour la bonne raison qu'elle pourrait servir de canot de sauvetage au cas d'une catastrophe où le grand navire viendrait à sombrer. » L'ancien soupirant de Théo dans la Drenthe, sa Lady Macbeth des champs de blé est devenu un poupon : « Pour l'instant, je suis le petit bachot que tu as en remorque et qui parfois peut t'apparaître comme un fardeau dont tu pourrais, certes, te débarrasser en coupant la bosse, si tu voulais. » Car le contrat comporte la castration opérée par la mère, à moins qu'elle ne préfère accoucher du fardeau. Une castration que Vincent opérera lui-même, sur son oreille, aux premiers signes d'expulsion : les fiançailles de Théo. Car il est maître à bord de la petite embarcation : « Moi qui suis le patron de ce petit canot, je demande non point que tu largues le câble, loin de là, mais que ma barque soit calfatée et ravitaillée. » Ce câble que la Berceuse, destinée aux pêcheurs d'Islande, tiendra entre ses mains. Cordon ombilical... ou corde pour se pendre, ou cordon pour bercer.

Mais le bébé garde une arme : il peut naître, s'en aller. « Sache que je puis être contraint, sous la pression des circonstances, de couper tout simplement la remorque. » Il le fera, à Auvers, curieux bateau dans les blés, comme on en voit traverser les champs, par les canaux, en Hollande. Et, avec la remorque, le grand navire va, en effet, sombrer.

C'est le « joli révérend » qui partira d'abord. Un soir, en rentrant, le pasteur Théodorus Van Gogh tombe mort à la porte du presbytère. Le 26 mars 1885. Il a soixante-trois ans.

Si son image a perturbé ses fils lorsqu'il était en vie, sa mort les laisse froids. A Théo qui, de retour à Paris, écrit après l'enterrement, Vincent répond : « Tu m'écris que, les tout premiers jours, le travail n'a pas marché comme à l'ordinaire, j'ai fait la même expérience... L'impression générale n'est pas effrayante, mais grave seulement. La vie n'est longue pour personne. »

« Quant à Moe, elle a bonne mine. » Naturellement !

Pourtant, lorsque Théo va se marier, Vincent refusera à son frère des « félicitations absolument banales » et des « assurances que tu seras tout droit transporté au paradis... C'est comme un tic nerveux chez moi, qu'à l'occasion d'un jour de fête j'éprouve généralement des difficultés à formuler une félicitation ». Mais il remarquera « comme gens mariés nos parents étaient exemplaires. Et je n'oublierai jamais la mère à l'occasion de la mort de notre père. Elle ne disait qu'une seule petite parole qui pour moi a fait que j'ai recommencé à aimer la vieille mère ensuite ».

Déjà, blessée au fémur, Moe avait enchanté Vincent par sa faculté de s'amuser de tout ; pour la divertir, il lui avait dessiné des vues du jardin, de l'église. Par la suite, dans leurs rares lettres, ils se confieront l'un à l'autre avec gravité, et Vincent à elle, une fois, une seule, comme à personne d'autre. Elle lui fera part de son bonheur à l'idée que tant de choses lui ont appartenu et de sa résignation à les abandonner. Sérénité d'une femme

195

âgée et qui va s'affirmer, tandis qu'autour d'elle, hagards et défaits, tomberont quatre de ses enfants.

Veuve, Moe n'est plus l'alter ego négligeable de Pa et le pasteur ne camoufle plus cet être énigmatique, Moe-sphinx, Moe, qui devient de plus en plus proche de Vincent, trop proche malgré son impassibilité, comme s'épaissit l'ombre qu'elle répand. Moe, si préservée, mais soudain si présente que Vincent, oppressé, en conclut, après la mort de Pa, qu'elle va mourir et *en* mourir comme si c'était justice, comme s'il l'espérait, comme s'il fallait exorciser la force terrible qui émane de cette femme, plus maléfique que le défunt, ce Théodorus après tout si faible ; ce Tartarin des au-delà. Vincent la devinerait-il déjà capable de rajeunir, lorsqu'il serait, lui, aux prises avec des affres atroces, parmi les fous, dans un de ces asiles où elle et Pa avaient tant essayé de le faire enfermer ?

Oui, Moe a bonne mine, après la mort de Pa. Puis elle défaille, mais se reprend. Personne, dans cette histoire, n'est simple. A travers les lettres, les témoignages si crus, si spontanés, apparaissent innombrables, des fluctuations au gré des émotions, des circonstances ; chacun est aux prises avec ses fantasmes, ses désirs, ses haines refoulés. Tous sont contradictoires. Vivants. Et tous sont perçus par Vincent, lequel est perçu par eux, à travers les miroirs déformants des subjectivités troublées par l'inconscient, et compliquées du reflet, des interférences d'autres subjectivités.

C'est à Moe que Vincent écrira, un mois avant de se suicider : « De ceux à qui j'étais le plus attaché, je n'ai pas remarqué autre chose que comme à travers un miroir pour d'obscures raisons. »

Quel miroir ? Quels reflets de quel reflet ? Ou de quelle absence ? Qui fait ainsi écran ? Que d'émotions confuses et celées, secrètement partagées par la mère et son fils hypothéqué ! Cette mère, capable de produire l'absence et d'instaurer le règne de l'absent ; du premier des Vincent.

A Nuenen, après la mort de son mari, voici Moe vivante, trop vivante, non plus l'épouse d'un pasteur qui détient le pouvoir de penser, mais une femme qui pense, autonome : « Moe rumine par moments des idées profondes (car sa vie intérieure, sa vie spirituelle est très compliquée ; elle est faite d'étages et de couches) qu'elle ne voudrait, ni ne saurait exprimer. La plupart du temps, elle était assez taciturne, par conséquent, je préfère déclarer une fois pour toute que je ne suis pas toujours dans ses secrets. »

Déclaration bien insolite ! Théo lui demandait-il un rapport sur « la mère » ? Mais Vincent investi d'un « secret qui craint la lumière » redoute les secrets de Moe. Pourtant, lorsqu'il se souviendra, au cours d'une crise (et de bien d'autres sans doute), de l'enfance (et de la pré-enfance ?) à Zundert — souvenirs qui n'appartiennent plus qu'à lui et à Moe —, il déléguera à sa mère ce qu'il vaut mieux pour lui ne pas chercher « à rétablir », et qu'il a pu entrevoir au cours de ses délires « où le voile du temps et de la fatalité des circonstances pour l'espace d'un clin d'œil semblait s'entrouvrir ».

Oui, il *est* dans les secrets de Moe. Ou, du moins, dans ce qu'il imagine être ses secrets. Et peut-être craint-il, avant tout, de découvrir une autre vérité : l'insondable indifférence de Moe. Son imperturbable rejet de toute complicité dans l'escamotage d'un premier Vincent. Cette veuve, qui prend l'allure d'une personne à part entière, Vincent décide étrangement, mais avec la logique du désir, qu'elle va, sans doute, bientôt s'en aller « sans trop souffrir. Au cas où elle n'aurait plus longtemps à vivre, je déclare qu'il s'agit de faire preuve de sérénité », car, estime-t-il, elle n'aurait autrement devant elle que « des années de vie relativement machinales ».

Cela, c'est ce qu'il espère, effrayé de voir le potentiel d'énergie dont fait preuve cette Moe scandaleuse qui, au pasteur, survit épanouie. Il faut y mettre un frein. Qui voudrait d'un Pa III ? Qui voudrait d'un vrai Pa ? *Du* vrai Pa ? « Serais-tu très étonné », écrit Vincent au malheureux Théo, six mois après la mort de Pa I, « s'il arrivait un accident à Moe ? Vieillir est une drôle de chose et on constate souvent qu'une femme ne survit guère à son mari... Son esprit semble parfois plus lucide, alors qu'elle l'avait assez obnubilé par moments, ces mois derniers. Elle a été très nerveuse un bon moment — je comprends — par suite du vide et à l'idée d'être seule. J'ai remarqué qu'elle est maintenant très calme et très sereine — il est certain que son chagrin a été remplacé par autre chose ».

197

VAN GOGH

Par quoi, par quelle « chose » inquiétante ? Par quelle détermination de Berceuse implacable ? de Parque perfide ? Il est temps pour elle de disparaître : « Je ne crois pas impossible que la mort vienne la chercher à l'improviste doucement, à l'instar de Pa, et par suite d'une défaillance analogue. » Ah ! qu'elle redevienne vite la compagne de Pa, la femelle de la crèche ! Dangereux de lâcher dans la nature cette femme de marbre, qui fut peut-être une Lady Macbeth, atteinte de la folie des grandeurs dans les blés de Zundert, et prête à tout massacrer ! ! Théodorus-Macbeth est tombé — majestueusement.

Hélas ! « Sinon Moe a bonne mine ! » Comme aussitôt après la mort de Pa, comme lorsque Vincent hurlera, contorsionné, ligoté, outrepassant les limites de l'horreur à Saint-Rémy.

« Il va de soi que je t'enverrais un télégramme s'il se passait de l'imprévu chez nous. Si sa lucidité et son calme persistent, je prévois une crise après son voyage, c'est-à-dire sous peu, et une fin sans agonie. Seulement il arrive aussi que l'esprit s'embrouille quelque peu et que ça traîne ; dans ce cas, il faut s'attendre à beaucoup de souffrances et de soucis. » Il envisage pour elle deux éventualités : « mourir bientôt sans souffrir ou le reste ». Quels rêves éveillés ! Quel espoir ! Et sur quoi se base-t-il ? Un comble ! « Sur ce que je n'ai rien remarqué de spécial, si ce n'est ce regain de sérénité par moments et que Moe a bonne mine dans son état, même trop bonne mine, au point que je m'en inquiète. » Gare aux vampires !

Pa décédé, le monde ne s'arrête pas plus que Moe ne s'effondre. Vincent peint en souvenir de Théodorus une nature morte avec de grandes monnaies du pape et, devant ces fleurs très catholiques, la pipe et la blague à tabac du pasteur protestant.

La succession, comme il arrive, réanime les dernières traces d'hystérie liées au défunt. Les sœurs de Vincent disent leur amertume d'avoir été traitées en filles, sans qu'on ait dépensé autant que pour Vincent, qui a fait des études. Elles disent surtout leur aigreur, leur exécration, qui se cristallisent sur Vincent. Moe est avec elles. Vincent renonce à son maigre héritage, émigre chez le chapelain catholique du village ; il avait

198

déjà (on imagine la réaction de Pa !) installé là son atelier, fuyant ainsi la « remise à charbon ».

La bienveillance du clergé catholique sera de courte durée. Le curé empêchera ses paroissiens de poser pour le peintre : on l'accuse d'avoir engrossé la jeune fille qui a posé pour *les Mangeurs de pommes de terre,* c'est faux. « Pourquoi ces prêtres se mêlent-ils de tout[1] », gronde Théo. La jeune paysanne épousera un cousin, père de l'enfant. De Paris, Vincent demandera à Wilhelmine des nouvelles de cette Gordina de Groot, surnommée... Sien !

Beaucoup d'ennemis, à nouveau ! Mais des amis pourtant, ou plutôt... des disciples ! Des élèves, en tout cas. Quelques hommes de la région, qui aiment peindre et prennent avec lui des leçons. L'un d'eux, Gestel, deviendra professionnel. A Kerssemakers, le tanneur aisé du village, Vincent conseille : « *A moins d'exclure beaucoup de choses,* un débutant s'affole devant la diversité de ce qui l'environne, et que l'on n'a pas besoin de remarquer, que *l'on ne doit pas remarquer*[2]. »

Il y a encore Hermans, un ancien orfèvre, qui a fait fortune. D'autres. Vincent prend confiance en lui-même : « Maintenant que j'ai commencé à toucher le public, je ne m'arrêterai plus. »

Très avare, Hermans a une maison superbe, remplie d'antiquités. Il veut décorer les murs de la salle à manger et décide de peindre lui-même des panneaux en largeur, représentant des vies de saints. Chargé de composer et de peindre à échelle réduite les modèles des panneaux, Vincent propose des scènes de la vie champêtre, plus stimulantes pour l'appétit que des scènes mystiques. Et voici ce brave Hermans « emballé », qui copie sur ses murs avec un dessin correct mais des couleurs consternantes les toiles créées pour lui par Van Gogh ! Des toiles de Van Gogh, il n'en a rien à faire ! Il remboursera seulement les fournitures qui ont servi à les effectuer. Vincent est déjà bien content de peindre sans débourser.

Le sens des affaires, il n'en est guère doué : un autre ami,

1. John Hulsker, in Bulletin du musée Vincent Van Gogh, Amsterdam, vol. 2, 1973.
2. Souligné par Van Gogh. Lettre inédite, in John Hulsker, *op. cit.*

fortuné, l'invite à Eindhoven ; son salon est « assez chic, le papier de tenture est gris, les meubles noirs, avec de l'or ». Vincent vient de terminer une toile qu'il a mis trois jours à peindre, ce qui est long pour lui. Des arbres. Il l'a sous le bras. Les deux copains l'accrochent au mur. Séduit, l'ami veut l'acheter, mais « j'ai eu un tel éblouissement, un tel élan de courage de voir que mon tableau lui plaisait, qu'il créait une atmosphère, tel qu'il était là accroché, grâce à la paix, douce, mélancolique qui se dégageait de la composition des couleurs, qu'il m'a été impossible de le vendre ». Et il le donne.

Quant à l'amitié avec Van Rappard, elle n'a pas résisté aux critiques de celui-ci, horrifié par *les Mangeurs de pommes de terre,* et qui ne l'envoie pas dire. Vincent lui retourne sa lettre, fâché, puis, cela va de soi, tente longtemps de se réconcilier — en vain.

Ce sont les derniers temps de la vie en Hollande. Bientôt Vincent va quitter son pays et n'y reviendra plus. Nuenen s'épuise pour lui. L'esseulement est trop fort « qui frappe un peintre que le tiers et le quart considèrent comme un fou, comme un assassin, comme un chemineau, etc. etc. dans un pays perdu ». Il part.

Pour Anvers d'abord.

Lui, qui vient d'écrire à Van Rappard : « Essayons de connaître si bien les secrets de la technique que le public s'y laisse prendre et jure ses grands dieux que nous n'avons pas de technique ; que notre œuvre soit si savante qu'elle paraisse naïve et ne pue pas notre talent », — il s'inscrit à l'école des Beaux-Arts, une de ces Académies dont il voulait voir son ami s'éloigner. Vincent n'aura pas cet effort à faire : on l'en éloigne. Une de ses copies... de plâtre, exécutée à l'occasion d'un concours, est jugée si médiocre qu'on le rétrograde au cours élémentaire ! mais il ne sera plus à Anvers lorsque tombera ce verdict grotesque : il sera à Paris où Théo, longtemps réticent, aura fini par l'admettre.

A Anvers, il découvre chez Rubens, au musée, une façon de peindre plus claire et qui, dès avant Paris, va changer sa palette. Mais son jugement tombe dru, comme souvent (« Louis XIV, le roi Soleil ! — un éteignoir — mon Dieu ! Quel emmerdeur, cette espèce de Salomon méthodiste ! ») Rubens est « superficiel, creux, ampoulé, et pour tout dire conventionnel ». Ses personnages méditatifs deviennent « des gens qui, pour mieux digérer, se sont retirés dans un coin », et « le groupe d'une huitaine de gaillards bouffis, en train de se livrer à des tours de force avec une lourde croix de bois, dans l'*Elévation de la croix* », lui semble absurde. Rubens ? Il analyse bien les reines, les hommes d'Etat, « mais le surnaturel (là où commence la magie) non... Ses *Mater Dolorosa* font penser à une jolie fille qui aurait attrapé un chancre. Malgré cela il m'enthousiasme ».

C'est Rembrandt qui a une « magie métaphysique » et « quelle jouissance de l'œil le rire édenté de Rembrandt, un linge autour de la tête, la palette dans la main ». Et puis, surtout, avec lui s'établit une complicité, un lien indicible et qui fait du peintre d'autrefois (un Hollandais qui n'aura pas, lui, « son » musée à Amsterdam) le chercheur inconscient, comme Dickens, d'un double étrange : « Ainsi Rembrandt a peint des anges. Il a fait un portrait de soi-même vieux, édenté, ridé, coiffé d'un bonnet de coton, tableau d'après nature dans un miroir. Il rêve, il rêve et sa brosse recommence son propre portrait, mais de tête, et l'expression en devient plus navrée et plus navrante. Il rêve, rêve encore, et pourquoi ou comment, je ne sais, mais ainsi que Socrate et Mahomet avaient un génie familier, Rembrandt, derrière ce vieillard qui a une ressemblance avec lui-même peint un ange surnaturel au sourire à la Vinci. »

Vincent, qui veut toujours démontrer l'absence d'imagination, le réalisme des peintres hollandais, reconnaît décrire là « un peintre qui rêve et peint d'imagination », mais il se défend d'être illogique : « Rembrandt n'a rien inventé de cet ange, et ce Christ étranger, c'est qu'il les connaissait, les sentait là. »

Rembrandt ! n'importe où Vincent vivra, Rembrandt le fascinera. Même à Paris, où la peinture vit une mutation. Celle-là même qu'il pratique, plus brutalement, comme instinctivement. Bien en avance ou plutôt différent. Paris qui l'attend. Paris et Théo. Un Théo parvenu, malgré sa timidité, à organiser un réseau de peintres d'avant-garde, d'amateurs audacieux et qui vit assez en retrait, à aider les uns, à stimuler les autres et à se faire rabrouer par ses patrons. Sa position est celle, à la fois subalterne et influente, d'un gérant de galerie, au service non pas tant de ses employeurs que des peintres, mais qui doit aussi défendre son gagne-pain.

Boussod et Valadon l'autorisent sans enthousiasme à exposer « ses » peintres, « ses » impressionnistes ou pointillistes ou autres fantaisistes, à l'entresol de la succursale qu'il dirige 19 boulevard Montmartre ; au rez-de-chaussée, les peintres sur lesquels est fondée leur fortune, les peintres du salon. Sa vie est une lutte ingrate, perpétuelle ; Vincent donne un sens à ce combat. Cette forme d'existence, acceptée par Théo, celle choisie par Vincent confèrent au plus jeune frère un pouvoir presque absolu, un rôle de mère nourricière, un contrôle de ce Vincent qui risquerait, autrement, qui sait, de lui prendre sa couronne ! Cette science sans cesse acquise, à travers sa relation intense et responsable avec les peintres les plus avancés, les plus contestés souvent, avec leur vie comme avec leurs travaux sert ses liens avec Vincent ; c'est une chance rare pour un peintre de pouvoir parler technique et goûts avec un homme aussi proche, aussi intelligent, d'une curiosité insatiable, qui participe à la vie artistique mais qui n'a aucune relation de rivalité avec les peintres, tout en ayant un regard de peintre, le discours d'un peintre. Le talent de critique de Théo est exceptionnel et, professionnellement, il fait autorité.

Ses jugements, relatifs au travail de son frère seront toujours équivoques. Après le suicide il décidera qu'il s'agit « d'un grand mort », tout en étant scandalisé par le public qui a, soudain, « la bouche pleine » de son frère (ce qui doit de mille façons le bouleverser, éveiller des jalousies de toute sorte ; on lui prend son frère, il perd sa couronne ; c'est lui, désormais le « mis-de-côté » et aussi quelles culpabilités ! Et même professionnelles !). Il s'avise soudain que « laisser ignorées ces toiles de maître serait coupable de ma part et si je ne faisais pas d'abord tout mon possible je m'en voudrais toujours ». Il est bien temps ! Il doit s'en vouloir déjà, même s'il ne le mérite pas, même si vendre des Van Gogh avait été inscrit, de toute façon, dans un avenir proche, après les expositions de groupes où il avait été remarqué, et puis l'article d'Aurier qui avait fait sensation, mais avait sans doute été impossible jusque-là.

Théo a toujours été intimement persuadé du génie de son frère, moins de son talent. D'ailleurs, même après sa mort, lorsqu'il demande à Albert Aurier d'écrire une biographie de Vincent, il lui rappelle qu'il a été le premier à « l'apprécier pour son plus ou moins de capacités pour faire des tableaux ».

Mais dès 1885, en octobre, alors que Vincent est encore à Nuenen, Théo répond à leur sœur Lies (Elisabeth) : « Tu me demandes ce que je pense de Vincent. Il est un de ceux qui ont connu le monde de près, et qui s'en sont retirés. Il nous faut attendre, à présent, qu'il prouve son génie, auquel je crois. Et d'autres pensent comme moi, parmi lesquels André Bonger [1]. Lorsque son travail deviendra bon, il sera un grand homme [2]. » Mais ce talent, quand Théo l'a-t-il reconnu à son frère ? Tout de même, sans doute, à partir de Saint-Rémy.

Théo semble aussi se méfier de ses propres impressions relatives au travail d'un frère débutant et si tumultueusement lié à lui. Le pousser devait lui paraître délicat ou plutôt peu délicat, surtout dans le champ des Goupil avec qui Vincent avait eu des relations passionnelles. « Goupil & Cº ont tenu un rôle étrange dans nos vies », remarque le peintre, songeur.

Plus tard, Vincent affirmera avoir une dent contre eux et s'indignera, car Théo a fait « encadrer le petit pêcher rose pour le mettre chez ces messieurs ». Mettre un pêcher rose chez ces messieurs... ! Eh bien, Vincent refuse, de mettre chez eux « une toile d'une telle innocence » ! Un pêcher innocent ! (Ce sont deux pêchers roses comme ceux entremêlés, entrelacés — l'un pénètre l'autre de ses branches — qu'il avait offert comme *Souvenirs de Mauve* et sous lesquels il croyait avoir ajouté : *Vincent et Théo*). Un peu plus tard, Théo marié, il acceptera, si cela peut rendre les choses plus normales aux yeux de Jo, de laisser Théo exposer deux toiles de lui, des *Tournesols* qui sont donc loin d'être innocents, et dont il voudra entourer la toile de *la Berceuse,* pour former un tryptique !

Rien ne peut être dit de définitif sur rien ici (c'est pour cela que Vincent apparaît si vivant, *in progress,* « en train ») Et

1. Frère de Jo. Ami déjà de Théo.
2. John Hulsker, *op. cit.,* vol. 3, 1974.

moins encore, la relation des deux frères avec le travail de Vincent et l'argent, où joue pour beaucoup la volonté plus ou moins inconsciente de prolonger le jeu du navire et de son petit bachot.

En 1924, Emile Bernard se souvient de Théo, se risquant à montrer les toiles de son frère, « mais devant les réclamations des clients timides des premiers impressionnistes et les craintes qu'avaient ceux-ci eux-mêmes de voir leur arrivée compromise par des extravagances (il) cache avec soin dans l'arrière-magasin ces études compromettantes, résolu à ne les sortir que lorsque le moment serait propice[1] ».

Vincent, de son côté ne faisait guère plus d'effort qu'à Nuenen pour monnayer son travail. « Il a peint », écrit Théo à leur mère, en février 1887, « quelques portraits très réussis, mais il ne les fait jamais payer. Quel dommage qu'il ne semble pas vouloir gagner quelque chose, car s'il le désirait, il pourrait y parvenir. Mais allez changer quelqu'un[2] ! ».

Vincent est heureux à Paris, si heureux de ne plus être un « mis-de-côté » (c'est le seul temps de sa vie où il ne le sera pas) qu'il attache peu d'importance aux ventes. Son travail est vu, compris, apprécié. Les échanges vont bon train. Il est au centre des groupes d'artistes qu'il admire le plus. Il « fait clan », comme eût dit Mme Verdurin.

Parfois quelques déceptions, comme chez Lautrec, qui reçoit chaque semaine. Vincent est assidu : « Il arrivait », raconte Suzanne Valadon, une habituée, « portant une lourde toile sous le bras, la posait dans un coin, mais bien en lumière et attendait qu'on lui manifeste quelque attention. Personne ne le remarquait. Il s'asseyait en face, surveillant les regards, se mêlant peu à la conversation, puis, lassé, partait remportant sa toile. Mais, la semaine suivante, il revenait ». Suzanne Valadon pensait, à part elle « les peintres sont des vaches[3] » mais elle le pensait à part elle, seulement ! Cher Vincent !

Deux frères complexés, timides ; mais Vincent, lui, brisant

1. Emile Bernard, « Souvenirs sur Vincent Van Gogh », in *L'amour de l'art*, 1924.
2. John Hulsker, *op. cit.*
3. F. Fels, *Utrillo*, Paris, 1930.

cette timidité, partant dans des discussions gesticulantes, véhémentes, acharnées, tandis que Théo, compassé, doux, a laissé le
souvenir d'un être effacé ; à sa mort, Boussod et Valadon
s'empresseront de supprimer jusqu'à sa trace et de se débarrasser de « ses » peintres sur lesquels n'est pas fondée leur fortune
et qui n'exposent pas au Salon. Un certain Joyant succédera à
Théo, on l'engagera, selon lui, en ces termes : « Notre gérant,
Van Gogh, une sorte de fou d'ailleurs, comme son frère le
peintre, est dans une maison de santé ; allez le remplacer, faites
ce que vous voudrez. Il a accumulé des choses affreuses de
peintres modernes qui sont le déshonneur de la maison. Il y avait
bien quelques Corot, Rousseau, Daubigny, mais nous avons
repris ce stock, inutile pour votre inexpérience. Vous trouverez
aussi un certain nombre de toiles d'un paysagiste Claude Monet,
qui commence à se vendre un peu en Amérique, mais il en fait
trop. Nous avons un traité pour acheter toute sa production et il
est en train de nous encombrer de ses paysages, toujours pareils
comme sujets. Quant au reste, ce sont des horreurs : débrouil-
lez-vous et ne nous demandez rien, sinon on fermera boutique[1]. »

Pourtant, ce Monet, si encombrant, Théo a réussi à le
subtiliser à Durand-Ruel, furieux, au profit de ses employeurs, si
pharisiens qu'ils ne sont pas apaisés par les ventes. (Même après
la mort de Vincent, Théo vendra, en septembre 1890, un Monet
9 000 francs.)

Pissaro raconte, comment Durand-Ruel, lui, ne s'y est pas
trompé. Monet vient seulement de confier quelques toiles à ses
concurrents, qu'il lui demande des comptes : pourquoi a-t-il été
chez Théo Van Gogh ?

« Vous ne devriez pas porter des tableaux à ce diable
d'homme ! Pourquoi ne me les avez-vous pas portés ?

« — Parce que vous en avez beaucoup et que vous ne
pourriez les vendre de suite.

« — Apportez-les-moi, et surtout pas d'affaires avec Théo
Van Gogh car tant qu'il aura des tableaux de vous, cela me fera
du tort et m'empêchera d'en vendre.

1. John Rewald, *Le Post-impressionnisme,* Paris, Albin Michel, 1961.

« — Voyons, monsieur Durand, vous ne vendez pas mes tableaux.

« — Mais si, j'en ai vendu en Amérique. Ah ! si j'avais de l'argent c'est là l'ennui... »

« Aussi je lui ai très franchement dit », raconte Monet à Pissarro, « que Théo Van Gogh m'ayant vendu de mes toiles nouvelles et les trouvant très bien, les défendant avec intelligence, je ne puis reprendre ce que j'ai déposé chez lui. Conclusion : Durand est mécontent de voir Monet faire affaire avec les Boussod et Valadon[1] ». Théo est craint dans son métier ; Pissarro poursuit : « Monet a lâché Durand-Ruel pour Boussod et Valadon ; il doit y avoir beaucoup de sa faute. Il est certain qu'il y a lutte entre Durand et Van Gogh, il est furieux contre lui depuis l'affaire de Monet. Théo Van Gogh le sait[2]. »

En 1888, Monet expose chez Boussod et Valadon ses tableaux les plus récents qui enchantent Mallarmé, il le félicite de s'être dépassé, quant à Fénéon, il les juge d'une « brillante vulgarité »[3].

Mais les Goupil, eux, ne veulent rien savoir de ce Théo qui avait « l'influence d'un convaincu ». Il sera quelque peu vengé, par Joyant, et c'est encore Camille Pissarro qui tient la gazette, en octobre 1893 : « Je t'annonce que Joyant vient de quitter Boussod et Valadon. Il paraît que Joyant est riche personnellement. Comme les B. et V. ont voulu le traiter comme ce pauvre Théo Van Gogh, il les a plantés là[4]. »

Vincent aura bien raison, à la mort de l'oncle Cent (qui avait, pourtant, comme devise : « Tout se vend »), de l'accuser et l'oncle Cor avec lui, d'avoir condamné leur neveu « aux travaux forcés à perpétuité », en refusant de l'aider à « planter là » tous les Goupil et toutes leurs compagnies, pour devenir indépendant, installé à son compte.

Théo se rend à Amsterdam afin de proposer aux oncles de soutenir financièrement ce projet : André Bonger, semble-t-il, serait son associé. Il est très mal reçu et Vincent se plaint à Wil

1. Camille Pissarro, Lettres à son fils Lucien, Paris, 1934.
2. *Ibid.*
3. John Rewald, *Le Post-impressionnisme, op. cit.*
4. Camille Pissarro, *op. cit.*

« que la famille de Théo et ses amis d'Amsterdam et de La Haye ne l'ont pas traité ni accueilli avec la cordialité qu'ils lui devaient. Il en a peut-être un peu souffert d'abord, mais il ne prend plus la chose trop à cœur. Il fait tout de même pas mal d'affaires, dans une période qui est si mauvaise pour le commerce des tableaux. Ne penses-tu pas qu'il peut y avoir un peu de jalousie de métier de la part de ses amis hollandais ? ».

Pendant l'absence de Théo, qui rentrera penaud et reprendra le collier, André Bonger et Vincent ont tenté de résoudre un autre problème. Théo veut se débarrasser de sa maîtresse. Comment l'aider ? « Il paraît sûr et certain que tu ne conviens pas à S. et que S. ne te convient pas. » Mais il ne faut pas la brusquer, ce serait la conduire au suicide ou à la folie, ce qui briserait... Théo. « Ne pas provoquer du malheur, je te prie », avertit Vincent, qui semble prévoir ce que le mariage de Théo provoquera de désastre chez lui. Pour l'instant, et pour S., il trouve une solution : « la refiler à un autre. Un arrangement à l'amiable est tout indiqué et consiste à me la céder à moi ». Un frère chasse l'autre ! Il se sacrifiera. Et puis S. travaille, elle subvient à ses dépenses. Elle pourrait, en plus, faire le ménage. Quelle économie ! Vincent, qui a déjà donné congé à la femme de ménage, Lucie, se demande s'il ne vaudrait tout de même pas mieux la garder en attendant, au cas où les choses ne se passeraient pas aussi facilement qu'il l'espère. Ce qui a dû être le cas, puisque de S. il ne sera plus question — ni, d'ailleurs, de Lucie !

Vincent vit, à présent, dans l'intimité d'un être aimé, Théo. Il a des échanges vivaces, constants avec ses pairs ; il a enfin des compagnons. Il est reconnu. Non, il ne vend pas encore. Mais son impatience à cet égard s'apaise. Il voit la difficulté, il la partage avec d'autres peintres de grande valeur. Il est apprécié, accepté et même recherché (il bénéficie là, sans doute aussi, de la position de son frère).

Cet homme plein d'énergie s'attaque alors à tous les fronts. Plus que jamais, il peint. Même lorsque la toile a « un air fixe, idiot » et semble regarder « d'un œil imbécile ». Il peint à partir « des couleurs qui sont sur sa palette, au lieu de partir de celles de la nature ». Il travaille les rapports de couleur avec de petites pelotes de laine, conservées, plus tard, par le troisième Vincent, l'ingénieur.

A l'atelier Cormon, il travaille sur modèle. C'est de là qu'Emile Bernard, enfant terrible, il a dix-huit ans, s'était fait renvoyer, un temps, pour avoir peint de couleurs bariolées le voile disposé derrière le modèle. Sacrilège ! Or, de retour à l'atelier, il découvre un homme « roux de poil, barbiche de bouc, le regard d'aigle et la bouche incisive ; la taille moyenne, trapu sans toutefois d'excès, le geste vif, la marche saccadée, tel Van Gogh avec toujours sa pipe, une toile ou une gravure ou un carton. Véhément dans le discours, interminablement explicatif et développeur d'idées, peu près à la controverse et des rêves, ah ! des rêves, des rêves ! expositions géantes, phalanstères philantropiques d'artistes, fondations de colonies dans le Midi[1] ». C'est Vincent qui, pour l'instant, peint d'après modèle à l'atelier mais, coïncidence qui déclenche l'amitié immédiate de Van Gogh et Bernard, c'est sur sa toile même que Vincent a inventé un fond bariolé.

Chez Cormon, Vincent rencontre aussi Toulouse-Lautrec. Ils échangeront des toiles. Lautrec fera le portrait d'un Vincent très sérieux, pris très au sérieux. Vu de profil, le regard aigu, débordant d'intelligence et de volonté. Lucien Pissarro (le fils de Camille) le dessinera discutant avec Félix Fénéon. Ils sont assis sur un banc. Fénéon parle, concentré, soucieux de convaincre, Vincent paraît poursuivre un dialogue intérieur. Il est intense, concentré, lui aussi, intéressé, sérieux ; autre chose le préoccupe, d'assez difficile, captivant, un peu douloureux, mais qui ne le distrait pas vraiment de Fénéon, auquel il va répondre. Les discussions seront fréquentes, passionnées le plus souvent, « dans les ateliers pauvres et les cafés du petit boulevard ». Avec Gauguin, avec Pissarro, avec Degas, parfois. Le voici se promenant avec Signac, ils rentrent à pied d'Asnières à Paris, après avoir déjeuné ensemble : « Vêtu d'une cotte bleue de zingueur, il avait peint sur sa manche de petits points de couleur. Collé tout près de moi, il criait, gesticulait, brandissait sa grande

1. Emile Bernard, préface à *Lettres de Van Gogh*, Paris, Mercure de France, 1911.

toile toute fraîche, et il en polychromait lui-même et les autres[1]. »

Il y a les peintres impressionnistes du « Grand Boulevard », Monet, Renoir, Sisley, Pissarro, ceux qui, sans vendre aussi cher que les nantis du Salon, sont reconnus d'un certain public, ont leur clientèle ou même sont célèbres ; ils exposent déjà chez Théo, chez Georges Petit, chez Durand-Ruel. Et puis, il y a les peintres du « Petit Boulevard » : Vincent et ses amis Toulouse-Lautrec, Gauguin, Emile Bernard, Signac, Seurat, qu'il a tous présentés à Théo, ravi de voir s'organiser autour de lui un nouveau noyau et qui expose ou montre leurs toiles aux amateurs quand il peut (mais jamais celles de Vincent). Il les vend rarement. C'est chez Tanguy que l'on peut voir Van Gogh, Cézanne, Lautrec, bien d'autres. Chez un certain Portier aussi, mais il est ainsi nommé, selon Vincent, « parce qu'il fout les peintures à la porte ».

Pendant deux années se révèle un Vincent Van Gogh tenu tout le reste de sa vie, avant et après, sous le boisseau ; un animateur passionné, généreux, efficace. Une sorte de Vincent + Théo. Un imprésario plein de fougue, et qui, sans doute, trouve un nouvel équilibre à se dépenser de cette façon, tout en continuant de peindre. Il sert d'intermédiaire à ses amis, à Théo. Il vend les toiles des autres, il échange. « Monsieur », écrit-il à un peintre, « j'ai parlé à M. Boggs de l'entrevue que j'ai eue avec vous et si vous aimeriez à faire l'échange avec lui, allez-y hardiment, parce que vous verrez de belles choses chez lui et il sera très content de faire votre connaissance. Moi-même, je me recommande aussi pour un échange. J'ai justement deux vues du Moulin de la Galette dont je pourrai disposer.

« Espérant vous voir un de ces jours, je vous serre la main.
« Bien à vous.

Vincent.

« P.S. Allez donc aussi voir mon frère, 19 boulevard Montmartre. Il a en ce moment de très beaux Degas.

« J'ai encore vu chez Tanguy votre *Jeune fille aux œillets*. C'est

1. Cocquiot, *op. cit.*

justement cette étude-là que j'aimerais bien vous échanger. Ci-inclus la carte de visite de mon frère. Si vous ne le trouvez pas là, vous pouvez donc toujours monter voir les tableaux[1]. »

Théo et lui semblent faire de concert des tractations ; passionnés d'estampes japonaises, ils font collection de « crépons », et Vincent amène chez Bing, le spécialiste, maints clients, sans demander de commission, précise-t-il, mais il fouille en premier dans les trésors de la galerie et peut acheter à bon prix. Surtout, Vincent amène clients et peintres chez son frère.

Un autre peintre, John Russel, un Anglais, fait le portrait de Vincent. Sur cette toile, il n'est pas seulement sérieux, comme sur celle de Toulouse-Lautrec, il est noble et solennel, avec une pointe de rage romantique et beaucoup d'élégance parisienne. Et très beau. C'est, naturellement, ce portrait-là qu'il préfère à tous, alors qu'il exécrera celui, cruel, peint à Arles par Gauguin. John Russel est aussi marchand de tableaux, et Van Gogh s'emploie à lui vendre, entre autres, des Gauguin et des... Monticelli.

Si les galeries ne lui achètent pas de toiles, elles lui en prennent en échange d'autres. Ces échanges et ceux avec les peintres vont enrichir la collection de Théo. Les deux frères savent qu'il suffit d'attendre et qu'un jour ces Gauguin, ces Lautrec, ces Sisley, ces Seurat... ces Van Gogh...

Vincent organise même des expositions de groupe ; Emile Bernard raconte à sa façon comment Vincent découvre un grand restaurant populaire de l'avenue de Clichy « dont les murs vides désespéraient le propriétaire ». Vincent, qui rêve de « répandre l'art dans le petit peuple afin de le délasser de ses travaux, lui faire oublier sa misère dans un spectacle d'enchantement », se précipite avec ses peintres du « Petit Boulevard ». « Et Van Gogh, toujours apôtre, d'accrocher l'exposition lui-même. Environ cent toiles ont été charriées dans une voiture à bras et offertes en spectacle aux pauvres diables de l'endroit. Je crains qu'ils n'en aient point goûté le délassement. Tout cela ne nous

1. Lettre inédite in B. Welsh Octavov, *Van Gogh*, Utrecht, La Haye, Angrandand, 1971.

concilia pas le " petit peuple " qui donna plus d'attention au " plat du jour[1] ". »

Plus tard, s'avisant du prestige qu'il peut tirer de cette exposition, Bernard en donnera une tout autre version. Celle de Vincent est plus exacte, racontée quelques mois après, lorsqu'il est à Arles : « Moi, j'ai toujours espéré, étant à Paris, avoir une salle d'exposition à moi dans un café, tu sais que cela a raté.

« L'exposition de crépons que j'ai eue au Tambourin a influencé Anquetin et Bernard joliment, mais cela a été un tel désastre.

« Pour la deuxième exposition dans la salle boulevard de Clichy, je regrette moins la peine. Bernard y ayant vendu son premier tableau. Anquetin y ayant vendu une étude, moi ayant fait l'échange avec Gauguin, tous nous avons eu quelque chose. »

A remarquer que Bernard, trente-sept ans plus tard, préfère (car cela ne s'oublie pas) taire qu'il a vendu là son premier tableau. Dans une autre version, il se rappelle pourtant que « quelques marchands bien disposés alors à l'égard des révolutionnaires y firent quelques achats ; citons entre autres M. Georges Thomas », on croit deviner quel choix avait fait le courageux Thomas ! Cette fois Bernard prétend que mille toiles pouvaient être accrochées dans ce restaurant et que Vincent, à lui seul, en avait exposé cent, parmi lesquelles le portrait du père Tanguy.

Voilà Théo, Vincent, non plus dans leur univers épistolaire et bouleversant, dans leur duo lointain, mais vivant ensemble, au centre de réseaux traversés d'autres voix, d'autres sons, publics. Autour d'eux la vie bat son plein. Tout circule, tangible. Les passants, les Parisiens d'alors. Loin de La Haye, d'Amsterdam de Zundert. Circuits contemporains. Circuits des marchands, et cela va jusqu'à New York où Knoedler représente Boussod et Valadon ; circuits des peintres, et se reconnaissent entre eux, même ignorés parfois du public, les Degas, les Monet, les Gauguin, les Van Gogh passionnés les uns par les autres ; que Van Gogh soit presque un débutant, qu'importe ! Gauguin, lui aussi, a un air d'amateur ; Gauguin qui, dans la misère, colle des

1. Emile Bernard, art. cit.

affiches la nuit. Circuits des collectionneurs : financiers, industriels.

Le plus assidu des clients de Théo se suicidera, après la mort de Vincent, avant celle de Théo, déjà hospitalisé, à la désolation de Camille Pissarro : « Je suis allé chez Boussod et Valadon ; il n'y a rien de fait, M. Joyant fait des efforts qui n'ont pas encore abouti. Il m'a annoncé que mon meilleur amateur, M. Dupuis que tu connais, s'est suicidé. N'est-ce pas extraordinaire ! Ce qu'il y a de particulièrement triste c'est que ce garçon trop honnête s'est donné la mort parce qu'il se croyait perdu. Ses amis ont été navrés de constater que son affaire n'était pas du tout si mauvaise, ceux qui la continuent la trouvent excellente ! ! Il paraît que pour avoir de l'argent il a bazardé ses Degas et autres au petit Salvador Meyer quand il pouvait trouver facilement de l'argent chez les Pereire qui ne demandaient pas mieux que de l'aider dans sa gêne toute momentanée. N'est-ce pas que c'est curieux ces successions d'événements — Il faut une forte trempe pour ne pas se laisser aller au désespoir, il faut tenir ferme[1] ! » Extraordinaire ! Oui. Vincent, Théo sont morts eux aussi alors que leur « affaire n'était pas du tout aussi mauvaise » et ceux qui la continuèrent la trouvèrent « excellente » !

Et puis, il y a Tanguy. Le père Tanguy. C'est lui, non pas Théo, qui expose les toiles de Vincent. Et qui en vend parfois, rarement, à très bas prix. Tanguy ! Un personnage à la Victor Hugo, et qui ne se limite pas à avoir été le modèle des deux portraits célèbres peints par Vincent. Une vie qui tourne autour de la peinture aussi passionnellement que celles des peintres.

Julien Tanguy, Breton, est né en 1825. D'abord plâtrier, il épouse une charcutière de Saint-Brieuc. Il entre alors comme employé aux Chemins de fer de l'Ouest. Puis sa femme et lui émigrent à Paris. Il devient broyeur de couleurs chez un fabricant, Edouard, 14 rue Clauzel ; sa femme est concierge, à Montmartre. Une fois au courant de son nouveau métier, il se met à son compte... dans la loge, où il « broie ». Il se fait marchand ambulant, et va trouver les peintres « de plein air » sur leurs lieux de travail. Sa silhouette avec sa grande boîte

1. Camille Pissarro, *op. cit.*

pleine de tubes de couleurs devient populaire. Ses clients sont Monet, Pissarro, Renoir, Cézanne alors à Paris. Ils emploient énormément de couleurs, mais ils sont pauvres. Même Cézanne ne reçoit alors qu'une petite allocation de son père et se trouve le plus souvent à court d'argent. Pas plus que Vincent, Tanguy n'a la bosse du commerce. Les peintres sont avant tout des amis. Il aime leur travail. Il n'aime pas l'argent. Pour lui « un homme qui dépense plus de 50 centimes par jour est une canaille[1] ». Les transactions sont la plupart du temps des trocs. Tanguy est le premier à posséder des Cézanne. Couleur contre peinture ou couleur contre rien, c'est le contrat de Tanguy et des peintres !

Et puis 1871, la Commune. Tanguy, révolutionnaire dans l'âme, entre dans les rangs des communards. Arrêté, il est jugé comme déserteur, condamné aux galères. On lui fait grâce au bout de deux ans ; des amis influents ont intercédé en sa faveur, mais il est encore interdit de séjour à Paris pour deux ans. Lorsqu'il revient enfin, le propriétaire qui a conservé sa loge à Mme Tanguy « par charité » ne va pas jusqu'à accepter son dangereux époux ! Ils sont chassés. Après quelques avatars, on retrouve les Tanguy rue Clauzel, où ils ont pris la succession d'Edouard, décédé. Cézanne (d'Aix), Guillaumin, Pissarro, Renoir, Monet redeviennent ses clients, et de nouveaux clients arrivent : Gauguin, Van Gogh, Signac, Toulouse-Lautrec. Le système du troc fonctionne toujours. Les toiles sont en dépôt, maintenant, dans la boutique où les Tanguy tentent avec peu de succès de les vendre pas cher. Mais à présent, les peintres sont en plus fréquemment invités aux repas. Refuser est une insulte. Mme Tanguy fulmine, mais cuisine. Et tranquillement, tout seul, Tanguy s'emploie à faire connaître Cézanne. C'est par lui que les peintres, les amis des peintres, les critiques apprennent son existence et à le suivre.

En Bretagne, Gauguin, avant de se mettre à peindre, avait pour habitude de dire « Allons faire un Cézanne ! ». C'est grâce à Tanguy qu'il prend, inconnu du public, une importance immense dans le métier. Cézanne, qui ne vend jamais et qui refuse d'exposer, après avoir été insulté par toute la presse, hué,

1. John Rewald, *op. cit.*

vilipendé, moqué à l'exposition des Impressionnistes en 1877 et qui s'est complètement retiré, oublié, à Aix, se débarrasse chez Tanguy, des toiles qui l'encombrent. Cela les prévient d'être détruites par lui, comme il arrive souvent. C'est chez Tanguy qu'Ambroise Vollard le découvrira, en 1892 ; de là partira la gloire publique.

Pour tous, Tanguy agit avec ce naturel, cet élan. Il n'est pas exactement payé de retour. A Arles, Vincent va s'étrangler d'indignation : Tanguy a *osé* présenter une facture à Théo. Il entre en transe contre le couple : « Selon eux Guillaumin, Monet, Gauguin, tous lui doivent de l'argent. Est-ce vrai ou non ?? Dans tous les cas, si eux ne paient pas, pourquoi moi paierais-je ? » Et *eux* ne paient pas en effet. Cézanne lui-même, qui est riche à présent, et qui a signé cette reconnaissance de dette en mars 1878 : « Je, soussigné Paul Cézanne, artiste peintre, demeurant à Paris, rue de l'Ouest, 67, reconnaît devoir à M. et Mme Tanguy, la somme de deux mille cent soixante-quatorze francs quatre-vints centimes, valeur reçue en fournitures de peinture. Paul Cézanne », n'a pas encore remboursé sept ans plus tard, lorsque, le 31 août 1885, Tanguy, humble, honteux, se permet de lui rappeler cette dette :

« Mon cher monsieur Sézanne,

« Je commence par vous souhaiter le bon jour et en même temps vous faire part de ma détresse : figurez-vous que ce crétin de propriétaire vient de m'envoyer un commandement avec saisie pour les six mois d'avance que je lui dois suivant notre bail, mais comme je me vois dans l'impossibilité de pouvoir le satisfaire, je viens recourir à vous, cher monsieur Sézanne, et vous prie de vouloir bien faire tous vos efforts pour me donner un petit acompte sur votre note, à ce sujet je vous adresse sous ce pli votre compte comme vous me l'avez demandé, montans à francs 4 015,40 après déduction de vos acompte de 1 442,50 dans les détails ci-joins.

« J'ai une reconnaissance de deux mille cent soixante quatre francs quatre vingt centimes (2 174,80) signés par vous à la date du 4 mars 1878. C'est donc une reconnaissance de 1 840,90 c que vous devez me faire pour votre compte de 4 014,40 qui m'est dû. Si vous préférez que le montans sois sur une même feuille, veuillez la faire dès aussitôt la réception de votre reconnaissance.

« Je vous renverrez celle que vous m'avez faite en 1878.

« Je vous serais très reconnaissans, chez monsieur, si vous pouvez me venir en aide dans ce momen critique[1]. »

En effet, pourquoi Van Gogh paierait-il ! Il se propose plutôt d'envoyer un pastiche de sa facture à Tanguy :

« Portrait de Tanguy	50
— Mme Tanguy	50
— de leur ami	50
Argent gagné sur peinture	50
Amitié, etc.	50
Total	250

« Le règlement du compte n'est pas pressé, toujours est-il qu'un acompte me serait agréable. »

Le portrait de l'ami des Tanguy, il l'a peint, en vérité pour vingt francs. Quant à celui de Mme Tanguy, ils se haïssent tellement, elle et lui, qu'elle le vend aussitôt, à moins qu'elle ne l'ait détruit. Il a disparu. De toute façon, c'est elle la responsable, la Lady Macbeth de la rue Clauzel, qui pousse son mari à réclamer l'argent qui lui est dû. Discuter ce serait « entrer en discussion avec la mère Tanguy, ce à quoi nul mortel n'est tenu ». Avec son « cerveau de silex ou pierre de fusil, fausse, traître, folle », elle, ou plutôt « Xantippe, la mère Tanguy et bien d'autres dames sont bien davantage nuisibles à la société civilisée dans laquelle elles circulent que les citoyens mordus par les chiens enragés qui habitent l'Institut Pasteur. Aussi le père Tanguy aurait-il mille fois raison de tuer sa dame... mais il ne le fait pas plus que Socrate... Et pour ce motif, le père Tanguy à plutôt des rapports en tant que résignation et longue patience — avec les antiques chrétiens, martyrs et esclaves, qu'avec les modernes maquereaux de Paris ». Résignation, longue patience, ces vertus de Tanguy trouvaient à s'exercer plutôt grâce aux peintres !

C'est chez lui que (selon Emile Bernard, aux souvenirs

1. Paul Cézanne, *Correspondance*, Paris, Grasset, 1978 (orthographe respectée).

douteux) Cézanne et Van Gogh se rencontrèrent pour la seule fois. Vincent vient de déjeuner avec les marchands de couleurs ; Mme Tanguy ne lui coupait donc pas l'appétit ! Cézanne entre dans la boutique. Discussion technique sur la peinture. Pour appuyer ses dires, Vincent montre ses travaux, il y en a toujours chez Tanguy. Cézanne les regarde longuement et lui affirme que sa peinture est celle d'un fou. Mais, raconté par Emile Bernard après la mort de tous les protagonistes, cela semble trop beau ou trop affreux pour être vrai. Ce qui est vrai, c'est la lettre de Cézanne, harcelé à la fin de sa vie par un Emile Bernard toujours arriviste, qui l'excède, dont il dit le plus grand mal aux autres, et plutôt du bien à lui ; une lettre d'avril 1904, qu'il termine avec ces félicitations : « Vous n'avez, je crois, qu'à poursuivre dans cette voie. Vous avez l'intelligence de ce qu'il faut faire, et vous arriverez vite à tourner le dos aux Gauguin et Gogh (*sic*) [1]. »

Mais Cézanne... Ah ! Cézanne ! Bien plus que Vincent, encore, isolé ; prisonnier, qui se tait dans toutes les langues du monde ! Si malhabile à écrire. Si *furieux*. Autiste. Avec une telle fébrilité ; celle-là même, si frémissante, des circulations essentielles qu'il découvre et précise avec une telle exactitude. Dans un tel isolement. Et, dans ses autoportraits, une telle demande, une telle avidité, une tristesse telle. Une telle connaissance. *Le* peintre.

En 1894, le père Tanguy meurt d'un cancer à l'estomac. Fidèle à lui-même, souffrant horriblement, il exigera d'aller à l'hôpital des pauvres afin de ne pas fatiguer sa femme. Mais l'atmosphère de l'hôpital lui est insupportable ; on le ramène chez lui. Et le merveilleux ami des peintres, leur « marchand de couleurs » s'éteint parmi leurs toiles, dans les bras de sa chère Xantippe ! Lui, qui envoyait au lieu de carmin « de la garance foncée, ce qui ne fait pas grand-chose, mais le carmin n'est pas non plus très sérieux dans sa pauvre boutique ».

On vendra son « stock » de toiles. Celles de Cézanne entre 45 et 370 francs, Gauguin, six toiles moins de 60 francs chaque, Van Gogh 30 francs, Sisley 370 francs. Seul Monet atteint plus de

1. Cézanne, *op. cit.*

216

3 000 francs et un certain Cazin 2 000 francs. (Ce Cazin, à propos de qui Vincent écrivait à Théo, parlant d'un autre peintre : « N'aie pas peur, ce n'est pas du Cazin, mais du Claude Monet. »)

Tanguy, tout aussi visionnaire que ses arrogants protégés. Tanguy, et cette force si rare d'avoir conduit sa vie à lui ressembler !

Quelle différence avec Théo, accaparé par des « administrations compliquées » dont se désole Vincent : « Travailler dans les gens pour vendre, c'est un travail d'observation, de sang-froid, mais si l'on est forcé de donner trop d'attention aux livres (de comptabilité), on en perd de l'aplomb. »

Pourtant Vincent l'admire et veut que Wilhelmine partage son enthousiasme : « Théo s'occupe de tous les impressionnistes. Il a fait quelque chose pour tous ; il a vendu de leurs toiles et va sans doute continuer. Il est tout autre chose que les marchands ordinaires qui n'ont pas d'argent pour les peintres. » Même s'il n'est pas devenu peintre, la carrière de Théo et celle de son frère sont parallèles. « Plus tu deviens totalement marchand, plus tu deviens artiste », lui écrit Vincent, d'Arles. « Plus je deviens dissipé, malade, cruche cassée, plus, moi aussi, je deviens artiste. »

Osmose ! Mais, s'il n'est pas dissipé, Théo, lui aussi, est malade et se traîne, saturé de travail. Sa vie est ingrate, difficile : « Peux-tu comprendre », écrit-il à Wilhelmine, « comme il est dur quelquefois de n'avoir de conversations qu'avec des gens qui parlent affaires ou avec des artistes qui, dans la plupart des cas, ont eux-mêmes des difficultés... tu n'as aucune idée de la solitude d'une grande ville [1] ».

Vincent allégera cette solitude, mais soulignera l'isolement de Théo, qui est en marge des gens d'affaires et en marge des marginaux. Il est fort possible que la présence de son frère ait dévalorisé tout le système auquel il restait ligoté, lui ; lui, la couronne de Pa et de Moe. Et qu'il ait éprouvé une certaine amertume à voir Vincent, libre, aller et venir dans Paris, peindre

1. *Verzamelde Brieven,* Amsterdam, 1952, vol. IV (édition néerlandaise de la correspondance de Vincent Van Gogh).

avec passion, choisir ses heures, ses rencontres, tandis qu'il
demeurait laborieux, rivé à des horaires, à « son » entresol
impressionniste, mais surtout au rez-de-chaussée pompier, à
l'humiliante relation avec ses employeurs. A des soucis financiers, avec un salaire maigre, sa relative aisance étant due aux
commissions sur les ventes, toujours hasardeuses.

Et puis, ses échanges avec les peintres ne sont pas ceux d'un
artiste, malgré ce que dit Vincent. Degas lui écrit sur un ton
péremptoire, Monet avec froideur ; ils le traitent, en somme,
comme un fournisseur. Avec Gauguin, une amitié distante ; il est
le frère de l'ami, mais pas un ami : une relation à ménager.
Pissaro seul et peut-être Redon le traitent avec plus d'affection.
Mais, en Pissaro, il a trouvé un nouveau Pa, déchu, à secourir.
Et quel délicieux empressement envers le peintre dont le succès
a tant décliné, lorsqu'avant de partir pour quelques jours se
marier en Hollande, il lui écrit : « Avant de partir je veux vous
dire comme je suis navré de ne pas avoir pu vendre quelque
chose de vous dans les moments si difficiles que vous passez.
C'est extraordinaire que parmi les gens soi-disant connaisseurs il
n'y en ait pas qui osent vous donner un coup d'épaule, mais
ceux-là aiment mieux regarder que d'acheter. Cependant, il
faudra bien qu'un jour votre immense talent soit reconnu, non
seulement par des paroles, mais par des actes, je ne sais pas si je
dois vous engager à m'envoyer le nouveau tableau. Ce soir je
pars pour Amsterdam et je ne serai de retour que le 21 (avril)
mon mariage devant se célébrer le 18. Aussitôt après, je serai
heureux de m'occuper tout spécialement de vos tableaux, soit
par une exposition spéciale, si vous voulez, ou en présentant le
nouveau tableau aux amateurs. »

L'exposition aura lieu l'année suivante, et comme Pissarro
manifeste sa reconnaissance pour son succès très relatif — on a
vendu cinq toiles — Théo répond : « Vous êtes vraiment trop
aimable d'apprécier de la façon dont vous le faites mes pauvres
moyens de faire accepter au public votre peinture. Si j'y pouvais
quelque chose, vous la vendriez autrement vite et à d'autres
prix ; je ne désespère pas d'aller de mieux en mieux et en tous les
cas je le considérerai toujours comme un honneur d'avoir pu

faire votre exposition. Quand je vous vois, vous me donnez toujours courage à persévérer... »

Pissarro retrouvera le succès... après la mort de Théo, en 1892, lors d'une exposition organisée par Joyant !

Vincent, lui, traite d'égal à égal avec tous. Il n'est pas, ici, le « mis-de-côté ». Peu importe s'il n'expose, ni ne vend encore, il « compte ». Après son passage, Théo suivra bien des nouveaux peintres, présentés par son frère et qui le passionnent : Gauguin, Lautrec, Seurat, Signac, d'autres. Et maintenant que Vincent est loin, en Provence, et qu'il n'est plus accaparé par eux, Théo lui en sait gré : « Si tu veux faire quelque chose pour moi, c'est de continuer comme par le passé et nous créer un entourage d'artistes et d'amis, ce dont je suis absolument incapable à moi seul et ce que tu as créé plus ou moins depuis que tu es en France. Est-ce que quand les artistes commencent, les autres ne suivront pas quand nous en aurons besoin, au moment où nous ne pourrons plus travailler comme actuellement ? Pour moi, j'en ai la ferme conviction [1]. » Sans doute, songe-t-il à une sorte d'association avec son frère au cas où il pourrait (ou devrait) quitter ses « maîtres ». Quand il s'y trouvera presque acculé, Vincent sera à Auvers, brisé, incapable d'échanges prolongés. « Notre ambition a tellement sombré », aura-t-il écrit, après le mariage de Théo.

A l'arrivée de Vincent à Paris, Théo semble enchanté : « Nous aimons beaucoup notre nouvel appartement », écrit-il à Moe. « Vous ne reconnaîtriez pas Vincent, tellement il a changé ; les autres le pensent encore plus que moi. Il a subi une opération à la bouche, il avait perdu presque toutes ses dents car il avait l'estomac malade. Le docteur le dit guéri. Il fait des progrès fantastiques dans son travail et commence à avoir du succès. Il peint surtout des fleurs, afin que ses toiles deviennent plus colorées. Il n'a pas encore vendu, mais il échange ses toiles contre d'autres. Grâce à quoi nous avons une belle collection, qui a de la valeur. Il est beaucoup plus gai qu'autrefois et les gens l'aiment ici. La preuve : il n'y a presque pas de jour où il n'est invité dans l'atelier de peintres connus, ou bien ils viennent le

---

1. *Verzamelde Brieven, op. cit.*

voir. Il a des amis qui lui envoient chaque semaine une quantité de fleurs dont il se sert comme modèles. Si cela continue, ses difficultés seront révolues. Il sera capable de se débrouiller seul[1]. »

Le frère de Jo, André Bonger, commissionnaire-exportateur et qui vit à Paris, est déjà l'ami de Théo ; il ne voit pas les choses du même œil, mais il a le regard (et la mémoire) des gens de la Hollande pour qui Vincent est, une fois pour toutes, comme il le sera à Arles, classé : déclassé ! « Le frère de Théo est certainement ici pour de bon. Du moins a-t-il l'intention de travailler pendant trois ans à l'atelier Cormon. Je crois vous avoir déjà dit de quelle manière étrange ce frère a vécu. Il ignore absolument les conditions d'une vie régulière et ne peut s'entendre avec personne[2]. »

Une année passe et Bonger semble avoir raison. Théo éclate : « Vincent continue de travailler avec talent, mais quel dommage qu'il soit si difficile de caractère. Impossible de s'entendre avec lui. Il est de nouveau comme avant et ne veut rien entendre[3]. »

Mais pourquoi veut-on toujours lui parler ? L'informer de ce qu'il doit faire, être, au point qu'il se coupera l'oreille car, en effet, il ne veut « rien entendre ». Bonger poursuit sa chronique : « Théo continue d'avoir mauvaise mine. Le pauvre diable a bien des soucis. Son frère lui rend, en plus, la vie insupportable et lui fait continuellement des reproches pour des choses auxquelles Théo ne peut rien[4]. » A quel sujet, ces reproches ? Peut-être s'agit-il des tableaux que Théo ne montre ni ne vend ? Mais Théo souffre. Il est tourmenté. Ce n'est pas seulement l'exaspération, mais l'apprentissage, inconscient. Il apprend à connaître, à aimer Vincent, à reconnaître cet amour. Il apprend que cet attachement dépasse toute critique, tout reproche, et que sa résistance n'est pas tant à Vincent, qu'à la fascination exercée par lui, et pour laquelle, comme Vincent l'écrira à Moe, « la vie n'est pas faite ». Il apprend à savoir à quel point son frère est inévitable, à quel point sa vie lui est indispensable, à

1. John Hulsker, *op. cit.*, vol. 2, 1974.
2. *Ibid.*
3. *Ibid.*
4. *Ibid.*

quel point elle se compose et dépend aussi de lui. « Ne crois pas », écrit-il à Wilhelmine, « que l'aspect financier m'importe tant, c'est surtout l'idée que nous n'avons presque plus de sympathie l'un pour l'autre. Il fut un temps où j'aimais tellement Vincent, il était mon meilleur ami. C'est fini, à présent. De son côté, c'est pire. Il ne perd jamais une occasion de me montrer qu'il me méprise et que je le révolte. La situation est intenable à la maison ; plus personne ne veut plus venir me voir, il ne fait que chercher querelle et il est tellement sale et désordonné que l'appartement est loin d'être attrayant. Tout ce que j'espère, c'est qu'il va partir vivre de son côté, il en a longtemps parlé, mais si je lui disais, moi, de partir, ce serait une raison pour lui de rester. Puisque je suis incapable de lui faire du bien, je ne demande qu'une chose c'est qu'il ne me fasse pas de mal. Il m'en fait en restant ». Et ce qui l'affole, c'est cette découverte : « On dirait qu'il y a deux hommes en lui, l'un admirablement doué, charmant et délicat, l'autre égoïste, impitoyable. Ils apparaissent à tour de rôle, de sorte qu'il parle d'une certaine façon, puis d'une autre avec, chaque fois, des arguments pour des choses différentes. »

Wilhelmine s'étonne. Après tout, la famille Van Gogh a sa méthode : chasser Vincent, s'en débarrasser, puisque le faire enfermer semble impossible. Pourquoi Théo s'encombre-t-il d'un fardeau pareil ? Renvoie-le, conseille-t-elle, ne t'en occupe plus. Mais Théo est bien loin déjà, bien loin sur le chemin de Vincent. Théo marche la main dans la main de Vincent. Ils travaillent à deux ! Vincent l'aide, ici, dans son métier et lui est happé par les toiles de Vincent. Ce qui leur manque à Paris, c'est la relation du navire et du petit bachot ; il n'y a pas, ici, d'espace pour la corde. Il n'y a pas assez de différence, de distance entre le navire et la remorque. Mais pour Théo, déjà, pour Vincent toujours, la corde existe, qui les relie tous deux. « Van Gogh » c'est aussi Théo, même si son frère signe Vincent — peut-être pour cela !

Quelle vie fut celle des deux frères à Paris ? Quelles scènes la nuit, lorsque Vincent continuait à discuter des heures entières avec Théo, accablé de fatigue ?

La santé de Théo, déjà fragile, se détériore ; les conflits en sont aggravés. Vincent, lui, a des cauchemars. Les escaliers lui font peur. Il prend goût à l'absinthe. Il ne boira jamais beaucoup, mais, selon Ginoux, le cafetier d'Arles, il ne supportait pas la boisson et très peu d'alcool suffisait pour le troubler.

Devant Théo et Vincent, en proie à leurs rivalités, à leur adoration, Bonger est inquiet. Songe-t-il à Jo, se doute-t-il déjà que Vincent deviendra son beau-frère ? Et que Théo, l'homme d'affaires vulnérable mais si sage, et l'artiste énergumène forment un couple indissoluble, contre lequel viendra se heurter Jo. Et que sa sœur sera tant à plaindre, veuve sitôt après des mois si difficiles, mais qu'elle, Jo, sera celle qui fera s'anéantir chacun des deux frères, car il leur sera impossible de survivre, séparés par une femme, par un troisième Vincent, et mourir sera leur seul moyen de les éliminer ?

« Pendant l'indisposition de Van Gogh », écrit André à ses parents (Van Gogh pour lui, c'est Théo), « je n'ai guère eu le temps de lire. Il a souffert de graves affections nerveuses, au point qu'il ne pouvait plus bouger. A ma grande surprise, je l'ai trouvé hier de nouveau comme avant ; il sentait encore des raideurs comme après une chute, mais pour le reste, pas d'autres suites. Maintenant, au moins, il va faire attention à sa santé. Il en a bien besoin. Il est résolu à se séparer de Vincent, habiter ensemble leur est impossible. Il ne faut pas en parler à Madame, si vous la voyez par hasard, elle ne sait rien[1] ». Madame, c'est Moe.

Si Théo, désolé des reproches (mystérieux pour nous) de Vincent, est à bout de nerfs, au point de somatiser ainsi au fond de lui-même, il a deviné qui est Vincent Il ne peut renoncer à créer avec lui et son œuvre et leur mort.

En vérité, Vincent a gagné. Il a conquis Théo et c'est peut-être ce qui les séparera, à la longue. Mais un mois après avoir tant souhaité le départ de son frère, Théo écrit à Wil, sa sœur, en avril 1887 : « Nous avons fait la paix, ce n'était bon pour personne de continuer ainsi. J'espère que cela va durer. Il n'y aura donc pas de changement. J'en suis heureux ; cela m'aurait paru étrange de vivre seul à nouveau. Il n'y aurait rien gagné non

1. Marc Edo Trabault. *Van Gogh le mal-aimé*, Vilo, 1960.

plus. Je lui ai demandé de rester. » Bientôt Théo s'extasie sur ce « drôle de type, mais quel cerveau il a, tellement enviable ! ».

Et puis, Vincent part. Il aura vécu deux ans avec Théo et il part pour Arles. Pourquoi est-il passé de la fraîcheur hollandaise, de ce pays dru, vert, de ces espaces sillonnés d'eau verte et bleue, pour la fournaise où il allait se consumer ? Des cauchemars l'empêchent de dormir à Paris ; il craint de devenir alcoolique ; il manque d'air. Mais tout de même, pourquoi ? Certes, la vue des peintres « aux abois » l'assure qu'il n'est pas, lui, spécifiquement visé, exclu, ce qui le rassure d'un côté, mais ne laisse pas aussi de le décourager ; certes, comme l'avancera Théo (mais ce sera un prétexte pour abandonner Vincent à Arles, lorsque Jo proposera de le prendre à Paris), « alors qu'il voyait à Paris tant de choses qu'il aurait aimé peindre, il en était toujours empêché. Les modèles ne voulaient pas poser pour lui, on lui interdisait de travailler dans la rue. Avec son instabilité, cela donnait lieu à des scènes continuelles qui l'exaspéraient au point qu'il était impossible de s'entendre avec lui [encore !] et que Paris lui était devenu insupportable ». Mais tout de même, pourquoi ? Et pourquoi seul ? Et pourquoi là. Pourquoi Arles ? Tartarin de Tarascon ? Curieux prétexte. Monticelli ? Peut-être.

Il était question déjà, six mois avant les fiançailles officielles, d'un mariage de Théo avec Jo Bonger. André Bonger ne devait pas tenir à la présence de Vincent, qui a peut-être été, en fin de compte, chassé. Oh ! non pas à la façon de Pa, mais à la manière douce, persuasive de Théo. Il a laissé la place. Comment savoir ? Jamais les fiançailles de Théo ne sont mentionnées par aucun des deux frères. A peine des allusions de Vincent à des relations avec les Bonger ou à des voyages de Théo en Hollande. Et pourtant, il était au courant. Cela s'était décidé à Paris, de son temps.

Deux fois, il commettra un lapsus. Il se trompera d'adresse en écrivant d'Arles à Théo. A son arrivée à Paris, les deux frères ont habité rue de Laval, ils ont bientôt déménagé dans un appartement plus spacieux, 54 rue Lepic. Vincent adresse deux de ses lettres rue Laval. Ce lapsus a-t-il un sens et, alors, lequel ? Or, la première fois, cela se passe fin avril 1888 ; il habite Arles depuis trois mois. « Je commence par te dire que la lettre que tu n'as pas reçue avait été mal adressée par moi et m'est revenue

223

comme telle. Je l'avais dans un moment d'abstraction bien caractérisé adressée rue de Laval au lieu de la rue Lepic. » Quelques jours plus tard, au milieu d'une autre lettre, il poursuit une phrase où il fait part de son projet d'aller à Marseille (il n'ira d'ailleurs jamais) « lorsque mes nerfs seront plus au repos », par : « dans la lettre que je t'avais mal adressée, je te parlais encore justement de Bonger ». Ne peut-on, dès lors, imaginer que Bonger le perturbait ? que Vincent résistait à écrire ce nom à Théo ? S'il parle de ses nerfs malades et « justement de Bonger », sans même aller à la ligne, cela souligne bien le lien entre ces deux éléments. Ecrire rue Laval signifiait le retour au moment idyllique de l'arrivée à Paris et la possibilité de tout recommencer ; revenir au temps où la lune de miel, le projet de vie commune étaient ceux du couple Vincent-Théo, et c'était envoyer un message dans une demeure que Jo n'occuperait et n'accaparerait pas.

Ce départ (ou ce renvoi) de Vincent fut peut-être le recul devant un bonheur interdit pour lequel « la vie n'est pas faite » !

Avant de quitter Paris, Vincent demande à Emile Bernard de l'aider à aménager sa chambre et l'appartement de telle sorte que Théo n'ait pas trop l'impression de son absence. A la nostalgie de Théo écrivant à sa mère : « J'ai été quelque fois écouter du Wagner au concert avec Vincent, avant son départ. Cela me semble encore étrange qu'il soit parti, il m'a tellement appartenu ces derniers temps », fera écho, après la mort de Vincent, ce cri : « Oh mère, il était tellement, tellement mon frère à moi, à moi ! »

« La boîte de couleurs suffisait à peine à contenir tous ses tubes pressés, jamais refermés, et malgré tout ce désordre, tout ce gâchis, tout rutilait sur la toile, dans ses paroles aussi : Daudet, Goncourt, la Bible brûlaient ce cerveau hollandais. A Arles, les quais, les ports et les bateaux, tout le Midi devenait pour lui la Hollande. Il en oubliait même d'écrire en hollandais[1]. »

C'est vrai qu'à peine arrivé en Provence, Vincent se tourne vers la Hollande, comme s'il fallait, d'ici, affirmer là-bas qu'il existe, qu'il est un peintre et — qu'il n'est pas mort. Toujours la même obsession et qu'il énonce plusieurs fois, tout de suite, en toutes lettres, à propos de... Tersteeg : « D'abord toujours encore Tersteeg ! » Tersteeg contre lequel, à défaut de Pa, il va buter, et qu'il va tenter de persuader « d'abord toujours encore ».

Deux ans ! Pendant deux années à Paris, il a été investi peintre, par ceux qu'il sait être les plus grands ou, mieux, les plus vrais. Là-bas on a pu le critiquer, on ne l'a pas bafoué. Il *a* existé. Il *a* vécu. Mais cela ne peut devenir réel qu'une fois inscrit en Hollande, une fois annulé le mépris qu'on a de lui là-bas ; le rejet. Le « chien hirsute » veut faire savoir qu'il est un humain, qu'il a trouvé un gîte, une famille... d'autant plus qu'il les a déjà perdus. Il est ailleurs, déjà. Mais qu'on ne le croit pas, une fois de plus, relégué, « mis de côté ». Il est *Vincent*. Lequel ? Celui connu des Gauguin, des Lautrec, des Degas. Il insiste auprès de Théo, pour que dans le catalogue des Indépen-

1. Paul Gauguin, *Avant et Après,* Cres, 1923.

dants où il est invité on écrive désormais son nom comme il le signe, non pas Van Gogh, mais — au nom de qui ? — Vincent.

S'il supporte la séparation d'avec Théo, c'est qu'il ne la perçoit pas encore. Il demeure dans la lancée des projets conçus à Paris et se croit toujours l'éminence grise de son frère, commerçant. « Mon cher frère, si je n'étais pas si fou et toqué par cette sale peinture, quel marchand je ferais encore avec les impressionnistes justement. » D'Arles, il vend un Guillaumin, puis un Emile Bernard à Russel ; il lui propose des Gauguin, mais n'obtient là que deux refus. Le plan des deux frères, c'est celui refusé par les oncles : « Cette affaire des impressionnistes, considérés dans leur ensemble, tu la tenais avec leur aide. » Il s'agit de représenter les impressionnistes partout dans le monde, mais, à présent, plus ou moins sous l'égide de Boussod et Valadon. Trois points stratégiques seront d'abord tenus par Théo à Paris, Vincent à Marseille, et, soudain, une idée illumine Vincent : à Londres par Tersteeg, au lieu d'un Anglais. La réconciliation, la réhabilitation ! Vincent reviendrait par la grande porte, associé de son ancien ennemi. C'est lui qui rédige la lettre de Théo à Tersteeg, en espérant que son frère ne l'aura pas « trop éreintée en la mettant au net ».

Vincent recommande à Théo de promener Tersteeg à Paris, dans tous les ateliers ; sans doute prévoit-il que lui parviendront ainsi les échos de son passage et de sa réputation de peintre. De Vincent Van Gogh parisien, peintre impressionniste (même si nous ne le considérons pas comme tel), la Hollande doit être informée. A Nuenen. A Amsterdam. A La Haye. Il faut surtout faire savoir, insiste-t-il auprès de Théo, que les deux fils de Moe, Vincent et Théo, ne sont pas morts. La tombe de Zundert, dont il ne parle jamais et qui l'obsède, c'est une histoire révolue pour eux. Paris est historique, tangible. Vincent, c'est une signature sur des toiles, non plus une inscription sur un tombeau. Les frères Van Gogh survivants doivent faire savoir, dit-il, en parlant de Tersteeg et des échanges commerciaux espérés avec lui, « que nous ne méritons pas qu'on nous traite comme des morts ».

Tersteeg, il fallait s'y attendre, tarde à répondre. « Il faut être prudent avec lui », recommande Vincent, et ne pas insister avec une nouvelle lettre, « mais ce qu'il faut éviter c'est de se laisser traiter comme si l'on était mort ou hors la loi ». Encore ! Oui. Encore. On ne saura jamais assez en Hollande que Vincent n'est pas dans une tombe du Brabant ; qu'on l'a vu marchant dans les rues de Paris, discutant avec Fénéon, mimant des bateliers déchargeant des péniches sur les bords de la Seine, afin de montrer à Guillaumin comment il devrait les avoir peints ; rendant visite à « Mme la Comtesse de La Boissière à Asnières, elle reste boulevard Voltaire au premier de la première maison, au bout du pont de Clichy. Au rez-de-chaussée il y a le restaurant du père Perruchot. C'est en somme *une famille*. La comtesse est loin d'être jeune, mais elle est d'abord comtesse, ensuite *une dame*[1], sa fille idem ». Toujours une mère et une fille, décidément ! Il envoie Théo leur offrir deux petits tableaux de sa part « c'est logique que tu y ailles... Va-t'en voir maintenant des femmes dans le monde, tu verras que tu réussiras, vrai — des artistes et cela. Tu n'as rien à y perdre. Allez » ! On l'a vu, échangeant des toiles avec Lautrec, blaguant avec Gauguin, exposant aux Indépendants. Il a peint vingt-trois autoportraits à Paris, ils y sont restés. *Lord Keep my memory green.* Et ici le soleil l'éclaire, le réchauffe ; il ajoute dans la même lettre « il ne faut pas permettre que l'on nous considère comme des morts ».

Enfin Tersteeg répond. Silence à l'égard de Vincent, qui, toujours accommodant jusqu'à ce qu'il explose, déclare qu'il n'en est pas blessé. Tersteeg songe surtout à leur acheter un Monticelli (les deux frères en détiennent cinq) pour sa propre collection. Vincent est aux anges et ne trouverait pas mauvais d'envoyer une étude de lui au redoutable négociant.

Soudain, comme dans un songe, surgit l'idée de ce qui est, au fond, l'ébauche du musée ; une idée que reprendra le troisième des Vincent Wilhelm, l'ingénieur, aux prises avec ce même nom dont, fatalement, il assumera le destin. Presque de nos jours, en 1973, fut inauguré, du vivant de Vincent Wilhelm Van Gogh III, le musée Vincent Van Gogh, d'après ses projets et ses plans. Quatre-vingt-trois ans après le « plan d'attaque » imaginé par le deuxième Vincent Wilhelm, en 1888 : « Voilà donc un plan

1. Souligné par Van Gogh.

227

d'attaque qui nous coûtera quelques-uns des meilleurs tableaux que nous avons fabriqués à nous deux, nous ayant coûté de l'argent et un lambeau de notre vie. »

Non pas de *nos* vies mais de *notre* vie. Envoyer la production de ces vies conjointes, cette production à deux, dans le pays où les a produit Moe, vivants, annulerait la prédominance du prédécesseur mort-né. Et, toujours à propos des difficultés commerciales rencontrées dans leur pays, Vincent affirme : « Ce serait une réponse à voix claire à de certaines insinuations sourdes, nous traitant plus ou moins comme si nous étions morts. » On comprend dès lors, la souffrance indicible de Vincent lorsqu'en juillet 1890, au lieu de passer leurs vacances à Auvers, Jo et Théo préféreront aller en Hollande présenter *leur* production à deux. « Le voyage en Hollande », suppliera-t-il, « je crains que ce soit un comble pour nous tous ». Et c'est pendant ce voyage, alors que Théo a laissé Jo et le troisième Vincent Wilhelm là-bas et qu'il est revenu passer quelques jours à Paris avant d'aller les rechercher, que Vincent se tuera.

A Saint-Rémy, de nouveau, un temps, mais cette fois sans vouloir rien prouver, avec de la nostalgie seulement et le besoin de retourner là-bas, ce qu'il ne peut faire lui-même, et dans un mouvement qui rappelle un peu celui des agonisants qui ramènent sur eux leur drap, il demandera à Wilhelmine la permission de lui envoyer des toiles à répartir en Hollande. Des études peintes pour elle et pour leur mère, mais, et c'est « un désir qui est presque un besoin » pour quelques-unes des personnes « auxquelles je pense souvent. Ainsi nos cousines Mmes Mauve et Lecomte [1] si tu les vois à Leyde, dis-leur que si mon travail leur plaît je leur en ferais volontiers, très volontiers, mais surtout aussi je voudrais que Margot Begeman eût un tableau de moi... C'est pour moi presque un besoin absolu d'envoyer quelque chose de mon travail en Hollande et si tu réussis à en faire accepter ce sera à moi de te remercier ». Et à Moe, le même jour, il expliquera : « Ce que j'essaie simplement, c'est de grouper, d'après un plan ou un autre, un ensemble

1. Deux filles du pasteur Stricker, son oncle, et qui, toutes deux, ont épousé des peintres. Kee Voss est leur sœur.

des choses que j'aimerais voir réunies. Un ensemble qui deviendrait de plus en plus important, le temps aidant. »

Tersteeg a demandé à Théo, alors que Vincent vient d'arriver en Arles, de lui envoyer tout un lot de tableaux des impressionnistes qu'il juge les meilleurs. Il compte les exposer à Arti, l'exposition d'art annuelle d'Amsterdam. Théo a joint à son envoi une œuvre de Vincent. Mais comment persuader le terrible Tersteeg que ce « dingo » est un vrai peintre, un impressionniste du Petit Boulevard ? Vincent imagine de lui offrir une autre toile pour sa propre collection. Il choisit pour ce faire « une drôle de chose comme je n'en ferai pas tous les jours : le pont-levis avec la petite voiture jaune et groupe de laveuses ». Pas n'importe quoi ! Il envoie à celui qui le nie, à l'ennemi qu'il lui faut à tout prix se concilier pour avoir la garantie d'exister, le trait d'union capricieux d'un pont-levis, avec « la petite voiture jaune » si poignante, dans laquelle, sous le regard désolé de leur fils debout sur le perron de M. Provily, Pa et Moe s'éloignaient ; à présent un groupe de laveuses, dont Sien — « nous avons tant de souvenirs à La Haye » — nettoient, non loin, les souillures, le sang des naissances ratées.

Et pour tout remettre sur le droit chemin, il veut envoyer aussi le tableau « tendre et très gai » dédié au souvenir de Mauve et qui s'accompagne d'un poème cité par Vincent à la mémoire du vieux peintre — ou à celle de qui ? — « Ne crois pas que les morts soient morts/Tant qu'il y aura des vivants/Les morts vivront, les morts vivront ».

Une fois ces œuvres, ces preuves, ces manifestes, projetés dans le pays natal, « je laisserai la Hollande tranquille pour toujours ».

Mais le « plan d'attaque » s'effondre. Tersteeg, c'était évident, refuse tout en bloc. Il renvoie tous les tableaux des impressionnistes. Devant un Sisley, toujours si discret, si élégant, il grommelle : « Je ne peux pas m'empêcher de penser que l'artiste qui a fait cela était un peu gris. » Vincent s'écrie : « Devant mon tableau à moi, il dirait que c'est du delirium tremens. » Quant aux projets de Londres, Paris, Marseille : plaisanterie !

C'en est fini de l'espoir de collaboration avec Théo. Vincent se

réveille. Il est seul. A l'écart de nouveau. Arles est loin de Paris.
Il a laissé sa place. Et Théo vend à Paris. Tandis que lui peint à
des kilomètres de là. Une fois encore banni. Il s'est laissé
persuader, et c'est irréversible. S'il dévalorisait à Paris la vie de
Théo, ne plus la partager dévalorise la sienne à Arles, son travail
inclus, lui qui peut peindre avec « l'entrain d'un Marseillais
mangeant de la bouillabaisse », il se sent à nouveau cheval de
fiacre, même ici, « et on sait que ce sera encore au même fiacre
qu'on va s'atteler. Et alors on n'aura pas envie, et on préférerait
vivre dans une prairie avec un soleil, une rivière, la compagnie
d'autres chevaux également libres, et l'acte de la génération. On
ne se révolte plus contre les choses, on n'est pas résigné non
plus, on en est malade et cela ne se passera point... Le fiacre que
l'on traîne, ça doit être utile à des gens qu'on ne connaît pas ».

Peu à peu la réalité s'impose, comme dans un mauvais rêve : il
est parti, il ne retrouvera pas la chaleur de Théo, ni celle de
personne. La tombe de Zundert n'est plus effacée par « des
signes de vie ». Il est en Arles et, s'il est « ravi, ravi, ravi » de ce
qu'il voit, il craint les « lendemains de fête et les mistrals
d'hiver ». Le portique de Saint-Trophime le fascine, mais « c'est
si cruel, si monstrueux, comme un cauchemar chinois ». Heureusement, il y a « les zouaves, les bordels, les admirables
petites Arlésiennes qui s'en vont faire leur première commu-
nion, le prêtre en surplis qui ressemble à un rhinocéros
dangereux, les buveurs d'absinthe me paraissent aussi des êtres
d'un autre monde... il me semble que je serais triste, si je ne
prenais pas toutes choses par le côté blague ». Et puis défilent
les femmes, mais à quoi bon ! elles sont inapprochables pour lui,
« aussi belles que des Goya ou des Velasquez. Elles savent vous
ficher une note rose dans un costume noir ou bien confectionner
un habillement blanc, jaune, rose ou vert et rose ou encore bleu
et jaune où il n'y a rien à changer au point de vue artistique ».
Tableaux vivants. Mais, justement, la peinture n'a plus rien de
vital ni de vivace pour Vincent. Elle était une preuve, la
sensation de son existence et Tersteeg les rejette au néant. Elle
était la corde qui liait la remorque au navire ; maintenant cette
corde souligne la distance qui sépare les deux.

Et, horreur ! Théo songe à partir travailler en Amérique !

Alors, au diable la peinture ! « Veux-tu que j'aille en Amérique avec toi, ce ne serait que justice que ces messieurs me paieraient mon voyage. » Il s'accroche, se débat, montre les désavantages de ce choix. Londres, oui, Londres à la rigueur. Mais l'Amérique... cela lui ôte l'appétit. « Et si tu acceptes ces propositions bien — mais alors demande à ces Goupil de me reprendre moi, à mes gages de dans le temps et prends-moi avec toi dans tes voyages. Les gens, ça vaut mieux que les choses. Les tableaux me laissent froid et si je continue de peindre, c'est pour être dans les artistes. » Encore une fois, la dernière, il tente ouvertement de rejoindre son frère à tout prix. Il peint ? C'est pour rester dans son orbite. Mais si Théo part, à quoi bon ! Lui, il se rendra dans le Moyen-Orient.

Théo n'ira pas outre-Atlantique. Paris, c'est moins vertigineux comme distance, comme absence. Mais Théo, Vincent, vivant ensemble, c'est fini pour de bon.

Au moins, se sentir responsable de l'agitation de Théo, et qu'elle ait pour but un sacrifice destiné à Vincent. Théo « se prépare à la mort, une idée bien chrétienne, à négliger ». Et Vincent vise le point exact, qui motive toute la vie de Théo. « Ne vois-tu pas qu'également le dévouement, vivre pour les autres est une erreur si c'est compliqué de suicide, vu que vraiment dans ce cas on fait des meurtriers de ses amis. » Il ne croit pas si bien dire, lui qui, dans ce sens même, deviendra à la lettre, le meurtrier de Théo. Mais vivre pour les autres, si c'est compliqué de suicide... et si cela avait pour autre sens : compliqué du suicide de Vincent. Ce suicide n'aura-t-il pas été depuis longtemps préparé par Théo ? Théo qui ne peut mourir qu'en suivant son frère, comme il a toujours fait, Théo a-t-il entraîné Vincent dans le long sillage de son propre suicide ? Que Vincent l'ait précédé ne signifie pas que l'autre n'ait pas frayé le chemin.

Vivre pour les autres, Vincent le sait, lui qui vit pour le premier Vincent, signifie aussi vivre à leur place. Usurper leur vie. Leur mort décrétée, obtenue de leur vivant. Lorsqu'il se tuera, ce sera bien en tant que meurtrier du premier Vincent, mais poussé par « Théo la couronne », qu'à son tour il tuera, lorsque, meurtrier, il aura déjà pris la fuite dans un champ de blé. L'éternel assassin aura quitté la maison (et l'hospice, l'asile de fous, l'auberge), lui qui n'était pas censé avoir quitté une tombe dès avant sa naissance inscrite à son nom avec, à un chiffre près, sa date de naissance.

Une vaste entreprise d'assassinats, où il rêve, à présent qu'il en est temps encore, de glisser de la vie. Un peu de vie encore. « Je suis étonné d'être si peu artiste que je regrette toujours que la statue, le tableau ne vivent pas. » Entre les morts en vie, les vivants qui entendent ne pas être pris pour des morts et l'éternel double pétrifié sous la dalle de Zundert, reste cette fièvre de travail continuelle. « Je tape sur la toile à coups irréguliers que je laisse tels quels. Des empâtements, des endroits de toile pas couverts par-ci, par-là, des coins laissés totalement inachevés, des reprises, des brutalités. » Qui avait jamais osé jusque-là dilapider ainsi, et des toiles et une vie ? Toute une vie dans la fureur de son présent immédiat, qui va s'abattre sur la matière, comme jamais encore ce n'était advenu, et d'instinct.

En vérité, les vivants s'éloignent et le peintre se retrouve piégé, non plus représentant dans le Midi des plans élaborés à Paris, mais coincé dans cette petite ville méridionale où les bordels sont moins « lugubres » que dans la capitale, où l'on ne trouve à manger ni pommes de terre, ni macaronis, mais des ratatouilles grasses, avalées sans compagne, ni compagnon, au cours de journées où pas un mot n'est échangé.

Arles, où il était arrivé en février 1888 sous la neige ! n'est pas « plus grand que Mons ou que Bréda ». Mais il y trouve bientôt « la maison jaune » où il s'installe, après avoir, un bref temps, vécu dans un café. Cette maison jaune est « en dedans toute blanchie à la chaux », comme les murs des églises, ceux des tombes dont les pasteurs sont amoureux et, « là-dedans, je peux vivre et respirer, moi, et réfléchir et peindre », car le Midi « c'est le soleil qui ne nous a jamais pénétrés nous autres du Nord ». A Zundert, dans une tombe, un « mis-de-côté » nommé Vincent, lui aussi, est privé de soleil, de chaleur à jamais, pétrifié ; alors qu'ici, dans cette autre alvéole, les rayons traversent les murs extérieurs, couleur beurre frais, de cette maison incrustée dans le ciel d'un bleu intense, ils atteignent un Vincent qui affronte la lumière crainte par son secret, qu'il ne reconnaît pas. Mais que perçoit-il quand il lit si souvent *l'Homme hanté* ?

Tout de même, dans cet égarement où la trace s'est perdue de tous ceux à qui il était lié affectivement, dans cette ville d'Arles où débute l'absolue solitude que le passage de Gauguin va sceller définitivement, Vincent s'acharne encore à ce que « mes toiles deviennent telles que tu ne sois pas trop mécontent de *ton*[1] travail ».

Et il s'inquiète de Théo qu'il tend, semble-t-il, à confondre avec le premier Vincent, celui de Zundert : « Je m'imagine toujours que tu n'as pas toute la tienne de part au soleil... J'ai alors, lorsque je songe à cela, une rage marchande, je veux gagner de l'argent pour que tu sois plus libre d'aller et de faire ce que tu veux. » A quel frère s'adresse-t-il là ? A quel fils de Moe ? « Je sens que nous brûlerons de vendre et de trouver un secours, donnant de l'air. » Enterrés vifs, Vincent et Théo. De l'air ! Alors Vincent peint. « Je marche comme une locomotive à peindre », mais, à présent, c'est dans un lieu dévasté, où vont surgir, d'autant plus vivaces, fraîches, des œuvres aiguisées, stimulées par la désertion générale, comme gelées de vie, à même la motion tourbillonnante du monde, la crise de l'émotion sans but, infinie, où seul ce qui est à vif est capté, écorché de toutes scories.

C'est à Monticelli, à l'autre peintre, mort non loin d'ici, à Marseille, et « qu'on a dit si buveur et en démence », que pense Vincent, lorsqu'il revient du travail, avançant à travers les champs, à travers sa vie si austère, après un « travail et calcul sec où l'on a l'esprit tendu extrêmement, comme un acteur sur la scène dans un rôle difficile, où l'on pense à mille choses à la fois dans une seule demi-heure », car après le travail, la seule chose qui soulage, c'est de boire un bon coup, de fumer des cigares très forts avant d'engloutir du café « non parce que c'est bon pour une denture délâbrée, mais parce que j'ai une confiance, une foi digne d'un idolâtre, d'un chrétien, d'un anthropophage, dans son efficacité ». Efficacité nécessaire lorsqu'il est « en plein calcul compliqué d'où résultent l'une après l'autre des toiles

---

1. Souligné par Van Gogh.

faites vite, mais longtemps prévues *d'avance*[1]. Et voilà qu'on dira que cela est trop vite fait, tu pourras y répondre qu'eux ils ont trop vite vu ».

C'est devenu vrai : un peintre est quelqu'un qui peint. Rien d'autre. Rien. Et malgré ses élans, sa terreur, ses demandes, malgré la chair qui réclame, malgré la détresse qui en appelle de n'être « pas aimé personnellement », il n'est plus, il ne sera plus que cela. Ah ! si ! autre chose aussi : le héros, le martyr qu'il refuse d'être. Et il peint. « Mais *l'espérance,* le désir *d'arriver* est cassé et je travaille *par nécessité,* pour ne pas tant souffrir moralement, pour me distraire... Auparavant, je me sentais *moins* peintre, la peinture devient pour moi une distraction, comme la chasse aux lapins aux toqués, qui la font pour se distraire. L'attention devient plus intense, la main plus sûre. Alors c'est pourquoi j'ose presque t'annoncer que ma peinture deviendra meilleure, car je n'ai plus que cela[2]. »

Est-ce trop ? Faut-il l'en distraire ? Théo va jeter un jouet à son frère : Gauguin. Comme un petit camarade nécessiteux à un gosse de riche un peu déshérité. Comme une dame de compagnie. Comme la bonne qu'une mère ou une épouse autorise au fils ou au mari, car cela se passe sous contrôle, à la maison, on sait à qui l'on a à faire. Entendons-nous, il s'agit d'un compagnon, pas d'un amant. Mais tout attachement est illicite pour Vincent et, peut-être, toute relation suivie de son frère suscite-t-elle la jalousie de Théo. Cette fois, comme avec Sien, il sera là, en tiers, avec son argent. Il tiendra sous sa coupe deux peintres isolés. Gauguin, Vincent sont ici dans une situation ridicule, qui ne pouvait leur échapper. Sous l'égide perverse de Théo, deux gamins terribles. On fait joujou à la peinture, pendant que papa-maman Théo travaille. On se tient bien tranquille, on fait gentiment des tableaux. Ces deux hommes si puissants, si bouillonnants, sérieux, ne pouvaient soutenir cette farce, accepter cette atmosphère de nursery avec, à Paris, Degas s'extasiant : « Ne sont-ils pas heureux ! Ça c'est la vie », et, commente Théo pour Wilhelmine : « inutile d'insister sur ce que cela signifie

1. Souligné par Van Gogh.
2. Souligné par Van Gogh.

234

provenant de la bouche du grand Degas qui comprend si bien la vie dans toute son abondance ». Le grand Degas ira jusqu'à ajouter qu'il est bien tenté de leur rendre visite à ces deux petits, à Arles.

Si un peintre est aux abois, c'est Gauguin, revenu d'une expédition à la Martinique malade et démuni. A Panama, il a dû travailler comme terrassier aux chantiers du canal pour payer son passage. Le peintre Laval, qui l'accompagnait, avait tenté de se suicider au cours d'un accès de fièvre. A Paris, c'est son ami Schuffenacker, peintre et disciple émerveillé, qui l'aide à vivre. Théo lui achète quelques tableaux et des poteries. Gauguin part travailler à Pont-Aven avec Emile Bernard et Laval qui le considèrent comme leur maître. C'est la dèche totale. Les dettes de Gauguin, qui vit à la pension Gloanec, deviennent criantes. Il a quarante ans. Il est à bout de force. Sa femme, ses enfants vivent au Danemark. Il a une vie compliquée. « Il a sa femme et ses enfants dans le Danemark et il veut simultanément aller tout à l'autre bout du globe à la Martinique. C'est effroyable tout le vice versa de désirs et de besoins incompatibles que cela doit lui occasionner », s'effraie Vincent. Gauguin fanfaronne, se veut cynique ; il est aussi désarmé que Vincent. Un Vincent sans Théo. Sa méchanceté foncière n'est qu'un piètre moyen d'attaquer pour se défendre, et se rabat toujours sur lui. Pour lui aussi, le drame d'Arles sera une grave déception, même s'il n'a pas de conséquences aussi tragiques, aussi immédiates que pour Vincent. Même si son comportement est assez irresponsable, Gauguin, lui aussi, aura mis là ce qui lui restait d'espoir, d'illusions. Comme au temps de Sien, chacun des deux protagonistes reprendra sa dérive et pour le pire. Ce sera plus long, plus lent, moins manifeste chez Gauguin ; il donnera le change, à son habitude, mais il est sans défense comme Vincent, et comme lui absorbé dans ses travaux, ses rêves, happé par la misère et doué d'une force créatrice trop puissante, d'une perception de la vie trop directe pour être assumées par une vie ordinaire, même de peintre. Vincent sera celui qui comprendra à quel point ils auront été, ils sont proches ou plutôt semblables, et trouvera naturel après le drame de lui conserver son affection, de réclamer la sienne. Jusqu'à la fin, il fera le projet de rejoindre

Gauguin, tenté, mais réticent. Plus narcissique, plus aveuglé par sa mégalomanie, Gauguin, malgré quelques réactions lâches et perfides, surtout après la mort de Vincent, demeurera son admirateur un peu jaloux, convaincu de sa propre supériorité, mais complice. Complice contre les autres. Chacun d'eux reconnaît l'autre et la souffrance de l'autre, ses luttes, ses jouissances, même si chacun, saturé par lui-même, ne supporte ce que l'autre a d'extrême.

L'aventure démarre avec la mort de l'oncle Cent et le legs dérisoire laissé à Théo. L'oncle de Princehague ! Tout un pan du passé s'abat. « Lorsqu'à la fin des fins le bonhomme n'y sera plus, alors pour le petit cercle, ce sera un vide et une désolation de plus. Et même nous autres le sentirons car il y a quelque chose de navrant dans ce qu'étant plus jeunes, on l'a tant vu, et on a même été influencés par lui. Alors de voir quelqu'un qu'on a connu très remuant, réduit à un tel état d'impuissance soupçonneuse et de souffrances continuelles... La mère à Bréda doit se faire vieille aussi. »

L'oncle meurt. Théo ira à l'enterrement. Et Vincent ? Vincent est obsédé par des idées d'éternité au point que, pour la première fois, il parle de sa folie possible ; c'est à propos d'un peintre devenu fou, non plus Monticelli, mais Hugo Van der Goes, qui, au xve siècle, en Flandres, à l'âge de trente-cinq ans, s'était retiré, dément, dans un monastère : « Et si ce n'était que j'eusse une nature un peu double, comme ce serait d'un moine et d'un peintre, je serais, et cela depuis longtemps et en plein réduit au cas de folie d'Hugo Van der Goes. Mais ma folie ne serait pas celle de la persécution, puisque mes sentiments, ou l'état d'exaltation, donnent dans des préoccupations d'éternité et de vie éternelle. Mais quand même, il faut que je me méfie de mes nerfs. » C'est la seconde fois qu'il fait mention de ce tableau d'un autre peintre, encore, Emile Wauters, où figure le peintre Hugo Van der Goes, insensé. Le peintre barbu, hagard, en robe de novice, écoute avec passion un chœur de jeunes garçons, enfants de chœur auxquels, assis, il tourne le dos ; il entend leurs voix (comme Vincent entend peut-être celle d'un double comme dans *l'Homme hanté* : « Je l'entends dans le vent, dans la musique, dans la tranquillité des nuits », et d'un double enfantin. Un peu avant la mort de l'oncle, il remarquait : « j'étais devenu hagard comme Hugo Van der Goes dans le tableau d'Emile Wauters à peu près, seulement m'étant fait couper la barbe, je crois que je tiens autant de l'abbé très calme dans le même tableau, que du peintre fou ».

C'est donc à l'éternité que pense Vincent à propos d'un autre Vincent, nommé Cent, à cause de qui, du temps où il travaillait chez Goupil, il fallait adresser les lettres du neveu au nom de « V.W. Van Gogh » sans quoi on aurait pu confondre avec l'oncle Cent « qui s'appelle seulement " V " ».

Et le vrai Vincent (l'un d'eux), Vincent « V.W. », trouve curieux que son oncle, comme son père, aient cru à la vie future. Mais lui, peut-il se contenter d'une vie future atteinte éventuellement à travers les œuvres, du flambeau transmis et retransmis ? Serait-ce là tout ? « Si une bonne vieille mère de famille à idées passablement bornées et martyrisées dans le système chrétien », songe-t-il, se souvenant, avec tendresse peut-être, de la vie spirituelle, secrète et compliquée de Moe, « si cette mère de famille est immortelle comme elle le croit, pourquoi un cheval de fiacre poitrinaire comme Delacroix ou de Goncourt, aux idées larges cependant, le seraient-ils moins ?... Pourquoi ne garderait-on pas ce *moi*[1] de vieille femme ». Intuition de Van Gogh, et qui annonce celle d'Artaud : « Moi, Antonin Artaud, je suis mon père, ma mère, mon fils et moi. » Mais ce qu'Antonin Artaud met, tout de même, en littérature, Vincent le subit sans panache. Il sait des choses, il ne sait pas qu'il s'agit d'un savoir ; des circulations mêmes qui fondent, secrètement, les Ecritures sacrées. « Les médecins vous diront que non seulement Moïse, Mahomet, le Christ, Luther, Bunyan et autres étaient fous, mais également Franz Hals, Rembrandt, Delacroix et également toutes les vieilles bonnes femmes bornées comme notre mère. Ah ! c'est grave cela. On pourrait demander à ces médecins où alors seraient les gens raisonnables ? Sont-ce les souteneurs de bordels, ayant toujours raison ? Il est *probable*. Alors que choisir ? Heureusement il n'y a pas à choisir. »

Vincent sait exactement où il est. Il en sait beaucoup trop. Et

1. Souligné par Van Gogh.

237

puis, il a basculé, lucide, sans toutefois en mesurer les conséquences, vers la mère, Pa effacé. Théo pourra toujours lui lancer Gauguin, Vincent est parti dans un autre circuit, où guette la folie des *Pietà.* Celle dont le Christ fut atteint.

Face à *l'Enterrement dans les blés,* figurait, derrière le bureau de Pa, une *Mater Dolorosa.* Vincent, qui avait dans le Borinage « le mal du pays pour le pays des tableaux », a pénétré celui où Pa, maintenant pour de bon disparu, l'a piégé.

« Je crois à la victoire de Gauguin et autres artistes, mais entre demain et aujourd'hui, il y a longtemps. » C'est pourquoi le legs de l'oncle Cent servira à financer Gauguin : 150 francs par mois contre douze tableaux par an. Sous prétexte qu'il est plus économique de vivre à deux et de joindre leurs mensualités, Gauguin viendra habiter Arles avec Vincent, qui est toujours poursuivi par la crainte obsessionnelle d'empêcher l'existence d'un autre : « Je me fais un crime lorsque avec la même somme deux peuvent vivre. »

Des deux côtés, c'est la veillée d'armes ; espoir, élan total de la part de Vincent, avec cette inquiétude cependant : Gauguin « n'a pas la prévoyance de *l'infini*[1] de la gêne », et cette lucidité : « Instinctivement, je sens qu'il est un calculateur, qui, se voyant au bas de l'échelle sociale, veut reconquérir une position par des moyens qui seront certes honnêtes mais qui seront très politiques. Gauguin sait peu que je suis à même de tenir compte de tout cela. »

De son côté Gauguin, moins enthousiaste, écrit à son ami Schuffenacker, dit Schuff : « Il circule en ce moment parmi les *artistes* un vent favorable très prononcé pour *moi*... Soyez tranquille, tout amoureux de moi que soit Van Gogh[2], il ne se lancerait pas à me nourrir dans le Midi pour mes beaux yeux. Il a étudié le terrain en froid Hollandais, et a l'intention de pousser la chose autant que possible et exclusivement[3]... » Gauguin ne

1. Souligné par Van Gogh.
2. Il s'agit de Théo.
3. Claude Roger-Marx, « Lettres inédites de Van Gogh et Gauguin », in *Europe,* février 1934 (souligné par Gauguin).

songe pas aux « beaux yeux » de Vincent pour lesquels (et pour se débarrasser aussi de leur regard) le froid (!) Théo serait capable de se lancer très loin. Il est vrai que, de son côté, Vincent remarque : « Il est certain que si, en échange de l'argent qu'on donnerait à Gauguin, on achète un tableau au prix actuel, ce n'est aucunement de l'argent perdu. »

Mais, à Vincent, Gauguin écrit avec une douceur, une modestie qui, sur le moment, ne doivent pas être feintes : « J'ai peur que votre frère qui aime mon talent ne le cote trop haut. Je suis l'homme des sacrifices et je voudrais bien qu'il comprenne que ce qu'il fera, je le trouverai bien. » Déclaration tout de même assez ambiguë. Gauguin se trouve être, surtout, un homme acculé. Il le demeurera. « Victime », dit-il, « de mon talent » lorsqu'en 1896, huit ans plus tard, coincé à nouveau au loin, à Tahiti, il sera « à moitié crevé sans aucune ressource dans un pays nul au point de vue commerce, art. Comment cela finira-t-il, je ne sais. Je prie le Seigneur d'en finir le plus tôt, avec moi ». Victime, en vérité, comme Vincent ; tous deux condamnés d'avance et pleins d'espoir. Tous deux victimes de ce qui suscite leur « talent » : l'aphasie générale, qui les astreint à inventer, à dire eux-mêmes le texte qu'ils désirent entendre ; texte qui ne rencontre alors que la surdité des infirmes, attachés à ne pas se laisser atteindre par ce qu'ils se tuent à ne pas exprimer. Ce que Vincent définit comme la situation des « nouveaux peintres, seuls, pauvres, traités comme des fous, et par suite de ce traitement le devenant réellement ».

Gauguin se dit prêt à partager une vie où l'on est assez absorbé par son travail, annonce Vincent, pour savoir « se résigner à vivre comme un moine qui irait au bordel une fois par quinzaine ».

Ces bordels (dans l'un desquels Van Gogh ira remettre son oreille à Gaby, une pensionnaire qui se fait appeler Rachel) jouent un rôle important dans sa vie d'Arles, d'autant plus que la maison jaune est tellement en vue, à la merci des regards indiscrets, qu'elle ne favorise pas « une crise juponnière ». Une solution au fait que « faire de la peinture et baiser n'est pas compatible, ce qui est bien emmerdant ». D'ailleurs saint Luc, le patron des peintres, médecin, évangéliste et peintre, les trois professions rêvées par Vincent qui en a pratiqué deux et qui met au-dessus de toutes, il le dit souvent, la troisième, celle de médecin — saint Luc a « pour symbole, hélas ! rien que le bœuf » et il faut en avoir la patience « si l'on veut labourer dans le champ artistique. Mais les taureaux sont bien heureux de ne pas avoir à travailler dans la sale peinture ».

Le plus grand des artistes, lui, qui ne travaillait pas, on l'a vu, « dans le marbre, l'argile et la couleur » mais dans la chair ; le Christ, qui dédaignait d'écrire des livres (la littérature chrétienne l'indignerait « sauf l'Evangile de saint Luc, les Epîtres de saint Paul — si simples dans leur forme dure et guerrière »), le Christ ressemble tout de même un peu à un peintre, puisque les gens « se pressent autour de quelqu'un : " Es-tu le Christ ", " Es-tu Elie ", comme serait de nos jours de demander à l'impressionnisme ou à un de ses représentants du moins : " As-tu trouvé ? " »

Mais qu'y a-t-il à trouver ? « Nous pouvons peindre un atome du chaos », déclare Vincent à Bernard, « un cheval, un portrait, ta grand-mère, les pommes, un paysage », c'est tout, et il faut les peindre dans la folie des lumières nouvelles. « Le peintre de l'avenir c'est un *coloriste comme il n'y en a pas encore eu*[1]. Ce peintre de l'avenir, je ne puis me le figurer vivant dans de petits restaurants, travaillant avec plusieurs fausses dents, et allant dans des bordels de zouaves, comme moi. »

Pour demeurer, sinon le peintre de l'avenir, du moins un peintre, il existe un impératif : « si nous voulons, nous, bien bander pour notre œuvre, nous devons quelques fois nous résigner à peu baiser, et pour le reste être, selon que notre tempérament le requiert, soldats ou moines » ! Et Vincent passe en revue ses congénères. « Pourquoi dis-tu que Degas bande mal ? » demande-t-il à Bernard. « Degas vit comme un petit notaire et n'aime pas les femmes, sachant que s'il les aimait et les baisait beaucoup, cérébralement malade, il deviendrait inepte en peinture. La peinture de Degas est virile et impersonnelle justement parce qu'il a accepté de n'être personnellement qu'un petit notaire ayant en horreur de faire la noce. Il regarde les

---

1. Souligné par Van Gogh.

animaux humains plus forts que lui bander et baiser, et il les peint bien, justement parce qu'il n'a pas tant que ça la prétention de bander. » Rubens, par contre « un bel homme et bon baiseur, Courbet aussi ». Bernard, lui, ferait bien de se nourrir correctement, de faire correctement son service militaire et de ne pas baiser trop fort, afin que sa peinture n'en soit « que plus couillarde ». Il y a mille façons d'aborder la peinture et la sexualité. « Delacroix — Ah! celui-là! — Lui ne baisait que peu et ne faisait que les amours faciles pour ne pas se dérober au temps consacré à son œuvre. » Cézanne est « justement homme marié bourgeoisement, comme les vieux Hollandais ; s'il bande bien dans son œuvre c'est que ce n'est pas un trop évaporé par la noce ». Plus tard, à Saint-Rémy, Vincent s'écriera : « Giotto, Angelico peignaient à genoux ; Delacroix, si ému... presque en souriant. Qui sommes-nous, impressionnistes, salis dans la lutte pour la vie, pour faire déjà comme eux ? »

Alors, une fois de plus, Vincent se voit plutôt en femme, du côté de la putain. « Pourquoi nous efforcer à écouler toutes nos sèves créatrices là où les maquereaux de profession et les simples michés bien nourris travaillent davantage à la satisfaction des organes génitaux de la putain, plus soumise en ce cas que nous-mêmes. La putain soumise en question a davantage ma sympathie que ma compassion. Etre exilé, rebut de la société comme toi et moi, artistes, le sommes, elle est certes notre amie et notre sœur. Et elle trouve — de même que nous — une indépendance qui n'est pas sans avoir ses avantages tout bien considéré. » Ne finiront-ils pas, le peintre et la putain, à la fosse commune ? Vision un peu romantique, mais prise de position farouche et claire, quant à la sexualité et à la créativité. Il n'empêche que Vincent regarde d'un œil envieux le zouave Milliet, qui taquine la peinture, indigné par la laideur de celle de Vincent, mais qui accepte ses leçons et de poser pour lui : « Milliet a de la chance, il a des Arlésiennes tant qu'il veut, mais voilà il ne peut pas les peindre et s'il était peintre, il n'en aurait pas. » L'ennui, c'est que ce modèle ne tient pas en place, car il doit partir rejoindre sa garnison et, au lieu de poser pour un tableau d'amoureux « il se consacre à de tendres adieux à toutes les grues et grenouilles de la grenouillère d'Arles, maintenant que comme il dit, il y a sa pine rentrée en garnison ».

Au fond de tout cela, transparaît chez Vincent le sentiment profond de vieillir. A Nuenen déjà il se plaignait de paraître dix ans de plus que son âge. Et il est vrai que sur ses portraits, dans ses écrits on rencontre un homme exagérément fatigué par la vie. A Arles, il n'a que trente-cinq ans, et déjà à Paris, l'année précédente, il se décrivait à Wilhelmine comme « le petit vieux, tout ridé, la barbe dure, qui a beaucoup de fausses dents ». A présent « plus je me fais laid, vieux, méchant, malade, pauvre, plus je veux me venger en faisant de la couleur brillante, bien arrangée, resplendissante ». N'empêche ! être peintre quand « le Christ est plus artiste que les artistes ; il travaille en esprit et chair vivante ; il fait des hommes au lieu de statues. Alors... je me sens bien être bœuf — étant peintre — et j'admire le taureau, l'aigle, l'homme avec une vénération qui m'empêchera d'être un ambitieux ».

Vincent est survolté, en transe, dans l'attente de Gauguin. Tout le passionne. La science, le raisonnement scientifique lui paraissent ce qu'il y a de plus éminent, « mais on continue de penser sans en tenir compte. On a supposé la terre plate. C'est vrai, elle l'est : de Paris à Asnières, par exemple. Seulement la science prouve que la terre est ronde, ce que personne ne conteste. Or, actuellement, on en est encore, malgré ça, à croire que *la vie est plate*[1] et va de la naissance à la mort. Seulement, elle aussi, la vie, est probablement ronde, et très supérieure en étendue et capacité à l'hémisphère qui nous est à présent connu ». Et, de ses vibrations, de ses prolongations, de ses remous inédits, Vincent a la vision concrète. De la vie nette, vive, vivante. De la vie meurtrière et meurtrie. De la vie sanglante de vie, comme le couvre-lit, qu'il décrit à Gauguin rouge sang, de sa chambre dans la « maison jaune » ; de cette chambre qu'il peint et qu'il recopiera plusieurs fois, par la suite, dans sa cellule barrée de fer, à Saint-Rémy. Cette chambre qui « doit être suggestive ici *du repos*[2] ou du sommeil en général ».

1. Souligné par Van Gogh.
2. Souligné par Van Gogh.

Cette chambre dont il énumère les éléments, leurs couleurs, pour conclure : « Et c'est tout — Rien dans cette chambre à volets clos. La carrure des meubles doit maintenant encore exprimer le repos inébranlable. »

Un caveau.

Il n'en va pas de même pour la chambre préparée pour Gauguin qui aura « pour loger la plus jolie pièce d'en haut que je cherche à rendre aussi bien que possible comme un boudoir de femme réellement artistique » et, plus tard, il insiste encore ; « un boudoir et ce n'est pas une création due au hasard, c'est voulu ainsi ».

Un boudoir pour le rude Gauguin ! Pour le baroudeur ! Etrange ? Eh bien, pas tellement, puisqu'au même moment Gauguin peint un autoportrait, presque une commande de Vincent, qui s'indigne de ne pas voir ses amis de Pont-Aven se peindre mutuellement, « en voilà des portraitistes ! ». Mais jusqu'alors Bernard était trop timide pour oser faire le portrait du maître, et Gauguin devait trouver bien inutile de faire celui de Bernard. Conclusion ? Gauguin, Laval et Bernard feront chacun un autoportrait. Bernard et Gauguin incluront dans le leur, dans le décor, accroché au mur, encadré, le portrait de l'autre. Gauguin décrit le sien peint dans une couleur assez éloignée de la nature, une « sorte de fournaise » rouge, que Vincent verra éteinte et bleuie ! Mais, poursuit Gauguin, « le tout sur un fond chrome pur parsemé de bouquets enfantins — *chambre de jeune fille pure*[1] ». Décidément ! Même si « l'impressionniste est un pur non souillé encore par le baiser putride des Beaux-Arts (école) »[2], quelle avidité de féminité, de virginité et quel goût douteux pour l'allégorie ! L'Académie « femme sphinx-vipère glacée » pour Vincent ou violeuse de douces vierges, à qui échappe l'ingénu(e) Gauguin ! Les deux peintres ou, mieux, les deux orphelines, ont imaginé pour Gauguin le même décor efféminé. Pour Vincent, la jeune fille pure est devenue la femme d'un boudoir.

Pourtant, le sujet de cet autoportrait dont le titre est *les*

1. Je souligne.
2. C. Roger-Marx, *op. cit.*

Misérables rappelle, selon Gauguin, non pas Fantine, mais bien Jean Valjean : « J'ai fait un portrait de moi pour Vincent qui me l'avait demandé », raconte Gauguin à Schuff, « c'est, je crois, une de mes meilleures choses ; absolument incompréhensible (par exemple) tellement il est abstrait. Tête de bandit au premier abord, un Jean Valjean (*les Misérables*) personnifiant ainsi un peintre impressionniste[1] ». Ainsi le peintre impressionniste, souillé par la lutte pour la vie, selon Vincent, est une jeune fille pure qui vit dans une chambre adéquate, préservée des souillures de baisers putrides, sous la forme d'un bandit Jean Valjean ! !

Cette « meilleure chose » dédiée à Vincent (*les Misérables, à l'ami Vincent*) ne sera guère appréciée par lui. Il y verra « un prisonnier. Pas une ombre de gaîté. Cela n'est pas le moins du monde de la chair ». Ce que lui dit ce portrait ? Il faut à Gauguin, et Vincent et le soleil et le Midi et Arles et « il ne doit sûrement pas continuer comme cela ». Ça commence bien !

Vincent est aux anges. Il compare enfin son travail avec celui des copains, et fait entendre à Théo que, dans cette affaire, il est gagnant cette fois. C'est vrai. Le portrait de Vincent domine les trois autres ; surtout, et c'est le plus important, celui de Gauguin. On peut voir ces quatre toiles au musée Vincent Van Gogh, à Amsterdam. Pas au même étage. L'autoportrait de Vincent, à l'un des étages uniquement consacrés à lui-même. Les trois autres, au dernier étage, celui justement des « autres ». Tout le musée est une sorte de duplicata de l'appartement de Théo. L'exposition de ses propriétés ; les toiles invendues de Vincent ; celles des copains, offertes ou échangées, parfois achetées par Théo. Cela ne ferait pas l'affaire du vaniteux Gauguin de se retrouver ainsi dans le musée Vincent Van Gogh ! Et à l'étage des « autres », des petits disciples qui n'ont pas percé, ou même des Monticelli, que Tersteeg n'avait pas achetés. Voilà bien un musée qui prolonge étrangement les circonstances d'une vie. Mais à Paris aussi, Van Gogh est surtout représenté par la « collection » du Dr Gachet. Comment fut-elle réunie ? Il n'a pas acheté un seul Van Gogh. Son portrait lui a été offert. Quant aux autres toiles : après l'enterrement de Vincent à Auvers,

1. C. Roger-Marx, *op. cit.*

Théo, bouleversé, proposait aux amis les tableaux qui avaient entouré le cercueil et qui reposaient là, jusqu'alors dans l'indifférence. Mais, par indifférence encore, ou du fait de l'émotion ou par délicatesse, personne ne réagissait, sauf le Dr Gachet, selon Adeline Ravoux qui semble l'avoir, de tradition familiale, détesté (sans doute parce que le docteur dirigeait ses relations vers une autre auberge, plus chère), mais qui semble incapable d'avoir inventé la scène — le Dr Gachet passait à son fils l'une après l'autre, tant qu'il pouvait, des toiles non montées sur châssis, en insistant : « Allez, roulez, coco, roulez [1]. » Voilà comment, en France, on a pu tout de même conserver des Van Gogh.

Après la mort de Théo, Jo a déménagé. Elle a quitté le vaste appartement de Pigalle pour tenir une pension de famille en Hollande, et elle rassure Emile Bernard : elle ne négligera pas l'œuvre de son beau-frère, au contraire, là-bas, explique-t-elle, « nous serons plus à l'aise bébé, les tableaux et moi [2] ». Ce qui restera de Vincent et Théo, de leur amour, de leurs efforts, de leur tragédie : « Bébé, les tableaux et moi ! » De là, le musée, imaginé, conçu, obtenu par « bébé », influencé par maman. Les tableaux. Voilà !

Mais Gauguin serait d'autant plus vexé de se voir relégué à l'étage des petits, des sans grade, que sa toile est, en effet, la moins bonne de toutes. Celle d'Emile Bernard est d'une invention sobre, « rien qu'une idée de peintre, quelques tons sommaires, quelques traits noirâtres, mais c'est chic comme du vrai Manet », estime Vincent et, en bas, à droite de la toile, s'ébauche un merveilleux petit tableau insolite, abstrait. La toile de Laval est envoûtante, sincère, étrangement émouvante. Laval, l'inconnu, impose très simplement, très gravement sa présence.

Amusant : sur l'autoportrait de Gauguin, où il occupe la place prépondérante, un portrait de Bernard figure, de profil, accroché au mur, tel un timbre-poste. Bernard, lui, s'est repoussé dans un coin du tableau, de profil tandis que le portrait de

1. Souvenirs d'Adeline Ravoux, in Cahiers Van Gogh, nº 1, Pierre Cailler.
2. *Emile Bernard et Vincent Van Gogh.*

Gauguin de face, encadré, tient tout le centre de la toile et focalise l'attention.

Van Gogh est très encouragé. Son portrait, envoyé en échange (vert d'eau, aux yeux de bonze) « se tient » dit-il, à côté de celui de Gauguin ; il est « aussi grave mais moins désespéré ». Euphorique, Vincent annonce à Théo un envoi de qualité supérieure aux précédents, « du meilleur et du plus vendable ». Il ne se tient plus. C'est la grande forme. Gauguin retrouvera la sienne auprès de lui. « Il aura une position de chef à l'atelier. Les idées lui viendront et l'ambition pour être bien vivant. » En somme le « chef » des ressuscités. Ressuscités par Vincent, qui n'a guère le sens de la psychologie lorsqu'il s'écrie, conscient d'envoyer à Pont-Aven une œuvre meilleure que celle reçue par lui : « Qu'il sera content, le Gauguin ! »

Des frictions s'annoncent et Gauguin n'est pas encore là ! Il n'est pas certain non plus que « le peintre des Tropiques », se soit tellement réjoui des décorations annoncées par Vincent, ni qu'il ait été enchanté, en arrivant, de voir la « maison jaune » transformée, sous prétexte de l'honorer, lui, en un avant-projet de musée Van Gogh. En effet, *tous* les murs sont peints par son hôte. La propre chambre de Gauguin (le « boudoir ») regorge de toiles représentant des tournesols, et, dans cette chambre, Vincent a réussi, *en plus,* à peindre quatre toiles : *le Jardin du poète,* « de telle façon qu'on penserait à la fois au vieux poète d'ici (ou plutôt d'Avignon) Pétrarque et au nouveau poète d'ici — Paul Gauguin ». Mais, partout où les yeux se posent, c'est Van Gogh que l'on voit. On imagine Gauguin dormant dans cette exposition Van Gogh ! ouvrant les yeux chaque matin sur des toiles, des murs vangoghiens ! D'ailleurs, plusieurs jours après l'arrivée de son ami, Vincent avouera à son frère ignorer encore ce que « le poète nouveau » pense de cette « décoration en général ».

Pour l'heure, Gauguin n'est pas encore arrivé. Il traîne et demeure à Pont-Aven, au point que les deux frères en viennent à douter de ses intentions et que Vincent prétend, après tout, ne pas tant désirer sa venue, mais, lorsqu'elle se précise : « *Le voyage de Gauguin avant tout,* au détriment de ta poche et de la mienne. *Avant tout*[1]. »

Pendant toutes ces semaines, tous ces mois, qui vont de juillet à octobre, il a peint, ciré, décoré la « maison jaune » avec amour. Il a acheté des meubles, avec des sueurs froides en pensant à l'argent dépensé, aux suppléments demandés à Théo pour une commode surtout, des lits, des draps, des poêles, des tables de toilette et tout le nécessaire et l'installation du gaz et mille objets. Il est vrai qu'il « ne calcule pas avec des chiffres, mais avec des sentiments » ! Il s'affaire afin de pouvoir déclarer enfin que « l'atelier complet est tel que c'est un milieu digne de l'artiste Gauguin qui va en être le chef ». Cette maison, c'est bien davantage qu'une maison. C'est d'abord *la* maison, le refuge, le royaume et puis c'est un lieu où pourront venir travailler d'autres peintres et cela de génération en génération. Gauguin et lui en seront les « habitants fixes », mais ce sera un phalanstère où la solitude n'existera plus. Une ruche de frères ! « Au bout du compte un atelier où pourrait vivre un successeur, je ne sais pas si je m'exprime assez clairement », et il ajoute encore une fois, à propos des tableaux qu'il peindra dans cet atelier : « Je t'assure que tu les auras créés tout autant que moi, et c'est que nous les fabriquons à deux. » Alors, pourquoi pas aussi, en quelque sorte, le successeur ?

En vérité, depuis son départ de Paris, désespérant d'être à lui seul « capable de faire de la peinture importante assez, pour qu'elle motive ton voyage dans le Midi, deux ou trois fois par an », il s'est dit qu'avec Gauguin ce serait différent : une sorte de publicité se ferait sur eux deux travaillant à Arles, bientôt entourés d'autres artistes, et cela justifierait des voyages répétés de Théo dans le Midi, qui deviendrait, pour les deux frères comme une seconde patrie. Cette maison ! La grande tranquillité qu'elle lui procure déjà, « l'esprit rassurant et familier des choses », les lauriers-roses qu'il va planter, l'espoir, la confiance, l'infini raffinement, une œuvre ! Et bientôt... la cellule de l'hospice d'Arles, à peine un rai de lumière, et lui, ligoté sur une table de pierre, entouré de murs nus. Puis la

1. Souligné par Van Gogh.

cellule de Saint-Rémy, le « cabanon » d'où il verra ce carré de champ de blé strié de barreaux de fer. A quoi bon ! Pourquoi, pourquoi a-t-il tant aimé ? Pourquoi, sans faillir, tant espéré ? Titubant, trébuchant. Et créé.

Quelle affreuse histoire, celle de la beauté. Quelle férocité pour que se produise, et quand se produit, quelque chose enfin, dans ce monde de bois ! Et comme il se trompe, Van Gogh, lorsqu'il critique un mauvais roman de Richepin, mais parce qu'il est trop noir et que, dans la réalité, « cela ne finit pas par le bonheur, mais enfin les gens se résignent. Cela ne finit pas par du sang, des atrocités, tant que cela, allez » ! Mais si ! parfois, et l'on rentre à l'auberge d'Auvers sans dire mot, un peu plus tassé, les mains sur le ventre et quand le père Ravoux monte vous voir, tout de même inquiet, on se retourne brusquement sur le lit, il voit le flanc ensanglanté, il voit le sang, et on lui dit : « J'ai voulu me tuer et je me suis raté. » Et là aussi, c'est faux. Quand on est Vincent Van Gogh, on semble tout rater, mais on ne rate rien.

Rien. Le travail, agité de traces non repérées par Vincent, perméable aux figures du premier Vincent, à celles de Pa investi de tous ses statuts, nanti de toutes ses défaites ; à l'empreinte de Moe, rusée, qui prend de l'ampleur et se propage, impérieuse, dominatrice mais discrète, redoutablement discrète. A la figure imaginée du Semeur. Tous peuplent la solitude d'Arles, l'attente de Gauguin. Vincent a pour ami déjà le « facteur » Roulin ; il voit de temps en temps le peintre Boch, un Belge qui a « la timidité des charbonniers (du Borinage) auxquels je pense souvent » ; et qui vit aux environs ; il songe à partir travailler dans le Borinage. Vincent fait le projet du « portrait d'un ami artiste qui rêve de grands rêves, qui travaille comme le rossignol chante, parce que c'est aussi sa nature. Cet homme sera blond. Je voudrais mettre dans le tableau mon appréciation, mon amour que j'ai pour lui.

« Je le peindrai donc tel quel, aussi fidèlement que je pourrai, pour commencer. Mais mon tableau ne sera pas fini ainsi. Pour le finir je vais maintenant être coloriste arbitraire.

« J'exagère le blond de la chevelure, j'arrive aux tons orangés, aux chromes, au citron pâle.

« Derrière la tête, au lieu de peindre le mur banal du mesquin appartement, je peins l'infini, je fais un fond simple du bleu le plus riche, le plus intense que je puisse confectionner, et par cette simple combinaison, la tête blonde éclairée sur ce fond bleu riche, obtient un effet mystérieux comme l'éclat mystérieux d'une pâle étoile dans l'infini... Ah, mon cher frère... et les bonnes personnes ne verront dans cette exagération qu'une caricature. » Cette toile, que l'on peut voir au Louvre, Vincent la peint des semaines plus tard seulement. Mais elle préexistait précise, scientifiquement conçue.

Pour l'instant, il évite Boch, car celui-ci vit dans un village voisin d'Arles avec un camarade, Mc Knight, vulgaire et riche, qui « empeste le village » ; il a « civilisé et converti au christia-nisme civilisé son bougre de logeur. Du moins cette canaille et sa digne épouse vous serrent la main — c'est dans un café naturellement, et lorsqu'on y demande des consommations ils ont des manières de refuser l'argent : " Oh, je ne pourrais pas prendre de l'argent à un artisse " avec deux ss. Enfin, c'est abominable... probable que ce Mc Knight fera sous peu de petits paysages avec des moutons pour bonbonnières ».

Vincent songe à marier Wil, leur sœur, à un artiste. Pourquoi pas avec Boch ? Il faudrait l'inviter avec sa sœur Anna, peintre, elle aussi, en Hollande, susciter une rencontre. « Mais n'insis-tons pas trop. » Wil, si ardente, et qu'il faut « engager à démêler sa personnalité plutôt que ses qualités artistiques ». Wil, la vraie « mise-de-côté », peut-être, en cette histoire, où elle est exclue de la ligue des frères, exclue de ce en quoi elle voudrait s'absor-ber : l'écriture. Vincent n'a pas tort de lui assurer que « pour faire quelque chose, pour écrire un livre ou faire un tableau où il y ait de la vie, il faut être soi-même bien vivant, étudier n'est donc pour toi qu'une chose accessoire. Amuse-toi, distrais-toi autant que tu peux, et sache que ce que veut l'art aujourd'hui c'est qu'une œuvre soit violemment vivante ». Mais la vie violente n'est pas pour *lui* dans l'amusement. Si la pauvre Wil n'étudie pas, elle n'en demeure pas moins vieille fille, près de Moe et Vincent fait remarquer à Théo : « Prends notre sœur Wilhel-mine, elle n'a ni bu ni fait la noce, et pourtant nous connaissons d'elle un portrait où elle a l'air d'une folle. » Elle avait sans doute l'aptitude de Vincent à vivre hors de l'ordinaire, consciente qu'il y a vie simultanée à l'existence, vie mobile, perturbante, une déperdition miraculeuse ou, sans trêve s'échangent l'ajout, la suppression ; issue d'une telle famille, sans doute est-elle consciente de la différence du cadavre, preuve qu'il y a eu, qu'il y a un corps sexué. Vif. Et présent. Et une mémoire. Mais que la métaphore de la mort esquive le cadavre, déborde sur le vivant et que, sous prétexte de prolonger, de reconduire la vie dans la mort par-delà le cadavre escamoté, elle rabat la mort sur les vivants.

Wil, solitaire, savante, probablement. Si démunie. Et qui finira dans un asile d'aliénés ; elle y entrera, on l'a vu, en 1903, quatre ans avant la mort de Moe ; elle y mourra en 1941, sans doute suicidée, âgée de soixante-dix-neuf ans. Elle n'aura pas étudié. Ni bu. Ni fait la noce. Ni écrit, ni peint.

Dans la solitude d'Arles, Vincent s'attaque à un projet conçu depuis longtemps : « Cela a déjà depuis longtemps été mon désir de faire un Semeur, mais les désirs que j'ai depuis longtemps ne s'accomplissent pas toujours. J'en ai presque peur. » Et commence la longue démarche qui aboutira à plusieurs études, plusieurs toiles jusqu'à celle, magistrale, où les masses, l'organisation l'emportent. Le grand tronc d'arbre qui traverse en oblique toute la toile, la sphère immense du soleil et, sur la gauche, la masse compacte du Semeur, telle une ombre massive qui semble franchir l'espace de la toile, la quitter. Une toile jaune et violette.

Ce sont les couleurs de Moe, Vincent l'indiquera lorsqu'il peindra au cours du séjour de Gauguin, ce *Souvenir du jardin à Etten,* dont le titre évoque bien la nostalgie. Dans un paysage provençal, Moe et Wilhelmine se promènent, apparitions mélancoliques où il n'y a, Vincent l'affirme à sa sœur : « aucune, absolument aucune ressemblance vulgaire et niaise ». En effet, Moe, souveraine et triste, ressemble — s'en doute-il, Vincent ? — à Sien, qui serait belle. « Le choix de la couleur, le violet sombre violemment taché par le citron des dahlias me suggère la personnalité de Moe. » Ainsi Moe, violette et violemment tachée, l'est par la couleur jaune — du moins citron. La couleur des tournesols ; celle de la petite voiture jaune quittant l'internat de M. Provily ; de la « maison jaune » ; de la « haute note jaune » à laquelle on ne peut atteindre qu'après s'être monté le coup ; couleur de la chaise vide, des blés ; celle de Monticelli. Mais jaune et violet, ce sont aussi les couleurs d'un tableau de Delacroix, à propos duquel Vincent a déjà fait un lapsus, et quel lapsus : « Ah ! le beau tableau de Delacroix : *la Barque du Christ* sur la mer (*sic*) de Genesareth. Lui — avec son auréole d'un pâle citron — dormant, lumineux, dans la tache de violet dramatique, de bleu sombre, de rouge sang du groupe de disciples ahuris — sur la terrible mer d'émeraude. »

Cette terrible « mer », qui est en vérité un lac ; le lac de Genesareth. La « personnalité » de la mère fait un avec celle du Christ. Moe, violette, tachée de jaune, et le Christ illuminé, entachant « la tache de violet ». Moe, *Christ*in, Sien. Que d'Ecce Homo !

« Ah ! le beau tableau ! » Moe crucifiée. Moe auréolée. Moe « violemment tachée », dormant dans une tache. Moe, dramatiquement entachée. Moe, lumineuse, dans le jaune de Monticelli que Vincent s'efforce de ressusciter (et le jaune et le peintre) comme a ressuscité le Christ. Les mères, elles, ne meurent pas ; elles entrent en dormition, rajeunissent quand un fils dérape dans sa Passion et, Lady Macbeth dans la folie des blés, ne parviennent jamais à blanchir le sang des couvertures d'avance « rouge-sang », dans les chambres vouées au repos inébranlable, pareilles aux tombes de Zundert. Le rouge est pour les disciples, frères ahuris sur la « terrible mer » des pêcheurs d'Islande, enfants et martyrs, qui attendent un chant de nourrice, celui de la Berceuse, muette et frigide comme Moe.

Et Vincent remarque que *la Barque du Christ* d'Eugène Delacroix et *le Semeur* de Millet sont d'une facture absolument différente. La toile de Millet est « gris incolore ». Van Gogh se demande s'il est possible de « peindre *le Semeur* avec de la couleur, avec un contraste simultané de jaune et de violet par exemple ». Ainsi Moe, jaune et violette, deviendrait Pa, non seulement dans le rôle d'inséminateur, mais dans celui de représentant du Christ — et non seulement dans le rôle de représentant du Christ, mais dans celui du Christ même, et pas seulement dans le tableau de Delacroix ! Possible ? « Oui ou non ? Certes *oui*[1]. Mais faites-le donc. Oui, c'est aussi ce que dit le père Martin : il faut faire le chef-d'œuvre. Mais allez-y et on tombe en pleine métaphysique de couleurs à la Monticelli, gâchis d'où sortir à son honneur est bougrement incommode. Et cela vous rend abstrait comme un somnambule. » Abstrait, comme au cours des crises dont Vincent discernera bien qu'elles seront religieuses et il s'en étonnera, lui aux idées si « modernes ». Mais quels détournements ! Du Christ au Semeur en passant par Moe — une mère dont il est bien difficile, tous ses enfants le savent, le premier Vincent surtout, et le second, qui est parvenu à survivre, et Théo et Wil et Cor, oui, bien difficile de sortir à son honneur !

Le chef-d'œuvre, qui ferait ressusciter Monticelli, le chef-d'œuvre qui peut viser à la résurrection, ce serait donc de réussir un Semeur devenu Christ, qui serait Moe. De produire le « gâchis » total. Plus fort que l'Evangile : Moe happe, escamote le Père, le Fils, le Saint-Esprit — tous dans le jaune et le violet. Une histoire vierge sur une terrible mer. Une mère christique. Et, tout autour, ahuris, dans le rouge du sang, les disciples-enfants. Les frères.

Le Semeur ? Van Gogh le met en train. En même temps, il rencontre un petit paysan qui ressemble à son père, « seulement il était plus commun et frisait la caricature ». Or, presque personne ne sait plus « foutre » un paysan. C'est la faute des « Parisiens changeants et perfides comme la mer ». La faute de la Mère, de Moe, c'est évident, si l'on est incapable de « foutre » le « plus doux des hommes cruels » !

Vincent peint donc deux toiles, le semeur et un vieux paysan. Hélas ! quelques jours passent et : « Je crois que la tête du vieux paysan est aussi étrange de couleur que *le Semeur*, mais *le Semeur* est un échec. »

Alors, Vincent s'attaque au *Café de nuit*, mais « l'idée du *Semeur* me hante encore toujours » et, longtemps après avoir peint la toile définitive du *Semeur*, Vincent, en février 1890, dans la première lettre qu'il écrit à Théo après la naissance de son fils, le troisième Vincent Wilhelm, et juste avant de tomber dans

---

1. Souligné par Van Gogh.

l'une des pires crises qu'il connaîtra, Vincent criera à Théo, sous couvert de se le crier à lui-même et de s'interdire de copier, de « traduire » les chefs-d'œuvre de Millet, dont *le Semeur :* « Et je dis : Halte-là au Semeur, qui est en train et qui ne vient pas comme il serait désirable. » Ne sème-t-il pas un Vincent III, fabriqué avec Jo. Non loin de la terrible mer d'émeraude, du Semeur jaune et violet, car le mariage de Théo fut « le désir de la mère » ; ce Semeur, désiré depuis si longtemps, mais dont Vincent avait eu « presque peur ».

Hanté par un Semeur rêvé aux couleurs de Moe, et par un vieux paysan qui ressemble à Pa (« l'homme terrible que j'avais à faire en pleine fournaise de la moisson, en plein midi. De là les tons vieil or lumineux dans les ténèbres »), Vincent s'attaque au *Café de nuit :* « Les études outrées comme *le Semeur* et comme maintenant *le Café de nuit,* me semblent à moi atrocement laides et mauvaises *d'habitude*[1], mais lorsque je suis émotionné par quelque chose, comme ici par ce petit article de Dostoïevsky, alors ce sont les seules qui me paraissent avoir une signification plus grave. » Dans ce *Café de nuit,* il a cherché à exprimer « avec le rouge et le vert les terribles passions humaines », et à montrer que c'est « un endroit où l'on peut se ruiner, devenir fou, commettre des crimes ; dans une atmosphère de fournaise infernale, de soufre pâle, exprimer comme la puissance des ténèbres d'un assommoir ». C'est dans ce même café, mais de jour, que Vincent est attablé pour écrire tout cela à Théo ; le café ne ressemble sûrement pas, à cette heure-là, à l'enfer, à « la fournaise infernale » où, sans nul doute, il imagine Pa défunt, victime d'un assassin qui a quitté la maison. Pa, qui accusait Vincent de crime : « Tu m'assassines » ; de folie (essayant en vain de le faire enfermer à Gheel) ; et de le ruiner. Or, coïncidence, voici que « pendant que je t'écris, il y a justement le petit paysan qui ressemble à la caricature de notre père, qui entre dans le café. La ressemblance est terrible tout de même. Le fuyant et le fatigué et le vague de la bouche surtout ». Cette partie du visage, si bien décrite, est celle qui ressemble au bas du visage de Sien, à qui Moe, souvenue à Etten violette et jaune,

1. Souligné par Van Gogh.

aux couleurs du Christ, se met à ressembler sur cette toile ; Ecce Homo elle aussi.

Et puis, à la fin des fins, Gauguin se décide à quitter Pont-Aven (Théo a vendu une toile de lui 500 francs), Gauguin arrive. Il est là. Plein d'espoir : « L'idée étant de me faciliter le travail sans soucis d'argent jusqu'à ce qu'il (Théo Van Gogh) soit parvenu à me lancer. Oui. Je suis désormais hors d'affaire et je crois à l'avenir[1]. » Pauvre Gauguin !

C'est encore la nuit, au mois d'octobre 1889. Le train vient de le déposer, et Gauguin entre dans un café pour attendre le petit matin. Le patron s'écrie aussitôt : « C'est vous le copain ! » Vincent a déjà montré la photo de son ami au cafetier Ginoux dont la femme posera pour *l'Arlésienne*. Vincent en peindra cinq versions. Deux à Arles ; puis, à Saint-Rémy, il traduira en couleur, en peinture, le dessin de Gauguin, *l'Arlésienne*, d'après le même modèle. « Une synthèse d'Arlésienne », écrira-t-il à Gauguin. Mais la sienne a le coude appuyé sur deux livres : *la Case de l'oncle Tom* et les *Contes de Noël* de Dickens.

Au jour levé, Gauguin va réveiller Vincent, et c'est l'efferves-cence du début. Le travail aussitôt, les conversations fiévreuses. La déception aussi. Gauguin n'aime pas Arles ; il y trouve tout petit, mesquin. C'est « le plus sale endroit du Midi ». Dans ses paysages, il mettra... des Bretonnes. Il est vrai que, de retour en Bretagne, il peindra des Bretonnes qui dérouteront Théo : « Quant à moi j'aime mieux voir une Bretonne du pays qu'une Bretonne avec les gestes d'une Japonaise. »

Vincent. Gauguin. Leur pensée bouillonnante, leur passion commune, leur regard inédit, leur vie vécue au prix du pire, une technique inventée à ce prix ; la folie du travail. Leurs idées différentes.

Ils s'installent. Gauguin, affolé par la désorganisation de Vincent hésite à lui proposer une méthode, il est si susceptible. Mais « avec beaucoup de précautions et bien des manières câlines, peu compatibles avec mon caractère... il faut l'avouer, je réussis beaucoup plus facilement que je ne l'avais supposé[2] ».

1. C. Roger-Marx, *op. cit.*
2. Gauguin, *Avant et Après, op. cit.*

L'argent envoyé par Théo est réparti en deux boîtes. Chacun inscrit « honnêtement » ce qu'il prend dans la caisse commune. Dans l'une tant pour le tabac, tant pour les bordels, désignés sous la rubrique « promenades nocturnes et hygiéniques », tant pour le loyer et les imprévus. Dans l'autre boîte, l'argent pour la nourriture, divisé en quatre, une part pour chaque semaine. Ce sera la dernière nourriture convenable consommée par Vincent, et autrement que dans la solitude, si l'on fait exception de rares repas chez Roulin, avant le départ rapide de celui-ci, d'un festin avec lui au café pour célébrer la première sortie de l'hospice, de quelques déjeuners du dimanche à Auvers, chez le Dr Gachet — repas-corvées, trop copieux, et des quatre ou cinq journées en tout passées à Paris avec Théo et Jo, ce ne seront plus que les brouets de l'hospice, « les cafards dans le manger » à Saint-Rémy où les aliments sont si pourris, si rances, à base de pois chiches et de haricots secs, qu'il n'acceptera qu'un peu de soupe et de pain pendant des mois et des mois. Après une crise le Dr Peyron lui fournira du vin et de la viande correcte, mais il les refusera bientôt, tenant à respecter le régime auquel il a droit, en troisième catégorie, la moins chère (100 francs par mois) ; un régime misérable, désastreux pour son état mental et sa santé. A la table d'hôte des Ravoux, il refusera la viande et s'en tiendra aussi, taciturne désormais, à de la soupe, du fromage et du pain.

Gauguin, à la joie de son ami, se révèle un excellent cuisinier. Vincent, lui, va aux provisions — sans se fatiguer, ni prendre le mal d'aller bien loin ! Un jour Van Gogh décide de faire une soupe « mais je ne sais comment il fit ses mélanges » raconte son malheureux convive, « sans doute comme les couleurs sur ses tableaux. Toujours est-il que nous ne pûmes la manger. Et mon Vincent de rire en s'écriant : « Tarascon ! la casquette du père Daudet ! », sur le mur, avec de la craie, il écrivit :

« Je suis le Saint-Esprit

« Je suis sain d'esprit. »

Mais dans une autre version du même épisode Gauguin note : « Lui traçait de son pinceau le plus jaune sur le mur devenu violet soudain :

« Je suis sain d'esprit

« Je suis le Saint-Esprit. »

Etrange mur ! Blanchi à la chaux comme ceux qui l'effrayaient lorsqu'il y songeait en Angleterre ou dans la Drenthe, et qui prend à Arles les couleurs christiques de Moe, sous les yeux de Gauguin !

Gauguin et Vincent ! On a tendance à voir en eux des antagonistes, en raison surtout de l'aboutissement sanglant du séjour de Gauguin. Ne sont-ils pas, en vérité, semblables ? Deux naufragés, en éveil parmi les dormeurs. Ce qui les sépare tient davantage d'une union que toutes relations avec d'autres. Ils vivent un même délire ou, plutôt, le fait qu'il est délirant de se tenir vif, à vif, dans un monde assoupi. Vraie sagesse, mais taxée de délire, menacée de démence. « Penser », dit Gauguin, « c'est lutter, c'est souffrir ». Peut-être est-il plus le « frère » de Vincent que ne l'est Théo. Mais le drame, c'est qu'il est à Arles en mission, pour servir d'ersatz à Théo et… au premier Vincent. *Pour* tenir lieu de frère. Et là, il va y avoir rejet.

Dès la première lettre après l'arrivée du « copain », Vincent se dit « en pleine merde » dans son travail. Il geint inopinément : « ce n'est pas de ma faute que mes tableaux ne se vendent pas ». Il se prétend malade. Gauguin (bien plus « dans la merde » que lui) doit fanfaronner à son habitude, pour se donner confiance, ne pas perdre la face alors qu'il est venu échouer ici, en compagnie de ce peintre inconnu, mais dont il reconnaît la valeur — et cette valeur l'inquiète ; ce peintre, frère d'un marchand dont ils dépendent tous deux, ensemble là, selon le bon plaisir de Théo, tels des pantins, pour lui permettre de se fiancer sans remords, sans problème. Opération ratée ! Et Gauguin n'en a rien à faire de leurs histoires d'*Homme hanté*.

C'est d'ailleurs Vincent qui, après un appel à l'aide désespéré de Gauguin à Théo, avait écrit aussitôt « j'ai pensé à Gauguin », et mis sur pied le marché grâce auquel « Gauguin se combinerait en copain avec moi », et qui les réunira tous deux à Arles, car Théo acquiesce aussitôt, comme à un caprice, comme pour lui octroyer une compensation : le legs d'oncle Cent facilitera bientôt la réalisation de ce qu'il ne semble pas tant considérer comme une opération commerciale. « C'est d'ailleurs ma spéculation de me combiner avec d'autres », écrit Vincent, qui se chargera des transactions, puisque Théo ne peut travailler à son compte. Ce qui lui permet d'écrire à Gauguin, s'associant à Théo, et devenant le marchand d'un peintre : « Nous avons été au-delà de notre devoir de commerçants marchands de tableaux, car vous savez peut-être que moi aussi j'ai passé des années dans le commerce et je ne dédaigne pas un métier où j'ai mangé mon pain. »

Vincent se pose avec Théo en mécène charitable vis-à-vis de Gauguin. A Théo, il démontre que le but de l'opération est d'alléger la charge qu'il représente ; il ne voit là d'autre remède que « de trouver une femme avec beaucoup d'argent ou des copains qui s'associent pour les tableaux. Or je ne vois pas la femme, mais je vois les copains ».

Pauvre Théo ! Mais lui, il voit une femme, Jo, et, pour rompre avec Vincent, il choisit de faire ce que lui conseillait celui-ci à propos de S. : « Tu dois essayer de la refiler à un autre. » Il le refile à Gauguin.

Vincent découvre en Gauguin la « présence d'un être vierge aux instincts de sauvage. Chez Gauguin, le sang et le sexe prévalent sur l'ambition ». Lui-même déclarait à son ami, encore à Pont-Aven : « J'ai toujours des appétits grossiers de bête. J'oublie tout pour la beauté extérieure *que je ne sais pas rendre*[1] car je la sens laide dans mon tableau et grossière alors que la nature me semble parfaite. Maintenant pourtant l'élan de ma carcasse osseuse est tel qu'il va droit au but, de là il résulte une sincérité quelquefois originale. » C'est que son geste de peintre traduit plus que son regard : le mouvement avec lequel il participe d'un vaste organisme déchaîné ; aussi la peine, la douleur à travers lesquels perce son émerveillement. Et sa stupéfaction.

Gauguin. Van Gogh. Quelle densité de jouissance, de souffrance, de forces suppliciées se rejoignent à Arles dans la maison jaune. Et... quelles compétences : « Sans que le public s'en doute », se souviendra Gauguin « deux hommes ont fait là un travail colossal, utile à tous deux. Peut-être à d'autres ? Certaines choses portent leurs fruits[2] ».

1. Souligné par Van Gogh.
2. Gauguin, *op. cit.*

Quels fruits ? A quoi bon ? Pour que cela recommence et que, vivants, un Gauguin, un Van Gogh soient traités en cadavres et, cadavres, en immortels ? Pour habiter, en fait, le « public » à ne *pas* voir, à s'habituer à ne pas voir. A déléguer sa perception de la vie, pour la reléguer ensuite dans des musées. A croire exceptionnel, spécifique non pas à une personne, à une œuvre, mais à un état marginal, grandiose et maniaque, le regard sauvage, qui fut illicite et qui n'est plus qu'image.

Trop ardents, trop fervents, trop blessés, ces deux hommes, pour supporter en l'autre ce qui tourmente chacun d'eux. Trop de jouissance, trop de souffrance. Beaucoup d'amour aussi. Même si Gauguin écrit après la mort des deux frères qu'on « peut tirer parti du malheur Van Gogh ». Même s'il s'oppose à l'exposition posthume de Vincent, amorcée par Théo avec l'aide d'Emile Bernard, et que celui-ci continue d'organiser lorsque Théo s'effondre, atteint de folie : « Vous organisez une exposition de Vincent. Quelle maladresse ! Vous savez si j'aime l'art de Vincent. Mais étant donné la bêtise du public, il est tout à fait hors de saison de rappeler Vincent et sa folie au moment où son frère est dans le même cas ! Beaucoup de gens disent que notre peinture est folie. C'est nous faire du tort sans faire du bien à Vincent, etc. Enfin, faites — Mais c'est IDIOT[1]. » Et à Schuffenacker : « C'est faire bien du tort à l'ami Vincent et c'est, pour nous tous, aussi funeste que possible[2]. » Oui, même s'il est surtout préoccupé de prouver qu'il a « éclairé » un Vincent qui « pataugeait » et qui a trouvé en lui un « enseignement fécond » ; même s'il rivalise par-delà la mort avec Van Gogh, qui, vivant, ne le faisait pas, mais écrivait à Aurier : « Je dois beaucoup à Gauguin. » Vincent, pour qui l'enjeu était tout autre. Gauguin attribue à des progrès, dus à son influence, le portrait de Boch peint presque certainement et tout à fait certainement conçu avant son arrivée : « J'entrepris la tâche de l'éclairer, ce qui me fut facile car je trouvai un terrain riche et fécond. Comme toutes les natures originales et marquées du sceau de la personnalité, Vincent n'avait aucune crainte du

1. Lettres de Gauguin à sa femme et à ses amis, Paris, 1946.
2. C. Roger-Marx, *op. cit.*

voisin et aucun entêtement. Dès ce jour, mon Van Gogh fit des progrès étonnants. Avez-vous vu le portrait du poète ? La figure et les cheveux jaunes de l'homme. Le vêtement jaune du chrome 2. La cravate jaune du chrome 3 avec une épingle émeraude vert émeraude sur un fond jaune de chrome 4. C'est ce que me disait un peintre italien et il ajoutait : — Mârde, mârde, tout est jaune : je ne sais plus ce que c'est que la pintoure. » Oui, même s'il a pris la fuite et menti après le drame — Gauguin a su aimer et connaître Vincent et il pouvait affirmer qu'un certain Jean Dolent avait écrit « Quand Gauguin dit " Vincent ", sa voix est douce. Ne le sachant pas mais l'ayant deviné, Jean Dolent a raison. »

Mais, lorsqu'ils vivent ensemble dans la maison jaune, leurs voix sont loin d'être douces. Les discussions leur « tendent les nerfs jusqu'à l'extinction de toute chaleur vitale ». Pourtant Gauguin demande à Schuffenacker de lui envoyer des draps, son linge, son couvert d'argent, ses eaux-fortes de Degas. D'Arles, il suit un événement important : Théo organise en novembre chez Boussod-Valadon, la première exposition particulière de Gauguin et lui écrit : « Il vous fera probablement plaisir de savoir que vos tableaux ont beaucoup de succès... Degas est si enthousiaste de vos œuvres qu'il en parle à beaucoup de monde et qu'il va acheter la toile qui représente un paysage de printemps avec une prairie sur l'avant-plan avec deux figures de femmes, l'une assise, l'autre debout. Il y a deux toiles définitivement vendues. L'une est le paysage en hauteur avec deux chiens dans une prairie, l'autre une mare au bord d'une route. Comme il y a une combinaison d'échange, je cote la première net pour vous fr. 375, l'autre fr. 225. Je pourrais encore vendre la Ronde de petites Bretonnes, mais il y aura une petite retouche à faire. La main de la petite fille qui vient au bord du cadre prend une importance qu'elle ne paraît pas avoir... L'amateur voudrait que vous revoyiez un peu la forme de cette main sans autrement modifier quoi que ce soit dans le tableau. Il me semble que cela ne vous sera pas difficile, et pour cela je vous envoie la toile. Il donnera fr. 500 du tableau, tout encadré avec un cadre qui revient près de fr. 100... Pour le tableau vendu dernièrement, j'ai déduit 15 %, qui est la commission minimum que prend la maison. Beaucoup de peintres nous laissent 25 %. Si nous pouvons arriver à une vente un peu courante, je dois vous engager à faire de même, si vous le voulez bien... Dites-moi votre opinion à ce sujet.

« J'étais heureux d'apprendre que vous faites bon ménage ensemble et que vous avez pu vous mettre de suite au travail. J'aimerais bien pouvoir être avec vous. »

Gauguin modifiera le tableau en question. Mais le « bon ménage » est loin d'être une idylle. Gauguin s'irrite : « Vincent aime beaucoup mes tableaux, mais quand je les fais il trouve toujours que j'ai tort de ceci, de cela[1] », se plaint-il à Bernard, ajoutant qu'ils sont rarement d'accord : « Moi, je réponds " Brigadier, vous avez raison ! ", pour avoir la tranquillité. » A Schuffenacker il demande l'hospitalité ; décidément, il rentre à Paris. Mais, si Vincent s'affole du recul de Gauguin et devient d'autant plus difficile à vivre, Gauguin est torturé, car il a besoin de Théo ; il n'y a pas si longremps que, de Pont-Aven, à bout de ressources, il lui demandait au sujet des toiles en dépôt chez Goupil s'il n'y avait pas « un petit espoir quelconque » ; et puis Vincent est un compagnon autrement passionnant que les Laval, les Bernard, les Schuffenacker. Aussi se rétracte-t-il : « Vous m'attendez à bras ouverts, je vous en remercie mais malheureusement je ne viens pas encore. Ma situation ici est très pénible, je dois beaucoup à Van Gogh et Vincent, et malgré quelque discorde je ne puis en vouloir à un cœur excellent qui est malade, qui souffre et me demande. Rappelez-vous la vie d'Edgar Poe qui, par suite de chagrins, d'état nerveux, était devenu alcoolique. Un jour, je vous expliquerai à fond. En tout cas je reste ici, mais mon départ sera toujours à l'état latent[2]. »

Le drame éclate déjà lorsque Gauguin décide de faire le portrait de Vincent. Ce sera une mauvaise toile — et un portrait hostile ! Il choisit de peindre Van Gogh, peignant des tournesols. Mais on ne voit pas le travail de Vincent ; en revanche, on voit les fleurs qui servent de modèle. Gauguin s'empare du sujet de Van Gogh, de « ses » tournesols, et les peint tout à fait

1. Lettres de Gauguin, *op. cit.*
2. C. Roger-Marx, *op. cit.*

différemment. Cela ressemble bien à une leçon : comment Vincent devrait peindre ces tournesols. « C'est bien moi », dira Vincent du portrait, « mais moi devenu fou ». Il a surtout l'air débile sur ce tableau très éteint. Leur relation se dégrade. Et Gauguin écrit à Théo : « Je vous serais obligé de m'envoyer une partie de l'argent des tableaux vendus. Tout calcul fait, je suis obligé de rentrer à Paris. Vincent et moi ne pouvons absolument pas vivre côte à côte sans trouble, par suite d'incompatibilité d'humeur, et lui comme moi avons besoin de tranquillité pour notre travail. C'est un homme remarquable d'intelligence que j'estime beaucoup et que je quitte à regret, mais je vous le répète, c'est nécessaire. »

Vincent s'accroche, toujours avec maladresse et rudesse, à l'ami qu'il appelle « l'homme qui vient de loin et qui va loin ». Mais qu'il n'aille pas loin tout de suite ! Pas la solitude à nouveau. Les fiançailles de Théo sont imminentes. Il n'en est jamais question dans les lettres de Vincent, sauf quant à de vagues allusions aux Bonger, à des projets de voyage de Théo en Hollande. Mais il est au courant. Théo courtise Jo depuis longtemps. André Bonger doit en être d'autant plus heureux qu'à présent Vincent est loin.

Gauguin, cependant, ne part pas encore. Il fait cadeau à Théo du portrait de son frère. « Au point de vue géographique, il n'est peut être pas très ressemblant mais il y a, je crois, quelque chose d'intime de lui, et si vous n'y voyez pas d'inconvénient, gardez-le, à moins qu'il ne vous plaise pas. » Théo l'a gardé et la toile se trouve au musée d'Amsterdam.

Mais le rejet vient, en vérité, de Van Gogh et non pas de Gauguin. Et ce rejet se discerne et s'accentue un certain jour de la seconde moitié de décembre. Vincent avait projeté, lorsqu'il attendait encore Gauguin, d'aller avec lui à Marseille, la ville de Monticelli, et de se promener sur la Canebière, absolument vêtu comme le peintre disparu : « avec un immense chapeau jaune, un veston de velours noir, un pantalon blanc, des gants jaunes et une canne de roseau, et un grand air méridional ». Mais c'est à Montpellier que Gauguin l'entraîne visiter le musée Fabre. Et là, dans ce musée, la substitution de Théo par Gauguin va devenir une évidence insupportable pour Vincent et susciter la tragédie qui aura lieu le veille de Noël et fera s'effondrer la vie de Van Gogh dans le désastre qui, de tout temps, semblait le guetter.

Cette visite n'est pas le motif du drame, mais elle va le déclencher ; elle en est le signal. Pour Vincent, bouleversé bien plus qu'il ne le sait, Gauguin va perdre sa valeur fantasmatique et c'est ce qui exaspérera la situation ; non pas un attachement excessif, ni la haine, ni la déroute atroce devant le départ de l'ami, mais la révélation de son rôle de subterfuge, bien involontaire, et voulu par Théo. Gauguin est mis là à sa place. Et il n'est pas Théo. C'est le désert à nouveau. Gauguin n'est que le double d'un absent. Le signe même du manque et de la disparition. Le remplaçant raté.

Cela se manifeste dans la salle du musée consacrée aux portraits d'un certain Bruyas, que Vincent s'obstine à nommer Brias ; ce mécène les avait commandés à divers peintres, dont Courbet, Cabanel, bien d'autres mais, surtout, Delacroix, Delacroix, qui peignait le Christ aux couleurs de Moe, sur une « mer » terrible, lapsus pour un lac.

Or, en compagnie de Gauguin, suppléant de Théo, voici que Vincent découvre le portrait de Bruyas par Delacroix : « C'est un monsieur à barbe et cheveux roux, qui a bigrement de la ressemblance avec toi ou moi qui m'a fait penser à ce poème de Musset :

« Partout où j'ai touché la terre
« Un malheureux vêtu de noir
« Auprès de nous venait s'asseoir,
« Qui nous regardait comme un frère. »

(Dans *la Nuit de décembre*, ce n'est pas « auprès de nous », mais « sur ma route » ; ce n'est pas « qui nous regardait », mais qui « me » regardait. Pour Vincent le « je » est un « nous ».)

Un choc pour Vincent, ce portrait, qui n'évoque pas seulement Théo et lui-même, joints en une personne, mais aussi le double, cet inconnu vêtu de noir, dont il est partout, toujours accompagné, comme dans le poème de Musset, si incantatoire.

Le troisième frère qui leur ressemble, le frère antérieur, le voilà. Et voilà, peut-être, *la* toile même que Vincent cherche à peindre. Mieux qu'un autoportrait, le portrait d'un autre, qui serait à son image et à celle de Théo. Un pareil, mais qui serait

263

un autre. Et la question se pose encore : pourquoi Vincent n'a-t-il jamais peint le portrait de Théo... qui lui ressemblait tout à fait comme un frère ?

Il charge ce frère de lui acheter d'urgence une lithographie d'après Delacroix ; *Le Tasse dans la prison des fous,* « puisqu'il me paraîtrait que cette figure-là doit avoir des rapports avec ce beau portrait de Brias ». Ainsi vient se joindre à Hugo Van der Goes, à Monticelli, peintres devenus fous, Le Tasse poète devenu fou, enfermé dans « la prison des fous », où Pa avait maintes fois tenté de faire interner Vincent. Dans quelques jours, Vincent, pour la première fois, se conformera au vœu de son père, il sera enfermé. Puni d'être un « Vincent » et soumis à un sort voisin du Vincent de Zundert. Il lui restera, chien hirsute aux yeux de sa famille, à devenir aussi le garde-champêtre et à se tuer.

Il insiste : « Dis cela à Degas que Gauguin et moi avons été voir le portrait de Brias par Delacroix à Montpellier, car il faut hardiment croire *que ce qui est est*[1], et que le portrait de Brias par Delacroix nous ressemble à toi et à moi comme un nouveau frère. »

Désormais Brias sera lié à Monticelli que Van Gogh avait le projet de faire ressusciter. L'une des premières choses qu'il jugera important de déclarer au docteur Rey, le médecin de l'hospice, quelques jours plus tard, ce sera « que Brias de Montpellier a un certain air de famille avec nous autres, et que donc nous ne faisons que continuer dans le Midi ce que Monticelli, ce que Brias ont commencé ». Cette fois, l'homme à ressusciter ressemble à Vincent, à Théo comme « un nouveau frère ».

Face à ce « nouveau frère », Vincent doit plus que jamais regretter « que la statue, le tableau ne soient pas vivants ». Face à ce tableau Gauguin se révèle n'être qu'un ersatz, un succédané. L'effet est annulé du jeu monté par Théo. La détresse, l'angoisse originaires déferlent. « Le malheureux vêtu de noir », le double qui lui ressemble comme un frère sévit d'autant plus cruellement qu'un autre est mis à sa place, ou proposé en guise

---

1. Souligné par Van Gogh.

de protection contre lui, à la place de Théo, dont la carence est ainsi soulignée. La présence de Gauguin paraît dès lors hostile, sans qu'il y puisse rien ; il semble s'imposer de force et sournoisement. Devant ce tableau, il est devenu l'imposteur ; devant cette effigie fatale qui les regarde et semble exiger, elle aussi, *Lord Keep my memory green !*

Cette confrontation doit avoir déclenché le mécanisme de la crise latente ; elle éclatera le 24 décembre, veille du départ prévu de Théo pour la Hollande, où il va présenter non pas l'œuvre fabriquée à deux, mais sa partenaire nouvelle.

A première vue Jo est tellement à plaindre, dont les fiançailles seront bouleversées par le désastre d'Arles, le mariage par celui de Saint-Rémy, pour aboutir au veuvage, si prompt, dû au désastre d'Auvers. Mais on peut renverser la situation : On peut y voir l'intrusion dans le couple (ou le trio) des frères — groupe parcouru d'intenses circulations libidinales — d'une femme supposée prendre une place affective prépondérante et focaliser toute sexualité. Une femme qui n'est pas un fantasme. Une femme, dans cet ensemble masculin, et cela au moment où Pa s'est effacé dans l'imaginaire, tandis que se déploie Moe.

L'attachement fusionnel de Vincent et Théo, cette liaison vitale se confondent avec les ordres et les désordres de l'inconscient.

C'est le navire et sa petite remorque, l'un ravitaillant l'autre et l'autre empêchant le premier de sombrer, avec pour lien, pour « corde », les lettres, les tableaux, l'argent. Cette liaison a pour substrat un tiers : le premier Vincent, mort-né. Elle est indissoluble, même si elle ne satisfait personne et surtout pas Théo.

Jo intervient avec un statut légal : c'est faute « d'avoir acquis droit au titre de décès légal », écrivait Vincent, neuf ans plus tôt du Borinage, que Théo et lui ne pouvaient « sans niaiserie » s'autoriser à « faire le cadavre », à « se comporter comme des cadavres ». Elle intervient, Jo, comme l'ami de *l'Homme hanté,* qui en épousant la sœur bien-aimée de celui-ci, passe entre (lui) et le centre du système de (ses) espoirs de (ses) luttes et vient briser (son) frêle univers.

Et puis, dès le début, Jo est la productrice potentielle de l'œuvre de chair permise au Christ, interdite au peintre. Le fils

265

« projeté » par *elle*, selon Vincent, et qui ne pourra *que* s'appeler Vincent, prendra la suite de Théo et de Vincent, comme si ce couple-là l'avait « fabriqué » et, ce couple détruit (ou triomphant), il poursuivra et réussira, d'abord avec sa mère, puis seul, la réalisation de ce que le père et l'oncle avaient amorcé : un musée.

Et cela sous le signe du nom de Vincent, sous le signe du premier Vincent et de la faute, du crime à expier : cette mort du premier Vincent, qui avait officiellement été une naissance « légalement » ratée, et qui obligeait le deuxième Vincent à tenter une naissance véritable ; celle que des lois secrètes interdisent, et qui conduit le plus souvent à la vocation de héros, de martyr contestée par Van Gogh. Un crime à expier, une mort. En se tuant, il abattra à la fois le criminel et le nom agressif de la victime ; il abattra son double, le spectre exterminateur. Mais le troisième Vincent, l'ingénieur V.W. Van Gogh dont le titre même semble faire barrage aux fantasmes, cet homme qui avait cinq mois à la mort de Vincent, onze mois à la mort de Théo, et qui tout au long de sa vie donna des conférences, écrivit des préfaces, des articles au sujet de Van Gogh, a eu lui-même à payer le prix de son nom. Et le mot « prix » prend alors un double sens, car ce nom équivaut aussi à des prix insensés. L'ingénieur s'est senti responsable de la mort du Vincent précédent, qui s'était pris lui-même pour le meurtrier symbolique du premier des Vincent. La responsabilité de l'ingénieur plus évidente, moins fantasmée que celle de Vincent II mais qui déterminera, mobilisera en grande partie sa vie, en particulier vers la fin. Il y a quelques années encore, cette part vive de l'histoire de *Vincent,* ce vieux monsieur milliardaire, à qui tant de *Van Gogh* appartenaient et qui les avait confiés à l'Etat, à condition que le musée soit créé sous son contrôle et que sa famille soit prise à jamais en charge par l'Etat, sa descendance aussi — ce vieux monsieur prenait chaque jour le même train, le même autobus et l'on pouvait, tôt le matin, tard dans l'après-midi, le voir pointer ses tickets pour se rendre des environs d'Amsterdam, au musée Vincent Van Gogh, et pour rentrer chez lui du musée qui était son œuvre (et portait son nom), qui renfermait l'œuvre du Vincent précédent et non plus, cette fois,

266

son corps dans une tombe à Zundert. Il recevait certains visiteurs, organisait avec les conservateurs, les bibliothécaires, la vie du musée, il aimait, en particulier, bavarder avec les gardiens qui n'étaient plus ceux d'un asile à Saint-Rémy, mais ceux d'une institution à la gloire du pauvre abandonné, qui avait tenté de se faire à son « métier de fou ».

De ce Van Gogh qui, à Montpellier, face à Bruyas, ce « nouveau frère », atteignait à une autre étape de sa Passion cruelle, et découvrait un nouveau maillon de sa logique fantasmée. Bruyas fera désormais partie de ses obsessions. Après un internement brutal, dû, cette fois, à la seule requête de la population d'Arles, Vincent aura le droit de sortir pour rendre visite à son atelier. Une inondation, advenue en son absence dans la maison restée sans feu, a tout abîmé, l'eau et le salpêtre « suintaient des murs ». « Cela me faisait de l'effet, non seulement l'atelier sombré mais même des études, qui en auraient été le souvenir, abîmées ; c'est si définitif et mon élan pour fonder quelque chose de très simple mais de durable était si voulu... Je crois que cela a été cause que j'ai tant crié dans les crises, que je voulais me défendre et n'y parvenais plus. »

Or « ce n'était pas à moi, c'était justement pour des peintres tels que le malheureux[1] dont parle l'article ci-inclus, que cet atelier aurait pu servir. Enfin, il y en a plus que nous auparavant. Brias à Montpellier y a donné toute sa fortune et toute une existence et sans le moindre résultat apparent.

« Oui — une salle de musée municipal, où l'on voit un visage navré et bien des beaux tableaux, où certes on est ému, mais hélas ! ému comme dans un cimetière. »

Entre le voyage à Montpellier vers la fin décembre et le 24 décembre, un seul billet de Vincent, bref, daté du 23 : « Je crois moi que Gauguin s'était un peu découragé de la bonne ville d'Arles, de la petite maison jaune où nous travaillons et surtout de moi. » Il prétend attendre la décision de Gauguin, à qui il a conseillé de « réfléchir et de refaire ses calculs avec une sérénité absolue ». Rien n'est moins vrai ! Le soir même, dans un café, celui, sans doute, où l'on peut « devenir fou, commettre des

1. Il s'agit de Monticelli.

crimes », Vincent jette un verre d'absinthe à la tête de Gauguin. Le lendemain, il se souvient mal de la scène. Il s'excuse. Gauguin lui apprend sa décision de partir. Alors Vincent, qui malgré les apparences est celui qui rejette, mais inconsciemment (et c'est classique) en se faisant rejeter, tend à celui qui va partir le fragment de page qu'il déchire dans un journal : « Le meurtrier a pris la fuite. » Et, en un sens, Gauguin, fait figure de meurtrier — usurpateur de Théo, du premier Vincent, du « nouveau frère » de Montpellier, tout comme Vincent est l'usurpateur, le meurtrier du Vincent mort-né. Ensuite...

Ensuite, toujours dans le même récit[1], qui ressemble aussi à une plaidoirie pour lui-même, Gauguin prétend avoir été agressé le soir, dans un jardin public, par Vincent, arrivé par-derrière, armé d'un rasoir. Gauguin l'aurait regardé impérieusement, Vincent aurait fait demi-tour. Gauguin se demande s'il doit s'accuser de lâcheté, car il n'a pas désarmé son ami et l'a laissé partir tandis qu'il allait lui-même coucher à l'hôtel. Il conclut (naturellement) à son acquittement.

Mais cette scène, il l'a inventée, presque certainement. En effet, dans sa lettre au critique Albert Aurier, Emile Bernard rapporte les confidences que lui a faites Gauguin aussitôt après son retour précipité à Paris. Une tout autre version : « La veille de mon départ d'Arles, Vincent a couru après moi — c'était la nuit — je me suis retourné, car depuis quelque temps, il devenait très drôle, mais je m'en défiais. Alors il m'a dit : " Vous êtes taciturne, je le serai aussi. " » Ce que l'on peut associer à l'idée d'audition et d'oreille, et qui est plus probable.

Très agité, Gauguin ne s'endort qu'à trois heures du matin et se réveille tard, estime-t-il, à sept heures et demie. Il retourne à la maison jaune et la trouve, à sa grande surprise, entourée de gendarmes et d'une grande foule. A l'intérieur gît Vincent, désormais tel qu'il était dénoncé par son père et Tersteeg, par les patrons du Borinage ou de Goupil et autres compagnies.

« Voici ce qui s'était passé », conte Gauguin. « Van Gogh rentra à la maison et immédiatement se coupa l'oreille au ras de la tête. Il dut mettre un certain temps à arrêter l'hémorragie, car

---

1. Gauguin, *Avant et Après, op. cit.*

le lendemain de nombreuses serviettes mouillées s'étalaient sur les dalles des deux pièces du bas. Le sang avait sali les deux pièces et le petit escalier qui montait à notre chambre à coucher. Lorsqu'il fut en état de sortir, la tête enveloppée d'un béret basque, tout à fait enfoncé, il alla droit dans une maison où à défaut de payse on trouve une connaissance, et donna au factionnaire son oreille bien nettoyée et enfermée dans une enveloppe. " Voici ", dit-il, " un souvenir de moi ". »

Le témoignage de l'agent de police Robert est différent : « Passant devant la maison de tolérance n° 1, gérée par une certaine Virginie, la fille soumise nommée Rachel, d'un nom de guerre, son nom est Gaby, en présence de sa patronne, m'a remis un journal en me disant : Voilà ce que le peintre nous a fait en cadeau. Je les interroge un peu, je me rends compte du paquet, j'ai constaté qu'il y avait une oreille entière. »

Emile Bernard, qui voit volontiers son ami en Christ, répète ce que lui a dit Gauguin (ou ce qu'il l'a entendu lui dire) : Vincent, offrant ce poids de chair à Rachel, lui aurait affirmé : « Tu te souviendras de moi, en vérité, je te le dis. »

L'agent Robert prévient ses supérieurs et la police se rend à la maison jaune. La nouvelle est publiée dans un journal local : « Dimanche dernier, à 11 heures 1/2 du soir, le nommé Vincent Vaugogh [sic], peintre originaire de Hollande, s'est présenté à la maison de tolérance n° 1, a demandé la nommée Rachel et lui a remis son oreille en lui disant : " Gardez cet objet précieusement. " Puis il a disparu. Informé de ce fait qui ne pouvait être que celui d'un pauvre aliéné, la police s'est rendue le lendemain matin chez cet individu qu'elle a trouvé dans son lit ne donnant presque plus signe de vie. Ce malheureux a été admis d'urgence à l'hospice. »

Vincent retournera voir « la fille où j'étais allé dans mon égarement. On me dit là que des choses comme ça, dans ce pays, n'ont rien d'étonnant. Elle en avait souffert et s'était évanouie, mais avait repris son calme. On dit d'ailleurs du bien d'elle ».

Au matin de Noël, à la vue de Gauguin, le commissaire de police, en chapeau melon, l'interpelle : « Qu'avez-vous fait de votre camarade ? — Je ne sais. — Que si... vous le savez bien... il est mort. » « Je ne souhaite à personne pareil moment », commente Gauguin. La tête vide, le cœur battant, il se précipite dans l'escalier aux marches ensanglantées vers la chambre. « Dans le lit, Vincent gisait complètement enveloppé par les draps, blotti en chien de fusil : il semblait inanime. Doucement, bien doucement, je tâtais le corps dont la chaleur annonçait la vie assurément. » Au comble du bonheur et de la panique Gauguin avertit le commissaire. Vincent n'est pas mort — « Veuillez me réveiller cet homme avec beaucoup de ménagement et s'il demande après moi, dites-lui que je suis parti pour Paris : ma vue pourrait peut-être lui être funeste. »

Vincent pourra s'écrier par la suite : « Supposons que j'étais moi tout à fait égaré, pourquoi alors l'illustre copain n'était-il pas plus calme ? » Il lui reproche surtout d'avoir, avant de partir, envoyé un télégramme à Théo pour le faire venir. Gauguin se cherche des excuses, écrit à Vincent, qui s'indigne auprès de Théo : « Comment Gauguin peut-il prétendre avoir craint de me déranger par sa présence alors qu'il saurait difficilement nier qu'il a su que continuellement je l'ai demandé et qu'on le lui a dit et redit que j'insistais à le voir à l'instant. Cela me fatigue de récapituler tout cela et récapituler des choses de ce genre. » Mais il sera désormais plus sûr de son affection pour « l'illustre copain », maintenant que celui-ci n'est plus travesti en frère. Il ironise : « Rien ne nous empêche de voir en Gauguin le petit tigre Bonaparte de l'impressionnisme, en tant que je ne sais trop comment dire cela, son éclipse mettons d'Arles soit comparable en parallèle au retour d'Egypte du petit caporal susmentionné, lequel aussi s'est rendu à Paris et qui toujours abandonnait ses armées dans la dèche. »

C'est Noël. Gauguin a fui. Vincent est absolument seul. Le commissaire, maintenant qu'il sait Vincent vivant, appelle un médecin, une voiture. « A peine réveillé, Vincent demanda après son camarade, sa pipe et son tabac, songea même à demander la boîte qui était en bas et contenait notre argent... il fut conduit à l'hôpital où aussitôt arrivé, son cerveau recommença à battre la campagne[1]. »

C'est commencé. Vincent a basculé. Son intelligence, sa

1. Gauguin, *Avant et Après, op. cit.*

lucidité extrêmes sont intactes. Il n'a pas changé... Mais il va de moins en moins lutter contre son sort, sa douleur. Ravagé, de plus en plus ravagé, il ravagera encore les champs de l'expérience picturale.

Vincent bascule, non pas dans la folie, mais dans l'histoire du malheur qu'il assume. On voudrait que cette histoire dévie, elle contient plus de souffrance que cela n'est soutenable. Une souffrance devenue patrimoine glorieux que l'on visite machinalement dans les musées du monde ou bien qui pend aux murs de demeures privées où elle n'a rien à faire, sauf d'augmenter, sans trêve, de « valeur ». « Les tableaux », disait Vincent, « se fanent comment des fleurs ».

Une souffrance qui n'en finit pas d'être achevée.

Et cela rejoint une des dernières phrases de Vincent, lorsque Théo tente à Auvers-sur-Oise de le persuader qu'il va survivre à sa blessure : « C'est inutile. La tristesse durera toujours[1]. »

Arles, pour Vincent, c'est déjà l'hallali. Il commence là à mourir « parce que personne ne l'aime personnellement ». Pour la dernière fois, ce dont il rêve va se produire un instant. Un instant d'illusion, un instant de chaleur, de rémission, lorsque Théo arrive à l'hospice, bouleversé. Pour un instant il n'y a plus qu'eux deux, Vincent et Théo, le cauchemar s'interrompt, la douceur désirée est acquise. Le calme de la vie, si simple. Le moulin de Rijswijk, le lait après la pluie. La volupté.

Pour un instant, il n'y a plus de Jo, plus de Tersteeg, de sarcasmes, il n'y a plus de putains, plus de culture, plus de méthode Bargue, plus de lecture, plus de technique, il y a — il y a tout ce que Vincent demande à la vie lorsque Théo, pleurant, pose son visage sur l'oreiller, la joue contre la joue de son frère, qui murmure : « Comme à Zundert ! »

1. Lettre de Théo à sa sœur Elisabeth, in *Vincent Van Gogh raconté par sa sœur,* Fernand Hazan, 1982.

« Par moments ainsi, contre les sourdes falaises désespérées s'écrasent les vagues », crie Vincent sous l'assaut, à la merci de l'inadmissible. L'inadmissible. Acculé où les autres l'ont peu à peu coincé, l'isolant, le châtrant, le désolant, le chassant de leur route, s'indignant de ne plus l'y trouver, expulsant Sien, encourageant Kee à le mépriser. Lorsqu'à bout de ressources, il trouve en lui-même — et dans ce qui ne saurait se refuser : ce monde impavide auquel il donne vie (la sienne) — une source apte à sa propre survie, on le lui reproche comme un luxe dont il serait indigne. Peintre, ce « mis-de-côté » ! Que n'existe-t-il des « points d'indignation » ! Etre peintre, se traduit pour lui : devenir l'assisté de Théo, et cela même est trop : Théo — d'abord érigé en recours unique, et qui fait peut-être, à Paris, barrage à d'autres recours — se dérobe, tout en gardant son emprise sur Vincent. Il le dépouille une fois encore, et cette fois de Paris où s'offraient des amis, des artistes, capables de le comprendre et, sans doute, quelques femmes. Paris, que Vincent n'a pas davantage quitté de son plein gré qu'il n'est entré par choix personnel à Saint-Rémy, mais seulement parce qu'il était sans alternative, chassé et tentant de faire encore bonne figure, de ne pas trop gêner. Théo l'expédie à Arles avec Gauguin voir s'il y est et... il y est, sous les traits de Bruyas.

Reste Gauguin ? Gauguin fuit cette « affaire ». Reste Roulin ; il part : changement de poste. Reste un lieu-métaphore, encore une fois, où les habitants d'Arles investissent les rôles prévus par la horde familiale, où la foule prend le relai du désir de Pa et réclame, non pas l'oreille pour Vincent, comme pour un torero, mais des verrous, des chaînes, une geôle, ce qui s'apparentera le mieux à la tombe de Zundert et au châtiment de n'avoir pas été celui qui repose là.

Avec le temps, grilles, verrous, barres de fer vont se multiplier et ne laisseront sortir qu'un condamné.

Le premier enfermement à l'hospice d'Arles, atroce, semble encore accidentel. Au début, on croit Vincent près de mourir (il lui reste encore dix-huit mois à vivre). Malgré le télégramme de Gauguin, Théo ne se précipite pas. Lorsqu'il arrive son frère va déjà mieux, il a repris conscience. Assis près de lui, Théo se désole : « C'est profondément attristant d'être témoin de tout cela. De temps en temps, il se rend compte de sa maladie et alors il tente de pleurer, mais en vain, les larmes ne viennent pas. Pauvre lutteur! et pauvre, pauvre souffrant[1]! » Personne, ajoute-t-il, ne pourrait alléger les souffrances violentes que Vincent éprouve si profondément. Mais lui ne le pourrait pas! et tous ceux qui, en fin de compte, ont amené là Vincent, fragile et subversif à force d'innocence, d'innocence productive, d'innocence savante.

Or Théo va repartir après deux jours. Vincent, toujours faible, souvent inconscient, semble à peine se souvenir du passage de Théo. « Que n'aurais-je donné pour pouvoir passer une journée avec toi, ici avec toi et te montrer le travail en train et la maison, etc., etc. Maintenant, je préférerais que tu n'eusses rien vu de ce que j'ai ici, que d'en emporter une impression dans des conditions aussi désolantes. Enfin. »

Plus jamais Théo ne rendra visite à son frère, même lorsqu'il le saura dans la plus grande détresse. Prétexte? La distance est trop grande et quel bien pourrait apporter sa présence à Vincent! Vincent ne le réclamera pas, même si toutes ses lettres clament son appel et si le pasteur Salles dénonce bien son désir paniqué de revoir son frère.

Une fois interné, Vincent ne peut compter que sur le facteur Roulin (qui signe Roulin Joseph, entreposeur des postes) et sur le révérend Salles. Sur le brave Dr Rey aussi. Des étrangers qui, en un sens, comprennent et qui adhèrent, plus qu'il ne le fait lui-même, à la cause de Vincent.

---

1. *Verzamelde Brieven, op. cit.*

Roulin se précipite, aussitôt après l'accident, à l'hospice. C'est lui qui tiendra Théo, qu'il appelle « monsieur Gogh », au courant. Il soutiendra « l'ami Vincent » jusqu'à son propre départ, imminent déjà lorsqu'il écrit le 26 décembre à Théo : « J'ai le regret de vous dire que je le crois perdu. Non seulement son cerveau est attaqué, mais il est très faible et très abattu. Il m'a reconnu et n'a manifesté aucun contentement de me voir... Lorsque je l'ai quitté je lui ai dit que je viendrais encore le voir, il m'a répondu que nous nous verrions là-haut et dans ses manières j'ai compris qu'il disait une prière. D'après ce que m'a dit le concierge je crois qu'ils font les démarches voulues pour le faire mettre en maison de santé [1]. » En post-scriptum Roulin ajoute : « Le bonjour de ma famille à M. Paul Gauguin. »

Le 29, Théo n'est toujours pas là. Mais les Roulin se relaient auprès de Vincent : « Hier jeudi, mon épouse est allée le voir et il s'est caché la figure quand il l'a vue venir. » Cette épouse est le modèle de *la Berceuse,* la toile à laquelle Vincent travaillait avant la crise et qu'il reprendra (il en a peint cinq versions). C'est la figure mêlée aux hallucinations, « au vaisseau fantôme hollandais, au *Horla* », et qui fonde ce tableau *entendu* comme un chant de nourrice capable de bercer sur la « terrible mer », avec les pêcheurs d'Islande, l'ancien gabier Gauguin. « Il a été vrai gabier dans la hune et vrai matelot. Cela me donne pour lui », écrivait Vincent quelques semaines auparavant, alors qu'il découvrait mieux son ami, « un terrible respect et dans sa personne la plus absolue confiance. Il a, s'il faut le comparer à quelque chose, des rapports avec ces pêcheurs d'Islande de Loti ».

Roulin poursuit : « L'interne et l'infirmier m'ont dit qu'après le départ de mon épouse il avait eu une crise terrible, il a passé une très mauvaise nuit, ils ont été obligés de le mettre dans une chambre isolée. Depuis qu'il est enfermé dans cette chambre, il n'a pris aucune nourriture et il s'est renfermé dans un mutisme complet. L'interne m'a dit que le docteur avait ajourné encore

1. John Hulsker, *Critical Days in the Hospital of Arles,* in *Vincent,* Bulletin du musée Vincent Van Gogh, 1970.

quelques jours pour décider à le faire enfermer dans une maison de santé à Aix. »

A Paris, Emile Bernard va tous les jours aux nouvelles chez « Goupil ». Il tient Aurier, le critique, informé : « Vincent a été mis à l'hôpital, son état est pis. Il veut coucher avec les autres malades, chasse la sœur et se lave dans la boîte à charbon... On a été obligé de l'enfermer dans une chambre. » Comme Roulin, il ajoute : « Mon cher ami est perdu et ce ne serait qu'une question de temps pour sa prochaine mort. » Théo n'a pas encore quitté Paris. Il déclare, désespéré, au jeune Bernard : « Ah, c'est bien la folie, hélas, ce matin Vincent est allé se débarbouiller dans la boîte à charbon » et, comme Bernard semble douter : « Lisez plutôt : il me tendit la lettre. » Et comme il y a lieu de douter de Bernard, il vaut mieux vérifier ; or, cette lettre existe encore, une lettre du jeune docteur Rey qui se dit un peu perdu, loin de sa propre famille ; il sait donc à quel point, en de telles circonstances, il souhaiterait être aidé et promet de tenir Théo fidèlement informé. Emile Bernard n'a rien exagéré. Tous les détails sont là. Vincent effrayait d'autant plus les sœurs qu'il les chassait en chemise. Dans les lettres de l'interne transparaît une affection croissante pour Vincent qui, au début, reste obstinément muet. Rey comprend la déroute, l'horreur, l'humiliation. Cette fois, ce qui menaçait est passé à l'acte. Ce n'est pas seulement l'oreille que Vincent a coupé, mais symboliquement, tout espoir d'entente. Et puis — *qui* a coupé ?

Le bon docteur Rey parvient à exprimer sa sympathie, sa bonne volonté et, peu à peu, les deux hommes bavardent et le docteur semble aimer parler à Vincent, l'entendre. Mais lorsqu'il lui demande pourquoi il s'est coupé l'oreille : « C'est person- nel », lui répond Vincent.

Rey précise à Théo qu'il soigne la blessure à l'oreille et non l'état mental de Vincent, en proie à des hallucinations (que celui- ci dira plus tard « intolérables »), et qui tient sur la peinture — mais en cette manière, le brave docteur n'a guère de compétence — des propos incohérents.

L'automutilation ? Van Gogh a raison de dire : « C'est personnel. » Chercher les interprétations, les origines possibles d'un geste : encore le signe de notre prédation.

275

Autocastration? Pourquoi pas? Facile! Mais cette composante serait là de l'ordre du comique pour Vincent, de l'ordre de la dérision, d'un acte ironique. Tout à fait dominé. La frustration sexuelle et la misère de la sexualité, il en avait une connaissance presque technique. Et la conscience des flux contrariés. La déviation de l'inceste (de la tendresse réclamée sans sacrifice, de la demande originelle, non interdite et non canalisée dans le fonctionnel), s'opère chez lui dans « l'art » qui n'est, après tout, qu'une recette de vie.

La question de l'oreille? Elle est, certes, prédominante dans la peinture plus que dans la musique, le rythme ne passant pas ici par le son qu'il faut faire voir, c'est-à-dire faire entendre autrement que par l'oreille : le corps entier, le geste devenus oreille et répercutant le rythme et la voix. Sur la toile interrompue par cette première crise, Vincent « peignait » un chant de nourrice.

On a pu penser aussi aux courses de taureaux[1] d'Arles, auxquelles Vincent assistait souvent le dimanche ; à la foule séduite, clamant : « L'oreille, l'oreille », trophée décerné au torero triomphant, qui l'offre à une dame de son choix (ici, une prostituée). C'est un aide du torero qui la coupe et la tend à son maître. Alors? Vincent, à la fois torero et toro? Mais quel aide anonyme coupe l'oreille de Vincent pour l'offrir à Vincent? Vincent devenu, entre autres, taureau, lui qui, sous le signe de son patron saint Luc, ne peut être que bœuf!

Et puis, ce recoupement : en même temps que de *l'Homme hanté* de Dickens, Vincent parle d'un autre livre : *Quatre-vingt-treize,* de Victor Hugo. C'est au temps de La Haye, de sa liaison avec Sien, alors encore enceinte, qu'il écrivait à Van Rappard : « J'ai vu dans *Graphic* une figure par Paterson, une illustration pour *Quatre-vingt-treize* de Hugo, qui s'appelle *Dolorosa*. Et j'ai été frappé par la ressemblance avec ma femme (Sien) telle que je l'ai trouvée. Je ne me retrouve jamais tout à fait moi-même dans un livre, mais j'y découvre parfois des traits de la nature très généraux, qu'on décèle vagues et indéfinis dans son propre

1. Lettre de J. Oliver à l'ingénieur V. W. Van Gogh, août 1951, in *Verzamelde Brieven, op. cit.*

cœur... Ni dans *l'Homme hanté* ni dans *Quatre-vingt-treize* je ne me retrouve tout à fait moi-même — tout est même à l'envers, parfois —, mais il reste beaucoup de choses qui se sont passées en moi et qui se réveillent lorsque je les lis. »

Quatre-vingt-treize s'achève ainsi : « Au moment où la tête de Gauvain (guillotiné) roulait dans le panier, Cimourdain se traversait le cœur d'une balle... Et ces deux âmes, sœurs tragiques, s'envolèrent ensemble, l'ombre de l'une mêlée à la lumière de l'autre. » Prémonitoire ? Ou bien était-ce, de toujours, le désir profond de Vincent (et de Théo), « sœurs tragiques », de mourir dans un même mouvement ?

Quatre-vingt-treize renferme des thèmes et des souffles aptes à faire vibrer Vincent. Ne serait-ce que les trois enfants perdus, en 1793, avec leur mère dans la guerre de Vendée, et adoptés par des soldats de la Révolution. « Le bataillon va devenir père. Trois têtes sous le même bonnet. » Vincent I, Vincent II et Théo protégés par un groupe d'hommes. Mieux, par un seul homme, dur et orgueilleux, comme Pa, comme Tersteeg, qui s'attendriraient. Car Vincent précise : « Il y avait dans le même livre » (illustré par une Sien *Dolorosa* ou par cette Moe *Dolorosa* qui, dans le bureau de Pa, faisait pendant à *l'Enterrement dans les blés*) « l'histoire d'un homme dur et orgueilleux qui s'attendrit soudain à la vue de deux enfants en danger ». Vincent, mécaniquement, supprime un des enfants, lui n'en « connaît » que deux.

Cet homme dur et orgueilleux, c'est le sergent Radoub. Et Radoub... a l'oreille arrachée ! Il lutte avec un Bleu : « Le coup partit et partit si près de la tête qu'il arracha à Radoub la moitié de l'oreille. » (On a beaucoup dit que Vincent s'était seulement tranché le lobe ou bien la moitié inférieure de l'oreille. Le docteur Gachet et son fils, Jo, Signac, contre le Dr Rey, Gauguin, l'agent de police Robert qui parlent d'une oreille entière.) « J'en ai assez d'une oreille de moins », crie Radoub.

« Et, rencontrant son oreille déchirée :

« — Chic, dit-il » (en pur style hugolien).

Et il reprit :

« — Te voilà bien avancé de m'avoir confisqué une oreille !

277

En fait, j'aime mieux avoir ça de moins qu'autre chose, ça n'est guère un ornement. »

A son supérieur, il affirme : « Ne faites pas attention, mon commandant. Qu'est-ce que c'est que ça une oreille de plus ou de moins. » Plus tard, Radoub avise un des petits miroirs accrochés au mur, s'en approche, regarde sa face ensanglantée et son oreille pendante et dit : « démantibulage hideux ! »

Un épisode qui a pu marquer d'autant plus Vincent (à l'époque où il mentionne *Quatre-vingt-treize,* il s'apprête, comme Radoub, à pratiquement adopter un enfant, celui de Sien, Wilhelm). D'autres passages du livre pouvaient faire vibrer des choses « que je retrouve quand je les lis ». Par exemple, le secret deviné de Moe, lorsqu'un vieillard observe la douleur de la mère laissée plus tard pour morte par le bataillon, et qui, vivante, se trouve séparée de ses trois enfants. Il songe qu'elle a « une idée fixe. Avoir été mère et ne plus l'être... Elle ne peut pas se résigner... Elle y pense, elle y pense, elle y pense. Le silence d'une idée fixe est terrible. Et comment faire entendre raison à l'idée fixe d'une mère ? La maternité est sans issue ; on ne discute pas avec elle. Ce qui fait que la mère est sublime c'est que c'est une espèce de bête. La mère n'est plus femme, elle est femelle ».

A quoi pense, dans sa fixité, *la Berceuse ?* Quelle est son idée fixe, à elle qui ne berce aucun enfant ?

Et Van Gogh n'était-il pas épuisé d'entendre depuis toujours, non seulement le persiflage permanent d'un double, mais ce silence terrible d'une idée fixe ? Le silence de la « terrible mer(e) ». Celle de *Quatre-vingt-treize* est « esclave de ses enfants perdus ». Moe n'a-t-elle pas fait de ses autres enfants, de Vincent surtout, les esclaves de son enfant perdu ?

Face à elle, Pa : ce Cimourdain qui « était l'effrayant homme juste » et qui a été prêtre ! Il a « une conscience pure, mais sombre... une sérénité noire... Qui a été prêtre l'est ; il suffit que quelque chose fasse en lui la nuit. Ce qui fait nuit en nous peut laisser en nous les étoiles », et des nuits étoilées ! Et un rayon noir ! « Pa a un caractère noir. »

Vincent ne se reconnaît-il pas lui-même en ce Cimourdain qui « savait presque toutes les langues de l'Europe et un peu les autres », qui pouvait donc se taire dans toutes les langues du monde, qui « étudiait sans cesse, ce qui l'aidait à porter sa chasteté, mais rien de plus dangereux qu'un tel refoulement », et qui n'avait pu garder sa croyance. « La science avait démoli sa foi ; le dogme s'était évanoui en lui. Alors, s'examinant, il s'était senti comme mutilé[1] ! » De quel dogme Vincent va-t-il se mutiler ?

Cimourdain, à qui « on avait ôté la famille... avait adopté la patrie » ; Vincent qui avait, dans le Borinage « le mal du pays pour le pays des tableaux », de ce pays-là a fait sa patrie. Et puis Cimourdain a qui on « avait refusé une femme... avait épousé l'humanité. Cette plénitude énorme au fond c'est le vide ». Prêtre dans la Révolution, « il fallait qu'il fût infâme ou qu'il fût sublime. Cimourdain était sublime ; mais sublime dans l'isolement, dans l'escarpement, dans la lividité inhospitalière, sublime dans un entourage de précipices. Les hautes montagnes ont cette virginité sinistre[1] ». Après Moe, devenue Semeur, pourquoi pas un père sous les traits d'une Vierge sinistre ?

Car ce terrible Cimourdain, peut, ô délices ! s'attendrir sur un enfant, devenu pour lui « une sorte de proie et qu'il aime comme père, comme frère, comme ami, comme créateur. C'était son fils ; le fils non de sa chair, mais de son esprit. Il n'était pas le père, et ce n'était pas son œuvre, mais il était le maître et c'était son chef-d'œuvre ». De cette paternité-là, Vincent Van Gogh est proche. De cette paternité totale, farouchement perverse, où se berce Cimourdain et qui aboutit au chef-d'œuvre sans passer par la copulation.

L'enfant, on l'a deviné, c'est Gauvain. Gauvain condamné par « l'effrayant juste », condamné par amour, par un père amoureux ! Gauvain, dont le nom sonne étrangement comme Gauguin !

Jeune aristocrate, neveu d'un marquis de Lantenac, il a été élevé par Cimourdain et, sous son influence, il est passé dans les rangs des révolutionnaires. Mais il aide à s'évader son vieil oncle qui, jusque-là, passait son temps à descendre dans des « cachots

1. Victor Hugo, *Quatre-vingt-treize*, Livre de poche, Hachette.

— cryptes », des « cryptes-oubliettes », dans des sépulcres, afin de se dissimuler.

C'est pour avoir libéré Lantenac que Gauvain se trouve condamné à l'échafaud par Cimourdain, qui en a le pouvoir et qui suivra Gauvain dans la mort, annonçant ainsi la fin de Théo. Théo n'a-t-il pas aussi condamné Vincent. Mais *qui* ne l'a pas condamné ? Et qui, dans son entourage, n'était pas, à la fois, tous les autres ?

Cimourdain vient regarder dormir Gauvain emprisonné, « une mère regardant son nourrisson dormir n'aurait pas eu un plus tendre et inexprimable regard ». Quand la Vierge est un père, son regard maternel n'est plus celui, fixe, d'une femelle, d'une *Berceuse* ou d'une Moe !

Cimourdain s'agenouille, baise la main de Gauvain, qui se réveille pour dire « je rêvais que la mort me baisait la main ». Cimourdain éprouve alors « cette secousse que nous donne parfois la brusque invasion d'un flot » — de pensées, ajoute Hugo. C'est l'orgasme. Cimourdain ne peut dire que : Gauvain.

Les deux hommes se regardent. Cimourdain les yeux pleins de flammes et de larmes. Gauvain avec un doux sourire. Jouissance de Vincent ! Et Gauvain remarque la cicatrice d'une balafre sur le visage de Cimourdain. Un coup de sabre qui ne lui a pas arraché l'oreille comme à Radoub le coup de pistolet (Radoub avait d'ailleurs reçu d'abord un coup de sabre). Mais Cimourdain est tout de même coupé au visage : une blessure reçue pour sauver Gauvain. Et Gauvain dit à Cimourdain, dont il est le « chef-d'œuvre » : « J'étais né noué. Les préjugés sont des ligatures, vous m'avez ôté ces bandelettes, vous avez remis ma croissance en liberté, et de ce qui n'était déjà plus qu'une momie, vous avez fait un enfant... Si la providence ne vous avait pas mis près de mon berceau, où serais-je aujourd'hui ? dans les ténèbres. » Les bandelettes, la momie dans l'histoire de ce ressuscité, évoquent-elles l'image de *l'Homme à l'oreille coupée...* ? Cette toile où Vincent apparaît le visage bandé... attendant un Cimourdain qui le délivrerait ?

Quels enjeux pour Vincent, quelles pertes, dont celle d'une oreille ! Quelles adoptions ! Quelles mutilations ! quel amour fusionnel !

Oreille de Radoub, oreille du torero, autocastration, persiflages d'un double ; ou d'un Mauve à l'infini, les persiflages !

Et puis, surtout : « Payé pour blanchir toute la literie, le linge
ensanglanté » ; celui de la virginité de Jo, celui qui, biologique-
ment, n'est pas le sien, celui de la naissance du premier Vincent.
La couverture « rouge sang » recouvre l'espace entier.

Et quels ravages, quelles privations, lorsque tout est perdu, ou
presque, à Arles. Il reste un peu d'espoir encore, avant la ruine
et que tout soit forclos. Mais quelle charge de désir, quelle
gentillesse, quels « élans si décisifs » déjà massacrés, lorsque le
pasteur Salles, de l'Eglise réformée d'Arles, entre en scène. Un
homme qui a l'habitude de veiller sur les affaires des autres, sans
trop s'y immiscer. Il semble d'une grande sagesse, et sait garder
sa distance, mais il est bientôt éperdu de pitié, d'admiration
impuissantes pour Vincent. Non pas le peintre, l'homme. Ils sont
identiques. C'est d'ailleurs ce qui perd ce Van Gogh, ce Vincent
qui s'écriait en vain : « Je ne suis pas un Van Gogh. »

Salles avec la plus grande discrétion, la plus grande retenue,
semble pourtant mépriser Théo. Théo la couronne. C'est un
étranger, cette fois, qui témoigne et qui fait découvrir à quel
point Vincent minimise l'horreur où il est projeté. Et comme il
est secret quant à l'atrocité de sa situation, même si, malgré lui,
la douleur sourd, immense, et la désolation. Mais aussi la
puissance absolue de créer dans la perte, l'intelligence effarante
qui lui permet, à cette époque-là, de vivre « fou », sans
romantisme, sans complaisance et sans honte surtout. Lui,
jusque-là si dérouté face aux autres, devient de plus en plus
ferme face à lui-même ; il se simplifie, il gère avec un discerne-
ment indépassable son travail, qui est ce qui lui reste encore de la
vie... La vie même, sans existence. La... technique ! Une
puissance sexuelle démente, réelle, canalisée où il « l'entend ».

A partir d'Arles, il sait qui il est. Il sait ce que c'est de l'être. Il
a le courage d'être découragé. Sa passion le ravage, il se tient là,
telles les « sourdes falaises désespérées » pour qu'elle vienne s'y
abattre. Et, s'il le faut, l'abattre.

Si l'on compare ses lettres à celle du pasteur Salles et, dans la
litote, à l'absence de réponses ou aux réactions évasives de
Théo, la cruauté du drame prend sa vraie dimension. On

découvre la discrétion, la générosité qui préservent Van Gogh de tout sentiment d'être persécuté, alors qu'il *est* persécuté, qu'il n'a jamais cessé de l'être, et non pas tant par des fantômes, des fantasmes que par des êtres officiellement en vie. Ce qui éclate c'est sa victimisation, inacceptable. Plus inacceptable encore le fait de l'admirer à présent, alors que toute l'organisation demeure, qui empêche encore (plus que jamais, peut-être) d'être ce qu'il était : d'être tout simplement. On retient de lui le peintre, comme un exemple intouchable. L'exemple d'un « intouchable ». On ignore les lettres. Fin 1982, l'édition du centenaire, tirée à 7 000 exemplaires en 1960, est épuisée après avoir été mise en solde fort longtemps (les trois volumes coûtaient alors 50 F ; ils valent aujourd'hui environ 1 500 F et sont presque introuvables).

Négligées, ces pages bouleversantes, uniques et d'un immense écrivain, qui ne se préoccupe pas de l'être, mais de garder encore cette corde pour le relier au navire. Une corde moins inerte que celle tenue par *la Berceuse* et qui ne le relie pas à un berceau.

On préfère ignorer cette vie en vrac, et blessée, palpitante dans tous les sens de ce mot. Une vie qui accuse, sans qu'il l'ait désiré, et condamne.

On préfère ignorer la voix de cet homme, son cri. On ne *voit* donc pas ses tableaux : on les croit muets, alors qu'ils clament la présence et le refus général de toute présence ; ce refus même qui rend ces toiles « exceptionnelles », révélatrices, telles des « apparitions ». Non pas impérissables (non pas : « l'œuvre impérissable ») mais périssables, au contraire ; péries. Avec la vie de Van Gogh, « C'est une folie d'aimer des peintres qui sont morts et de compter pour rien les artistes qui sont vivants », écrivait-il. Mais quoi de plus « artiste » que d'être vivant ?

Quel droit, quel moindre droit de regard avons-nous sur cette œuvre ? Sur ce don ? Ce cadeau ! Ses toiles, quel droit se donne-t-on de les vendre ? Quelle illusion de les acheter ? Quant à « avoir » un Van Gogh... ! Mauvaise plaisanterie !

Ce lieu prodigieux qu'est le musée Vincent Van Gogh à Amsterdam, c'est... lui. « J'aurais voulu donner quelques signes de vie par-ci par-là. » Il le fait. Ce musée inégalable en est un, mais qui souligne l'absence de vie alentour, la détresse, la jouissance qu'il y a à être vivant, le péril qu'il y a à en faire le signe et la (seule) permission : être un mort.

Mais Van Gogh n'est pas un mort. Van Gogh est mort. Il est un cadavre. Et c'est irréversible.

Le reste n'est qu'affaire d'encyclopédie. Son cri, la plainte stridente de ses lettres, ne sont que l'écho affaibli des affres qu'il traverse. Orgueil, humilité à la fois, il minimise le désastre et ne tient pas compte de l'abandon, de la trahison de Théo, ni de ses dérobades.

Et Théo, lui-même aux prises non pas avec une vie banale mais avec les banalités de la vie, accablé de soucis ternes, tente de vivre jusqu'au bout cette banalité, d'en tirer quelque plaisir, hors leur passion fraternelle désastreuse. Comment le lui reprocher, à lui, qui n'a pu affirmer comme Vincent : « En attendant, je suis dans ma peau et ma peau est dans l'engrenage des Beaux-Arts comme le grain entre les meules... » ne croyant pas si bien dire ! Théo qui ne peut s'écrier : « Ah ! mon cher frère, quelquefois je sais tellement bien ce que je veux. Je peux bien dans la vie et dans la peinture aussi me passer de bon Dieu, mais je ne puis pas, moi souffrant, me passer de quelque chose plus grand que moi, qui est ma vie, la puissance de créer. »

Au mariage de Théo, à sa vie « normale », Vincent était un tel obstacle. Mais une vie « normale » était un obstacle à la vie même de Théo, en osmose avec son frère, dans une liaison fusionnelle où ils se sont réparti tour à tour les rôles de mère, de père, d'enfant, de frère, de mort, de vivant, de nourrice, de ravitailleur et de ravitaillé, interchangeant sans fin leurs fonctions.

Si Théo semble avoir moins souffert, c'est qu'il est moins spectaculaire, moins véhément, plus dompté aussi. Moins immédiatement en relation avec le Vincent mort-né. La blessure n'est pas à vif. La jouissance est moins poignante. Mais il se traîne au long de son mariage avec une santé toujours plus défaillante et Jo, à sa fenêtre, sera surprise, lorsque Vincent débarquera de Saint-Rémy, de le voir sauter de la voiture, puis apparaître robuste, vif, l'air tellement plus solide que son frère — et plus équilibré. Ce qui est exact. Peut-être a-t-il trop d'équilibre ! de véritable équilibre, impossible à soutenir parmi les zombis rampants.

Vincent, cette fois dans le rôle d'une belle-mère (ou d'une maîtresse évincée), ne se privera pas alors de remarquer, à propos de Théo, s'adressant à Moe : « ma première impression a été qu'il était plus pâle que quand je suis parti » ! à Wil : « Théo toussait davantage que lorsque je l'ai quitté il y a plus de deux ans » et à Théo lui-même : « Cela m'a pourtant paru que tu avais moins d'appétit que dans le temps ! »

Mais quelle cruauté ou quelle inconscience dans l'attitude, le comportement de Théo et dans certaines de ses lettres. On connaît la plupart de celles adressées à Vincent à partir de son séjour en Arles. Théo les avait retrouvées à Auvers au moment du suicide et les avait emportées, après l'enterrement.

Une des premières, et la plus émouvante, le devient moins si l'on observe qu'elle est envoyée aussitôt après l'arrivée de Gauguin, qui pouvait dès lors la lire et apprécier à sa juste valeur la couronne des Van Gogh : Théo. « Je suis bien content que Gauguin soit avec toi... Maintenant, par ta lettre, je vois que tu es malade et que tu te fais des quantités de soucis. Une fois pour toutes, il faut que je te dise une chose. Je considère que la chose d'argent et de vente de tableaux et tout le côté financier n'existe pas, ou plutôt que cela existe comme une maladie. Tu parles d'argent que tu dois et que tu veux me rendre. Je ne connais pas cela. Là où je voudrais que tu arrives, cela serait que tu n'aies jamais la préoccupation. Il faut que je travaille pour de l'argent... » L'argent, cette maladie ? « Comme il est certain qu'avant une révolution formidable ou probablement plusieurs révolutions la question d'argent ne disparaîtra pas, il faut la traiter comme la vérole si on l'a... c'est-à-dire prendre les précautions contre les accidents qui peuvent en résulter, mais sans cela ne pas s'en faire de bile. » Il ajoute que Vincent vit « de la façon comme les grands et les nobles [1] ».

Mais, aujourd'hui, Gauguin a fui ; Théo est fiancé ; Vincent, tenu pour « fou », est hospitalisé. Vincent, que Théo se doit

1. *Verzamelde Brieven, op. cit.* Toutes les lettres citées de Théo à Vincent sont écrites en français, comme toutes celles de Vincent à Théo à partir d'Arles.

d'un peu oublier au profit de Jo, car « trop s'absorber l'un dans l'autre » (Vincent lui-même l'écrira de Saint-Rémy à leur mère) « la vie n'est pas faite pour ça ». Et puis ce frère aîné qui lui « appartenait tellement » à Paris, ce frère « tellement, tellement à moi, à moi » est incarcéré, il va l'être plus sévèrement encore ; « mis de côté », sans partage. Théo peut se consacrer à Jo !

Cette première crise n'aura été qu'une répétition brutale de ce qui va advenir, bien plus cruel, bien plus irrémissible. L'agressivité générale, la démission de Théo. Mais aussi l'insertion de Vincent en lui-même, son affirmation de lui-même sans presque plus de ces tentatives inutiles pour échapper à « sa carrière de héros, de martyr », sa carrière de peintre. Sa carrière de vivant. Et sa carrière... de pauvre.

Il ne vivra plus selon les critères de ses ennemis, qui sont légion. Il vivra dans l'espace clos d'une cellule — comme le premier Vincent, dont le nom vit en lui. Là, dans les pires conditions, seul avec sa détresse qui prend « des proportions de déluge », il continuera de peindre et de penser, toutes forces intactes, jusqu'à ce qu'il retourne vers le nord à Auvers, vers Théo qu'il a perdu mais qu'il espère retrouver autrement, avec une famille. Auvers où l'attend encore un autre frère... le docteur Gachet ! « J'ai trouvé dans le docteur Gachet, un ami tout à fait, quelque chose comme un nouveau frère tellement nous nous ressemblons physiquement et moralement aussi. » Et le docteur Gachet, coïncidence, a été l'ami de Bruyas autrefois et le reconnaît comme un homme éminent. Il aime aussi Monticelli. Les frères. Les ressuscités. Cette fois Vincent peindra ce frère et son « air navré d'aujourd'hui ». Et puis l'univers, les champs de blés se refermeront, plus clos, plus carcéraux qu'aucune cellule. Le ciel, la terre confondus, compacts, d'où surgissent sans plus de sens du haut ni du bas, les V, les W, ces corbeaux qui jaillissent de sous terre et se heurtent contre les cieux dans un espace étouffant où l'on ne peut pas naître. Seulement tuer une bonne fois celui qui n'est pas né. Après une des rares tentatives humaines d'exister, et « ce que ça m'a coûté à moi-même : mon cerveau bien toqué, ma carcasse bien démolie ».

Arles ? Vincent a trente-cinq ans. Saint-Rémy ? Trente-six

285

ans. Auvers ? Il y meurt à trente-sept ans et quatre mois. Théo mourra à trente-quatre ans.

C'est vite fait d'assassiner les gêneurs. Et de capter les biens qu'on leur a extorqués sous la torture. Et de nommer ces biens un héritage.

Vincent qui avait déjà par moments, lorsqu'il attendait Gauguin, « une lucidité terrible... alors je ne me sens plus et le tableau me vient comme dans un rêve » ; Vincent, qui prévoit que « tout le monde aura peut-être un jour la névrose, le horla, la danse de Saint-Guy ou autre chose », se sent par instants, une fois sorti de l'hospice « tordu par l'enthousiasme de la folie ou de la prophétie comme un oracle grec sur son trépied ».

Ce n'est qu'un sursis, souvent euphorique. Roulin est encore là. Ils fêtent tous deux au restaurant la sortie de l'hospice, un exploit du « facteur » ! Et dès avant la mise en liberté totale de Vincent, un autre rendez-vous avait été donné : Vincent et le Dr Rey avaient retrouvé Roulin chez Ginoux le cafetier ; et Roulin et tout le monde s'était rendu à la maison jaune présenter à l'interne de l'hospice les tableaux de Van Gogh !

A sa sortie, supposée définitive, Vincent croit déceler à travers l'écran formé par ses quelques fidèles la sympathie de la ville habituée aux tartarinades dues à l'alcool, au soleil.

Mais la galéjade ne fera pas long feu. Roulin va partir. Le 22 janvier ! Roulin, le bon père. Le frère rassurant : « Roulin tout en n'étant pas tout à fait assez âgé pour être pour moi comme un père, toutefois il a pour moi des gravités silencieuses et des tendresses comme serait d'un vieux soldat pour un jeune. Toujours — mais sans une parole, un je ne sais quoi qui paraît vouloir dire : nous ne savons pas ce qui nous arrivera demain, mais quoi que ce soit, songe à moi. Et ça fait du bien quand calmement cela vient d'un homme qui n'est ni aigri, ni triste, ni parfait, ni heureux, ni toujours irréprochablement juste, mais si bon enfant, si sage et si ému et si croyant. »

Mais cela aussi est perdu. Roulin part. Son augmentation de salaire ne justifie pas le déplacement immédiat de sa femme, de ses trois enfants. Vincent a peint toute la famille et le bébé qui vient de naître. Il est de la fête des adieux. « Un malheur ne vient jamais seul. Hier Roulin est parti. Il n'était pourtant pas triste, au contraire, il avait mis son uniforme tout neuf qu'il avait reçu le jour même et tout le monde lui faisait fête. C'était touchant de le voir avec ses enfants, ce dernier jour, surtout avec la toute petite quand il la faisait rire et sauter sur ses genoux et chantant pour elle. Sa voix avait un timbre étrangement pur et ému où il y aurait à la fois pour mon oreille un doux et navré chant de nourrice et comme un lointain résonnement de clairon de la Révolution. » Voix mâle, la seule maternelle. Celle que n'a pas *la Berceuse,* Mme Roulin. La vraie berceuse ? c'est Cimourdain. C'est Roulin. La mère véritable.

Arles sans Roulin. Arles sans protection.

Tout s'acharne contre lui ? Vincent ne se plaint pas. Il se plaindra toujours le moins possible. « Il y a pas loin d'ici », écrira-t-il de Saint-Rémy, « une tombe très, très ancienne, plus ancienne que le Christ, sur laquelle est inscrit ceci : Bénie soit Thébé, fille de Telhui, prêtresse d'Osiris, qui ne s'est jamais plainte de personne... Ah ! l'éternelle ignorance, les éternels malentendus et comme alors cela fait du bien de tomber sur une parole réellement sereine... Bénie soit Thébé — fille de Telhui — prêtresse d'Osiris — qui ne s'est jamais plainte de personne ». Ah ! si l'on pouvait, sur une autre tombe, à Zundert, graver la même épitaphe ! Comme il serait béni le premier Vincent, s'il acceptait enfin de ne se plaindre de personne, lui dont les persiflages et le gémissement ne cessent, semble-t-il, de harceler son successeur.

Roulin parti, le pasteur Salles demeure, certes, et tout acquis à Van Gogh. Mais leurs rapports sont distants. Pour Vincent, le révérend n'est pas une figure paternelle, qui se confondrait avec celle de Pa, mais il le considère supérieur sans doute par l'âge, certainement par l'autorité sociale que lui confère son statut.

Ailleurs, se prépare le mariage de Théo. « J'ai lu et relu ta lettre concernant ta rencontre avec les Bonger. C'est parfait. Pour moi je suis content de rester tel que je suis. » Voilà pour les félicitations ! C'est écrit de l'hospice.

A la sortie de l'hospice, pire que tous les cris, tous les aveux : « Payé pour blanchir toute la literie, le linge ensanglanté » — payé d'une oreille et de son sang, des prémisses d'un suicide, du-

fragment d'un suicide, « le mur terrible et froid » du tabou de l'inceste et de l'incontournable obstacle biologique.

Ce mariage aura lieu en Hollande où Vincent, cela va de soi, ne sera pas convié. Comme Théo parle contrat, Vincent s'étonne : « Comment se fait-il que tu penses aux clausules du mariage et à la possibilité de mourir à ce moment ? N'aurais-tu pas mieux fait d'enfiler ta femme tout simplement préalablement ? »

Il tente de donner le change, ses tableaux ont à présent, selon lui, « un petit air presque chic ». Il insiste : ici, tout le monde a la tête brûlée par le soleil, l'alcool. Il n'est pas une exception.

Mais quels tourments ! Si « les établissements Duval appelés les églises protestantes ou catholiques » n'ont plus de pouvoir sur lui, quel « besoin terrible de — dirai-je — le mot — de religion. Alors je vais la nuit dehors pour peindre les étoiles, à la recherche de quelque chose qui nous consolât de façon que nous cessions de nous sentir coupables ou malheureux et que tels nous pourrions marcher sans nous égarer dans la solitude et sans avoir à chaque pas à calculer nerveusement le mal que nous pourrions sans le vouloir occasionner aux autres ». Ce mal inguérissable occasionné à son prédécesseur. Un meurtre irréparable, commis avec la complicité de Moe, dans les entrailles mêmes de la mère. Et Pa s'est évanoui de la scène. Théo rejoint une femme pour recommencer le même scénario : fabriquer du Vincent. Venger l'autre, le premier, en tuant ainsi le second. Ce mariage, c'est « le désir de la mère ». Il n'y a plus d'écran. Plus d'écran au double spectral, à l'enfant monstre de *l'Homme hanté,* il n'y a plus de délectable Cimourdain. Plus qu'un pauvre Radoub à l'oreille démantelée. Il n'y a plus de limites à l'envahissement par Moe, meurtrière corrompue, déchaînée, rajeunie, repue. Son désir assouvi.

Désir d'un Vincent définitivement mort. Désir d'un Vincent neuf, fabriqué par un autre Théo ; non plus Théodorus, le « joli révérend », mais par « Théo, notre couronne » et avec cet autre objet du désir : Jo.

Alors, chez Vincent, si stratégiquement « mis de côté », c'est le dernier sursaut, une révolte dernière. Le voilà sans argent, sans le moindre argent, « à mon âge », dira-t-il à Auvers, une fois de plus menacé, « il est bigrement difficile de recommencer autre chose ». Vincent n'a que ce métier de peintre, si onéreux, et que

Théo, à présent, sabote, c'est certain : il lui faut plus que jamais tenir Vincent à sa merci. C'est le moyen d'être libre pour Jo.

Vincent a raison de lui dire « ne pense pas trop à moi avec une idée fixe ». Mais, pour cela, il faut que Vincent soit en un lieu fixe, enfermé. Vincent devant une toile est un des hommes les plus savants au monde depuis la nuit des temps et « il compte pour du beurre ». Il ne peut exercer la peinture qu'en faisant joujou avec le petit frère : « On dirait que tu es le marchand, moi je serais le peintre. » Sans Théo, il meurt. A la lettre. Il n'a *pas de quoi* vivre, moins encore de quoi peindre. Il est malade, atteint et fragile. A Paris, tout le monde le sait : il est « fou ». Maintenant, il est bien devenu ce fils dont Pa se désolait.

Pauvre Vincent, dans tous les sens du terme : « L'argent est une monnaie, la peinture en est une autre. » Mais la monnaie peinture enrichit en argent certaines fortunes faites — une fois le mendiant mort.

« Notre ambition a entièrement sombré », écrit-il à Théo. « Toi, tu feras ton devoir, moi je ferai le mien. Nous avons tous deux payé autrement qu'en paroles. Et au bout de la route, possible qu'on se retrouvera tranquillement. » Oui. Tragiques retrouvailles. Théo, qui va faire « son devoir » et suivre une voie « normale » et qui perdra le peu de santé qui lui reste, retrouvera Vincent, « tranquillement », inéluctablement, au bout de la route qu'il aura suivie derrière le corbillard de son frère jusqu'au cimetière d'Auvers, où il viendra reposer près de lui en 1913, grâce à Jo. Jo, qui l'a vu mourir, en 1892 et « retrouver » ainsi son partenaire véritable, au bout de la route, achevée ensemble, à cinq mois près.

Mais avant les dernières étapes, Vincent, à Arles, lutte encore pour ses tableaux, ils seront peut-être « fatalement » dispersés, perdus, détruits. Pour l'heure, ils ne *valent* rien, « mais lorsque toi pour un en verras l'ensemble de ce que je veux, tu en recevras, j'ose espérer, une impression consolante ». Cette idée de rassemblement de l'œuvre, projet qui compenserait le fait d'être, lui, relégué, « mis de côté », schizé entre l'autre Vincent, lui-même, Théo, avec la menace d'un troisième Vincent virtuel, sous-tend une fois encore l'idée non énoncée, non conceptualisée d'un musée, et c'est pour cela que le musée Vincent Van

Gogh d'Amsterdam est si émouvant. Unique. Vibrant du désir de Vincent. Et révoltant, car Vincent Wilhelm Van Gogh est mort. Ne reste qu'un mausolée et ce poids de souffrance suspendue. Sans consolation.

« Tu as vu comme moi défiler dans la vitrine de la rue Laffitte une partie de la collection Faure, n'est-ce pas ? Tu as vu comme moi que ce lent défilé de toiles autrefois méprisées était étrangement intéressant », et il rêve de voir Théo disposer d'une série de toiles de lui, qui « pourraient aussi défiler juste dans la même vitrine ».

Pourquoi cela fait-il penser à la mort de Bergotte ? « On l'enterra, mais toute la nuit funèbre, aux vitrines éclairées, ses livres, disposés trois par trois, veillèrent comme des anges aux ailes éployées et semblaient, pour celui qui n'était plus, le symbole de la résurrection. » Pour Van Gogh, l'éternité, la résurrection ne reposent pas dans l'immortalité, ni dans le salut comme pour Marcel Proust, mais dans le présent de la résurrection. Dans l'effort même de la vie. Reconduit. « Il faut être mort plusieurs fois pour peindre ainsi. »

Mais Bergotte, dans le Temps retrouvé[1], meurt après avoir subi le même malaise que Proust, au même endroit, à l'Orangerie, devant une toile qu'il a si ardemment voulu revoir. Il s'est traîné comme Proust (photographié au cours de cette dernière sortie — Proust qui va mourir, lui aussi, près de son frère : « Je ne te fais pas mal, mon cher Marcel. — Si, mon cher petit, tu me fais très mal » — Proust, déjà mourant, héroïque, debout dans les jardins des Tuileries ; il a cinquante-deux ans, le visage bouffi par la maladie, le regard aigu, il tend ses forces, comme au garde-à-vous, ses chaussures brillent, sa canne est élégante). Et Bergotte, comme lui, va s'effondrer devant « le petit pan de mur jaune », cette Vue de Delft, prêtée par le musée de La Haye pour une exposition hollandaise. « Il n'y a aucune raison... pour l'artiste athée à ce qu'il se croit obligé de recommencer vingt fois un morceau dont l'admiration qu'il excitera importera peu à son corps mangé par les vers, comme le pan de mur jaune que

1. Marcel Proust, A la recherche du temps perdu, Paris, Gallimard, « La Pléiade », vol. 3.

peignit avec tant de science et de raffinement un artiste à jamais inconnu, à peine identifié sous le nom de Ver Meer[1]. »

Vitrine, lent défilé des livres, des toiles, des cortèges funèbres. Le jaune. Le mur. La Hollande. La Haye. Quelques secondes à vivre pour Bergotte, quelques semaines pour Proust en 1921. Quelques mois pour Vincent en 1889.

Se tenir debout. Garder les forces essentielles. Pour cela, il vaut mieux rendre les armes, et, devant ce qui déchire, garder ce qui reste de force pour une autre lutte, l'ultime. Alors : « Reporte sur ta femme cette affection tant que possible. Et si nous correspondons un peu moins, tu verras que, si elle est ce que je la crois, elle te consolera. » Il comprend beaucoup de choses, Vincent, auxquelles Théo, bien imprudent, est aveugle, sourd. Et Vincent poursuit la cérémonie de passation des droits. L'argent à présent. La dette. Ce manque castrateur. Le vide. L'absence à corriger. « Il me paraîtra juste que cela retourne, je ne dis pas dans tes mains, puisque nous avons fait ce que nous avons fait à nous deux » un couple indissoluble « et que cela nous cause tant de peine de causer de l'argent. Mais que cela aille dans les mains de ta femme ». Toute la circulation désirée, espérée, tout le trafic entre le navire et son petit bachot, toute leur « affaire », tout ce travail à deux leur échappe. Le jeu s'arrêtera là. « Bébé, les tableaux et moi » formeront la société capable de transformer en pièces trébuchantes le déchet fécal laissé à Jo. « Ce désir de la mère. » L'aventure s'achève.

« Ne nous occupons pas trop l'un de l'autre... Ne nous épuisons pas en efforts stériles de générosité réciproque. Toi et ta femme fonderont une maison de commerce à plusieurs générations dans le renouveau. Vous ne l'aurez pas commode. Et cela réglé, moi je ne demande qu'une place de peintre employé, tant qu'il y aura au moins de quoi s'en payer un. » Employé chez Goupil, avec Théo pour chef et Jo, tant qu'il y aura de quoi se payer un Vincent. Après quoi... la clef n'était-elle pas celle du cimetière ?

Dieu merci !

1. *Ibid.*

« Fais-moi grâce des explications, mais à toi, à MM. Salles et Rey je demande de faire en sorte que fin du mois ou commencement du mois de mai j'aille là-bas comme pensionnaire interné. »

Ces lignes-là ne sont pas la suite d'une histoire, un épisode, ni une information. Elles font acte d'une infamie. A recopier ces mots, à les imprimer, ici, sur cette page, à les lire ou à les commenter, on ne parle de rien. C'est *fini*. Inguérissable. Une des histoires de la crèche infernale. Où l'on appelle chef-d'œuvre la simple énonciation de la réalité ; le fait d'être (de devenir ou de le demeurer) réel afin de recevoir et de reproduire avec exactitude. Chef-d'œuvre — afin de tenir à distance cette réalité, de ne pas l'entendre, et de regarder les toiles de Van Gogh, sans l'entendre lui, c'est-à-dire sans les voir, c'est-à-dire en les supportant. Et en supportant qu'il n'y ait *rien* à y voir, sinon sa disparition. La place de l'absence. La place de l'absent.

Signe de vie, tué.

Il a fallu trente-six ans pour amener Vincent Van Gogh là. Il va falloir un peu plus d'un an encore pour le tuer.

Vincent Van Gogh est un homme puni. Ses toiles sont des punitions. Cela suinte tout de même des murs des musées, des murs des maisons riches ; cela se perçoit et c'est ce qui fait *jouir*.

Il y a dans cette œuvre, dont on omet les lettres, il y a dans cette vie illustrée, l'histoire de notre honte, la sienne incluse. L'histoire de la simplicité et de son châtiment.

C'est un homme intensément douloureux, mentalement exceptionnel, d'une intelligence exacerbée, capable d'inventer ce qui est, de garder son équilibre au point de travailler et de mieux en mieux, sans exaltation mais « avec toute la gravité que peuvent donner les efforts de pensée assidûment fixée pour chercher à faire aussi bien qu'on peut » jusqu'à la fin, qui va être interné parmi des déments souvent en camisoles de force. Dans des circonstances où d'autres seraient devenus fous, auraient démissionné, il a peint, entre le moment où il a franchi le seuil de l'asile Saint-Paul de Mausole à Saint-Rémy de Provence en mai 1889, jusqu'au moment où il s'est tué à Auvers-sur-Oise en juillet 1890 (à peine plus d'un an), plus de deux cents toiles. Dont, sans doute, soixante-dix au cours des soixante-dix jours passés à Auvers. il a écrit des lettres, dont la sagesse brutale, douce et cruelle, rejoint les plus grands textes. Il a continué d'aimer sans être aimé. Et, telle Thébé, fille de Telhui, prêtresse d'Osiris, sans se plaindre, même s'il a crié.

Lorsque Vincent prend cette terrible décision, le 21 avril 1889, Théo vient de rentrer de voyage de noces. Il est à Paris avec Jo. Depuis le mois de février. Vincent est en proie aux internements, aux emprisonnements, à l'hostilité d'une ville, au supplice de « mélancolies et de remords atroces ». Mais surtout il a subi de telles agressivités, cette fois-ci démentes, débridées, anonymes et collectives, qu'au plus fort de cette guerre déclenchée contre un seul homme désarmé, il remarque que « ces émotions répétées et inattendues, si elles devaient continuer, pourraient changer un ébranlement mental passager momentané en maladie chronique ». Et pour échapper au détracage débile d'une tôle planétaire où l'on n'accepte pas un homme en liberté, le seul asile qu'il trouve encore c'est... l'asile — celui des « aliénés ».

Si le retour des crises, en février, est alarmant, l'attitude des habitants d'Arles est plus trouble encore, « toute la ville paraît inquiète ». Dans sa détresse, en ce temps très triste de sa vie, difficile à surmonter, où il croit perdre son frère, ce qui se passe autour de lui tient du délire, mais lui ne délire pas.

C'est le pasteur Salles qui l'affirme : « On dit que les enfants s'attroupent autour de lui et lui courent après, que lui à son tour les poursuit pour les atteindre et qu'il pourrait leur faire du mal... et enfin les femmes ont peur de lui '' parce qu'il en a pris quelques-unes par la taille et s'est livré à des attouchements sur elles ", cette dernière expression revient plusieurs fois dans les dépositions[1]. » Elle revient, en effet, toujours dans les mêmes termes, à croire que ces femmes ou leurs maris se sont donné le mot. Et Vincent, enfermé du fait de l'agitation qu'il provoque et non de sa propre agitation remarque, écrivant à Théo : « tout ce que je demanderais serait que des gens que je ne connais même pas de nom ne se mêlent pas de moi quand je suis en train de peindre, de manger ou de dormir ou de tirer au bordel un coup (n'ayant pas de femme), or ils se mêlent de tout cela ». Ce n'est *pas* la folie de la persécution. C'est même fou à quel point Vincent le persécuté accepte de l'être toujours, comme si cela allait presque de soi, comme s'il était trop obsédé par des idées de vie éternelle, comme il l'avait déclaré, se distinguant ainsi de Hugo Van der Goes. Vincent préoccupé de l'espace qu'occupe l'autre Vincent qui le préoccupe. Un espace éternel réduit à une tombe, et dont la clef est celle du cimetière.

Le pasteur Salles est encore du côté de Vincent lorsqu'il l'écoute et répète à Théo ses propos auxquels il adhère : « Si la police protégeait ma liberté en empêchant les enfants et même les grandes personnes de se grouper autour de mon domicile et d'escalader les croisées comme ils l'ont fait (comme si j'étais une bête curieuse), je serais resté plus calme ; en tout cas je n'ai fait de mal à personne et je ne suis dangereux pour personne. Il comprend, cela va sans dire [!], qu'on le traite d'insensé et cette pensée l'afflige et le révolte en même temps[2]. »

Cela se passe dans une prison. A l'hospice d'Arles, mais dans la cellule où Vincent est incarcéré. Lui qui, se croyant guéri et se portant bien, écrivait sur un mode plaisant, quelques semaines auparavant, au peintre hollandais Köning : « Le mieux que nous ayons à faire, c'est de laisser débattre par les professeurs hollandais de catéchisme la question de savoir si je n'ai pas été fou, ou bien si j'ai été considéré comme fou, ou si je le suis encore. Sinon, si je l'étais avant ce moment-là ; si je ne le suis pas au jour d'aujourd'hui, ou si je vais le redevenir. »

Que s'est-il passé avant la pétition ? Au début de février,

1. John Hulsker, *op. cit.*

Vincent défaille à nouveau. Une crise. Brève. Il doit cependant être hospitalisé et soigné. Il est déjà menacé d'être interné par l'administration, Théo ne semble guère réagir et Vincent juge utile de prévenir « une fois pour toutes » Théo et le Dr Rey : « Si tôt ou tard il serait désirable que j'aille à Aix, comme il en a déjà été question, d'avance j'y consens et m'y soumettrai. Mais dans ma qualité de peintre et d'ouvrier il n'est loisible à personne, même pas à toi ou au médecin, de faire une telle démarche sans me prévenir et me consulter *moi* là-dedans, aussi parce qu'ayant jusqu'à présent toujours gardé ma présence d'esprit relative pour mon travail, c'est mon droit de dire alors (ou du moins d'avoir une opinion sur) ce qui serait le mieux, de garder mon atelier ici ou de déménager à Aix tout à fait... Moi ayant déjà séjourné plus d'un an ici, ayant entendu dire à peu près tout le mal possible de moi, de Gauguin, de la peinture en général pourquoi ne prendrais-je pas les choses telles quelles en attendant l'issue d'ici ? Où puis-je aller pire que là où j'ai été à deux reprises, au cabanon ? »

C'est qu'il a pu voir l'indifférence de Théo, l'impatience des autorités. Pour seul recours, il a eu M. Salles, le pasteur, qui avertissait Théo le 1er février 1889 : « Depuis trois jours il se croit empoisonné et ne voit partout que des empoisonneurs ou des empoisonnés. La femme de ménage qui le soigne avec un certain dévouement, en présence de son état plus qu'anormal, a cru de son devoir de signaler la chose, qui a été par les voisins portée à la connaissance du commissaire central. Celui-ci a dû faire surveiller votre frère et cette après-midi il l'a fait conduire à l'hôpital où il a été placé dans une cellule particulière. Je viens de le voir et son état m'a fait une bien pénible impression. Il se renferme dans un mutisme absolu, se cache dans ses couvertures et se met quelquefois à pleurer sans proférer la moindre parole[1]. »

La femme de ménage refuse de continuer de s'occuper de lui. Et Salles trouve normal de proposer à Théo de faire venir auprès de lui son frère : « Evidemment il faut que votre frère soit l'objet d'une surveillance continuelle et qu'il reçoive aussi des

1. John Hulsker, *op. cit.*

295

soins spéciaux qui ne peuvent lui être donnés que dans une maison de santé ou dans la famille. Il ne peut pas rester à l'hôpital ; d'ailleurs il y serait très mal installé à supposer que l'on consentît à le garder pendant quelques jours. Dites-moi si vous désirez l'avoir près de vous ou tout au moins dans une maison située dans le voisinage de la capitale. Dans ce cas la femme de ménage qui obtiendrait un permis pour Paris (son mari étant employé à la gare), l'accompagnerait volontiers. En tout cas il faut se hâter de prendre une décision et l'on n'agira qu'après avoir reçu votre réponse [1]. » En attendant, Salles se préoccupe de faire allumer du feu dans la cellule glaciale de Vincent.

Et Vincent se remet. Vite. Le Dr Rey lui propose de demeurer libre toute la journée, de vivre dans la maison jaune, de peindre où et quand il veut, et puis de venir dormir à l'hospice. Et Vincent peint. Vincent travaille. Il n'y a plus la chaleur tonique de Roulin, mais tout de même l'appui du Dr Rey et du pasteur Salles.

Et puis, coup de tonnerre, le 26 février Salles annonce à Théo l'arrestation de Vincent, interné par décision de la police cette fois. « Une pétition signée d'une trentaine de voisins, signale à M. le maire l'inconvénient qu'il y a à laisser cet homme entièrement libre... Le commissaire central à qui la pièce a été remise a fait aussitôt conduire votre frère à l'hôpital avec recommandation expresse de ne pas le laisser sortir. »

Salles ne dit pas que Vincent est véritablement emprisonné, privé de tout objet et même de tabac, tout cela en l'absence, hélas ! du Dr Rey, qui est lui-même malade. Mais il prévient : « Evidemment il faut prendre une détermination. Votre intention est-elle de faire venir votre frère avec vous ou de le placer vous-même dans un établissement de votre choix ? Ou bien voulez-vous vous décharger pour laisser agir la police ? Il faut que l'on ait une réponse catégorique sur ce point [2]. »

Il n'y a pas de réponse avant le 2 mars. Théo demande davantage d'informations. Il ne prend pas de décision, n'oppose pas de véto. Mais il est sauvé par le gong ; le 1er mars (la lettre se

1. *Ibid.*
2. *Ibid.*

croise avec la sienne), Salles annonce une nette amélioration. Elle a été rapide : « Tout le monde, l'interne, l'économe et le conseil d'administration, est bien disposé à son égard et il a été décidé qu'on l'accompagnerait demain chez lui pour lui permettre de prendre ses pinceaux et ses couleurs et se procurer ainsi une distraction pendant son séjour à l'hôpital. Toutefois la question reste la même. Le commissaire central, qui est en possession de la pétition dont je vous ai parlé et qui a fait une enquête dans le quartier, reste toujours convaincu qu'il convient de prendre des mesures. Cependant il me semble, et c'est aussi la manière de voir de M. Rey, qu'il y aurait comme une espèce de cruauté à enfermer définitivement un homme qui n'a fait de mal à personne et qui peut, avec des procédés inspirés par la bienveillance, revenir à son état normal. Je le répète, il règne à son égard la meilleure volonté chez tous ceux qui l'entourent à l'hospice et chacun est disposé à faire son possible pour éviter son transfert dans une maison d'aliénés. »

En fin de compte, le Dr Rey de retour, guéri, le pasteur, lui, tout le personnel de l'hospice s'unissent derrière Vincent et parviennent à convaincre le commissaire qu'après tout « ce sont les médecins et non les commissaires qui doivent être juges en pareille matière[1] ». Vincent doit être libéré. Il devrait seulement changer de quartier. Il est facile d'imaginer et de comprendre la panique de Théo (peut-être désirée par Vincent) devant un tel drame, de telles décisions à prendre, à la veille de son mariage qui doit avoir lieu le 18 avril. Mais sa couronne oscille. Il a fait défaut, il n'a pas été présent. Contre la menace d'internement, contre les autorités policières, Vincent n'a été protégé que par des nouveaux venus. Et par lui-même. Théo est resté coi.

Pendant trois semaines Vincent n'écrit pas à Théo — entre autres, par peur de « le compromettre ». Mais surtout, il est effondré. Abattu. Le 18 mars, le pasteur Salles annonce l'avoir trouvé « raisonnant parfaitement juste et ayant pleine conscience de son état... Votre frère m'a parlé avec calme et une lucidité parfaite d'esprit de sa situation, et aussi de la pétition signée par ses voisins et dont le commissaire ne lui avait pas

1. *Ibid.*

laissé ignorer l'existence. Cette pièce l'afflige beaucoup ». Vincent est tout à fait d'accord pour s'établir dans un autre quartier mais il fait remarquer « qu'il lui serait peut-être difficile de trouver ailleurs un appartement après ce qui s'était passé[1] ». Personne, déclare le pasteur, n'aurait « le triste courage » de le faire interner définitivement à présent.

Personne ?

Mais personne n'aura non plus le courage d'être là. Un peu là. Sauf ces quelques étrangers, qui ne peuvent faire davantage que d'empêcher le pire. Les autres ? Après lui avoir tout ôté, ils ne lui donnent rien.

Alors, ce « triste courage », quelqu'un l'aura : Vincent, acculé. Et, lorsqu'il prendra dans quelque temps, avec force et dignité, cette décision d'être interné, ce sera après avoir bien vu à quel point il est abandonné ; ce sera sans plus de forces pour continuer de lutter contre le monde extérieur, le monde intérieur, ligués.

Le pasteur Salles, méprisant, écrira à Théo, désormais sans couronne : « Ceux qui connaissent votre frère, et notamment les médecins, approuvent cette détermination et la considèrent comme très sage, étant donné l'état d'isolement où serait votre frère à la sortie de l'hospice... Et maintenant », ajoute le pasteur Salles, « je vous laisse à vos réflexions ».

Vincent a tenté, avec tact, avec pudeur, de voir si Théo ne trouverait pas une autre solution. S'il n'y avait pas quelque part un lieu où quelqu'un serait présent pour lui. S'il n'y aurait pas pour lui un coin dans le monde, mais il n'y en avait pas ; ou alors des cellules et des tombes. Et sinon des champs et des champs.

Jamais Vincent ne fera de reproche à Théo. Jamais un appel. Au contraire : « Si je ne t'avais pas, je serais bien malheureux. » A peine un peu d'ironie, lorsqu'il mentionne le sort d'un Monticelli : « Tu peux être passablement sûr que l'artiste marseillais suicidé ne s'est aucunement suicidé par suite de l'absinthe pour la simple raison que personne ne lui en aura offert et que lui ne devait pas avoir de quoi en acheter. » Quant à lui-même : « Si j'étais sans ton amitié on me pousserait sans remords au

1. *Ibid.*

298

suicide et quelque lâche que je sois, je finirais par y aller. »

Il y a de quoi. Comment ne pas citer encore la première lettre de Vincent emprisonné depuis trois semaines : « Il m'a semblé voir dans ta bonne lettre tant d'angoisse fraternelle contenue, qu'il me semble de mon devoir de rompre mon silence. Je t'écris en pleine possession de ma présence d'esprit et non pas comme fou mais en frère que tu connais. Voici la vérité. Un certain nombre de gens d'ici ont adressé au maire (je crois qu'il se nomme M. Tardieu) une adresse (il y avait plus de 80 signatures) me désignant comme un homme pas digne de vivre en liberté, ou quelque chose comme cela.

« Le commissaire de police ou le commissaire central a alors donné l'ordre de m'interner de nouveau.

« Toutefois est-il que me voici depuis de longs jours enfermé sous clefs et verrous et gardiens au cabanon, sans que ma culpabilité soit prouvée ou même prouvable.

« Va sans dire que dans le for intérieur de mon âme, j'ai beaucoup à redire à tout cela. Va sans dire que je ne saurais me fâcher, et que m'excuser me semblerait m'accuser dans un cas pareil.

« Seulement pour t'avertir que pour me délivrer, d'abord je ne le demande pas, étant persuadé que toute cette accusation sera réduite à néant. Seulement dis-je pour me délivrer, tu le trouveras difficile. Si je ne retenais pas mon indignation, je serais immédiatement jugé fou dangereux. En patientant espérons, d'ailleurs les fortes émotions ne pourraient qu'aggraver mon cas. C'est pourquoi je t'engage par la présente à les laisser faire sans t'en mêler... Tiens-toi pour averti que ce serait peut-être compliquer et embrouiller la chose.

« Tu conçois combien que cela m'a été un coup de massue en pleine poitrine, quand j'ai vu qu'il y avait tant de gens ici qui étaient lâches assez de se mettre en nombre contre un seul et celui-là malade.

« Quant à ce qui concerne mon état moral je suis fortement ébranlé, mais je recouvre quand même un certain calme pour ne pas me fâcher.

« D'ailleurs l'humilité me convient après l'expérience d'attaques répétées. Je prends donc patience.

« Le principal, je ne saurais trop te le dire, est que tu gardes ton calme aussi et que rien ne te dérange dans tes affaires. Après ton mariage nous pourrons nous occuper de mettre tout cela au clair, et en attendant ma foi laisse-moi ici tranquillement. Je suis persuadé que M. le maire ainsi que le commissaire sont plutôt des amis et qu'ils feront tout leur possible d'arranger tout cela. Ici, sauf la liberté, sauf bien des choses que je désirerais autrement, je ne suis pas trop mal.

« Je leur ai d'ailleurs dit que nous n'étions pas à même de subir des frais...

« Comment vont la mère et la sœur ?

« N'ayant rien d'autre pour me distraire — on me défend même de fumer ce qui est pourtant permis aux autres malades — n'ayant rien d'autre à faire, je pense à tous ceux que je connais tout le long du jour et de la nuit.

« Quelle misère — et tout cela pour ainsi dire, pour rien.

« Je ne te cache pas que j'aurais préféré crever que de causer et de subir tant d'embarras.

« Si ces bonhommes d'ici protestent contre moi, moi je proteste contre eux, et ils n'ont qu'à me fournir dommages et intérêts à l'amiable, enfin ils n'ont qu'à me rendre ce que je perdrais par leur faute et ignorance.

« Si — mettons — je deviendrais aliéné pour de bon, certes je ne dis pas que ce soit impossible, il faudrait dans tous les cas me traiter autrement, me rendre l'air, mon travail, etc.

« Alors — ma foi — je me résignerais. »

Fou, Vincent ? Une terrible tricherie. Un atroce prétexte.

Cependant, grâce à l'intervention des amis, il n'est plus question d'asile, mais de déménager. Vincent craint seulement de succomber, « ce ne serait qu'humain », s'il continue d'être « emmerdé dans mon travail et dans ma vie par des gendarmes et des venimeux fainéants électeurs municipaux, qui pétitionnent contre moi à leur maire élu par eux et qui, en conséquence, tient à leurs voix ».

Il s'absorbe, comme souvent, dans les *Contes de Noël* de Dickens. Il les relira encore à Saint-Rémy, où il réclamera un Shakespeare dans une édition anglaise bon marché.

Il travaille, peint le jardin de l'hospice. Signac vient lui rendre visite ; Vincent doit obtenir une autorisation pour l'emmener à la maison jaune lui montrer ses tableaux. Tout sera « autorisé » ou non désormais pour Van Gogh. Et, lorsqu'il voudra quitter Saint-Rémy ce sera beaucoup parce que « je me trouve imbécile d'aller demander la permission de faire des tableaux aux médecins ».

A Signac, Van Gogh offre en souvenir une nature morte représentant deux harengs fumés, toile qui a déjà exaspéré la maréchaussée d'Arles, car on appelle aussi les harengs des gendarmes ! « Tu n'ignores pas qu'à Paris déjà j'ai deux ou trois fois fait cette nature morte que j'ai encore échangée contre un tapis dans le temps. Ainsi suffit pour dire de quoi se mêlent les gens et combien ils sont idiots. »

Travailler ? « J'ai malheureusement un métier », écrit Van Gogh, « que je ne connais pas assez bien pour m'exprimer comme je voudrais ». Et ce qu'il voudrait exprimer à présent c'est la sensation même qui est « la cause première et dernière de mon égarement. Connais-tu cette expression d'un peintre hollandais :

« " Je suis attaché à la terre bien plus que par des biens matériels. "

« Voilà ce que j'ai éprouvé dans bien d'angoisses — avant tout — dans ma maladie dite cérébrale. »

Ah ! qui nous soulèvera la pierre du tombeau !

« Bien plus que par des biens matériels » : par des signes de vie révolue, par des signes de mort ou, plutôt, des signes cadavériques ; et les V, les W se lèveront de sous terre, dans les blés, sous forme de corbeaux.

Et puis, Théo se marie. Il ne donne pas de ses nouvelles. Signac s'en plaint et Vincent lui répond : « Je suis aussi depuis quinze jours sans nouvelles. » Théo est aux prises avec « les pompes funèbres des réceptions, avec les félicitations lamentables de deux familles (civiliséeꞇ encore) à la fois, sans compter les comparutions fortuites dans ces bocaux de pharmacie où siègent des magistrats antédiluviens civils ou religieux — ma foi n'y a-t-il pas de quoi plaindre le pauvre malheureux obligé de se rendre muni des papiers nécessaires sur les lieux où, avec une férocité non égalée par les anthropophages les plus cruels, on

301

vous marie à petit feu de réception pompes funèbres tout vivant ».

Mariage de fœtus dans des bocaux de pharmacie ! Mort-nés ou tués vivants. Sinistres noces, en tout cas. Sinistres noces !

Chez Vincent, écrit le pasteur Salles, plus aucune trace du mal qui l'a si vivement affecté. Un peintre travaille à Arles. Il vit dans la solitude. Il est équilibré. Très équilibré. Seul, face au caprice social, face au rejet qui date de tout temps, face à la pauvreté absolue, qui condamne, qui peut condamner à la prison. A la mort. Van Gogh et sa science, son geste qui restitue la perte, qui la happe. Qui détruit l'oubli et crée l'apparition. La présence : sa jouissance et son deuil.

Il a beaucoup tenté pour vivre parmi les autres. Il a été chassé peut-être du collège de Tilburg, sûrement de chez Goupil, de chez les théologiens d'Amsterdam, du Borinage, et par Kee, par Pa, par Tersteeg et Mauve, et les Hoornick et les Van Gogh, séparé de Sien, chassé de Nuenen par les femmes, Moe, les sœurs, et de Paris, sans nul doute, mais d'une façon plus insidieuse, à la manière de Théo, et Gauguin l'a fui. Arles, une ville, cette fois, le jette au cachot. Théo se marie.

Individus, groupes, villes. Il ne reste rien. Sauf lui-même et son... « art ». Et Vincent est absolument pauvre. Sans « moyens d'existence », eût triomphé l'oncle Stricker, eût ricané la clique des oncles, qui pourraient encore le sauver et qui ont, cette fois, tous les éléments pour le reconnaître comme un peintre. Un vrai peintre. Un de ces peintres que l'oncle Cent, l'oncle Cor, que Tersteeg ont l'habitude, c'est leur métier, de soutenir commercialement. Mais pas ce Van Gogh qui n'est « pas un Van Gogh ». Ce Van Gogh, on le *tue*, comme s'il était déjà mort. On l'achève sans fin.

Sans moyens d'existence. Une expression très lourde, employée légèrement. Un tout petit peu plus abandonné encore et Vincent, sans un sou, que lui restera-t-il ? Il lui restera de mourir. De mourir de faim. Quand il s'est tué, c'est très simplement aussi, à la frontière de cela. Un état que seule une minorité peut comprendre. Le danger de mort qu'il y a à être sans argent. Avec un métier qui n'en rapporte pas. Et le désert qui se forme autour de soi. Un désert formé d'une population pétrifiée soudain ; chaque élément, un mur aveugle, sourd et muet et vissé. Comme interdit : s'interdisant toute aide. Un peuple de bois. Et la *sévérité*. La sévérité qui attaque alors de toutes parts l'indigent et le condamne. Le condamne. Un verdict. La mort. C'est ce qu'il faut savoir.

La culture, la civilisation culturelle, c'est cela. On meurt de faim, très loin dans le tiers monde : il suffit de faire partie de la masse. On meurt tout près dans les dictionnaires. De faim. Il suffit de ne pas faire partie de la masse.

Quand on est Van Gogh, à Auvers-sur-Oise, avant de se tuer, on va d'abord se laisser « entièrement absorber par cette étendue infinie des champs de blé », dans les rudiments vifs encore des nourritures refusées, du pain de chaque jour impossible à gagner, « ce sont d'immenses étendues de blé sous des ciels troubles et je ne me suis pas gêné pour chercher à exprimer de la tristesse, et de la solitude extrême ». Et puis, parce qu'on *est* pauvre, parce que personne ne vous a « personnellement aimé », parce que l'on a tellement « forcé la haute note jaune » et que la tension devient intolérable et que ce monde en vie, démontré vivant sur la toile, s'obstine à « jouer les cadavres » ailleurs que sur le tableau, et que les tableaux peints à la cadence d'un par jour à Auvers-sur-Oise ne délivrent pas « du cadavre de ce mort », dont elles seules sont la résurrection — et que la résurrection n'est d'aucun secours au peintre vivant et démuni de tendresse et d'argent, de « moyens d'existence », il ira, à court de nourriture, nourrir de sa mort vive, ces champs qui, d'ailleurs, à leur tour, le rejetteront, et c'est chez les Ravoux qu'il mourra, dans la mansarde d'une gargote. A trente-sept ans.

Mais il en a trente-six encore et le pasteur Salles cherche pour lui, avec lui, un appartement dans cette ville où il a été assailli, haï, moqué, condamné, enfermé et qui grouille autour, un peu folle, très hystérique. Mais où aller autrement ? Aucun signe de Théo. Aucun signe des copains. La Hollande n'est plus sur la même planète. Aller s'installer ailleurs, dans une autre ville du Midi, avec cette douleur, cette angoisse latentes, cette dépression aiguë qu'il parvient à peine à contrôler ? Une autre ville, d'autres habitants ? Impossible à envisager. La terre est un lieu vide.

Le pasteur Salles trouve un appartement. Vincent, raconte-t-il à Théo, « était sur le point de conclure avec un propriétaire quand tout à coup il m'a fait l'*aveu* qu'il ne se sentait pas pour le moment le courage de rentrer en possession de lui-même et qu'il lui conviendrait infiniment mieux, qu'il serait plus sage pour lui d'aller passer deux ou trois mois dans une maison de santé. Il a une pleine conscience de son état et il parle avec moi de ce qu'il a eu et dont il craint le retour, avec une candeur et une simplicité touchante. Je suis incapable, me disait-il avant-hier, de m'administrer et de me gouverner moi-même ; je me sens tout autre que je n'étais avant ».

Il en est très capable au contraire, et c'est ce qu'il fait. Lucide, face à sa mise à l'écart et acceptant d'assumer ce qu'il a refusé si longtemps avec fièvre et maladresse et persévérance, afin de n'être pas un « mis de côté ».

« En l'état », poursuit M. Salles, « il n'y avait pas lieu de louer un appartement complet et nous avons cessé toute démarche à cet égard. Il m'a chargé alors de prendre les renseignements nécessaires pour qu'il pût être interné quelque part et de vous écrire aussi dans ce sens[1] ». Salles joint la réponse et le prospectus de l'asile de Saint-Rémy qu'il a déjà contacté, tout cela sans Théo. C'est alors qu'il fait état de l'isolement où se trouverait Vincent hors de l'hospice et il laisse Théo, désormais sans couronne, abdiqué, à ses réflexions. Non sans avoir ajouté que Vincent, lui, est « préoccupé et peiné à l'idée de vous donner de l'embarras. " Mon frère, me disait-il, qui a toujours tant fait pour moi ! et lui créer encore des ennuis ! " ».

Si Vincent, le 19 avril, annonce à Théo sa décision de se faire interner, si le pasteur Salles lui a déjà envoyé un prospectus de l'asile Saint-Paul de Mausole à Saint-Rémy de Provence, peut-être s'attendent-ils à un sursaut, même si Théo n'a pas servi de bouclier à Vincent contre les autorités qui voulaient le jeter de force dans une maison de fous. « Personne n'en aurait le triste courage, à présent », déclare le pasteur. Théo en aura-t-il le triste courage ? Vincent va bien. Il n'a aucune raison (sauf cette

1. *Ibid.*

solitude doublée de pauvreté, et cette fragilité qu'il domine et gère si bien) de vivre en prison parmi des aliénés. Il a trouvé la force prodigieuse de surmonter, de contrôler le désastre psychique et le désastre social. Qu'a-t-il à faire dans un asile de fous en Provence, loin de tous ? Interné !

« Tu es trop habitué à trouver naturel que je sois un défavorisé », reprochait-il à Théo, du temps où il faisait encore des reproches, il y a quelques années déjà.

« Rien dans ta lettre ne traduit une faiblesse d'esprit au contraire », remarque d'ailleurs son frère. A propos de Saint-Rémy, il lui vient cette idée : « la possibilité existe » que ce soit de la part de Vincent, un sacrifice « pour gêner moins ceux qui te connaissent. Je te supplie de ne pas le faire car certainement la vie là-bas ne doit pas être agréable ».

Mollement, il lui conseille de bien savoir ce qu'il fait ; peut-être devrait-il essayer « autre chose » avant ? Mais très vite, cette phrase : « Si tu n'as eu aucune arrière-pensée en m'écrivant comme tu l'as fait, je trouve que tu as parfaitement raison d'aller à Saint-Rémy. » Il a bien reçu les prospectus envoyés par M. Salles. Et il poursuit, s'adressant à son frère qui va quitter la maison jaune, décorée avec tant d'amour, de ferveur, quitter le lieu de travail où des Van Gogh et des Van Gogh ont été peints, et qui va vivre « parmi les enragés » en cellule : « Tous les jours l'appartement prend un aspect plus habité grâce à toutes sortes d'inventions de Jo. Nous nous entendons très bien ensemble de sorte qu'il y a une si complète satisfaction des deux côtés, que nous nous sentons plus heureux que je ne puis te le dire. Nous avons quitté la mère et les sœurs en parfaite santé. Moe paraît rajeunir... »

Vincent, abasourdi, s'empare de cette phrase. Il ne la commente pas, mais il va la reprendre et la reprendre. « Et la mère rajeunit », « et la mère a l'air de rajeunir », « c'est une joie rare de voir votre mère rajeunir ». Mais toutes les mères n'ont pas la joie de voir l'enfant malvenu écarté enfin et l'enfant couronné répondre à son désir. « Bientôt », dira Vincent, une fois à Saint-Rémy, elle va se « préoccuper de voir un enfant à toi » (ou bien voudra-t-elle avoir un enfant de toi ?). « Mon mariage lui a fait bien plaisir », ajoute Théo à son frère, qui se débat pendant ce temps contre la folie et parvient à surmonter ses crises, emprisonné, menacé, seul dans une ville hostile, et si naturellement absent de la fête, de la Hollande et de la famille.

Si le mariage a tant fait plaisir à Moe c'est « surtout parce que Jo et elle et Wil se conviennent absolument ». Vincent, lui, ne convient pas. Il vit l'enfer, seul, là-bas, ce Hollandais pour qui « tout le Midi devient la Hollande », et dont la famille se regroupe, se reforme dans son pays, autour de son absence, autour de l'usurpatrice, alors que « les belles villes du Midi sont à l'état de nos villes mortes le long du Zuyderzee, autrefois animées. Alors que dans la chute et la décadence des choses, les cigales chères au bon Socrate sont restées, et ici certes elles chantent encore en vieux grec ».

Mais pour Théo, Vincent demeure un confident, qui peut lire dans la lettre où son cadet trouve qu'il a parfaitement raison d'aller à Saint-Rémy : « Jusqu'à présent tout marche bien mieux que je ne l'avais pensé et je n'avais pas osé espérer tant de bonheur. »

C'est vrai. Il n'en a pas tant connu, Théo ! Mais quelle cruauté, quelle inconscience ! Et puis il n'a pas eu le temps, en Hollande, d'aller voir des tableaux, seulement de recevoir deux toiles de Mauve, offertes par Jet, la veuve, leur cousine, sans doute en remerciement de celle offerte par Vincent, *Souvenir de Mauve ?* Non. Il n'en est pas question. Secondaire, la peinture. Très secondaire.

Et, comme Vincent commence le déménagement de la maison jaune, et crie de son cri sourd, mélancolique : « Il est plus que temps de se décider. Recommencer à vivre seul me fait absolument horreur. Continuer à dépenser de l'argent dans la peinture alors que les choses pourraient en venir là qu'on manquerait d'argent dans ton ménage. C'est atroce... Recommencer cette vie de peintre de jusqu'à présent, isolé dans l'atelier tantôt, et sans autre ressource pour se distraire que d'aller dans un café ou un restaurant avec toute la critique des voisins, etc. *Je ne peux pas*[1]. »

Théo l'approuve. « Ton existence matérielle a été trop

[1]. Souligné par Van Gogh.

négligée. Dans un établissement comme Saint-Rémy, il y a à peu près la même régularité dans les repas et je crois que cette régularité ne te fera pas de mal au contraire [1]. » Ces repas que Vincent ne décrira qu'une fois sur le point de quitter l'asile pour Auvers : « Le traitement des malades dans établissement est certes facile à suivre même en voyage, car on n'y fait absolument rien [2], on les nourrit de nourriture fade et un peu avariée. Et je te dirai maintenant que dès le premier jour j'ai refusé de prendre cette nourriture et je n'ai mangé que du pain, du vin et un peu de soupe. »

Saint-Rémy ? Les derniers jours, à Arles, Vincent recule et songe sérieusement à s'engager dans la Légion étrangère. Il le pourrait. Théo s'indigne : l'asile, c'est beaucoup mieux. Il n'a rien à craindre ; à la Légion non plus, on ne voudrait pas de Vincent : « J'aimerais à m'engager. Ce que je crains ici c'est — mon accident étant connu ici en ville — qu'on me refuse, mais ce que je redoute aussi ou plutôt ce qui me rend timide, c'est la possibilité, la probabilité d'un refus. Si j'avais quelque connaissance qui pourrait me coller dans la Légion, j'irais. » Et cela d'autant plus que les nouvelles de Saint-Rémy sont mauvaises. M. Salles s'est informé. On ne veut pas s'engager à priori à le laisser libre de peindre, moins encore de sortir pour peindre et, au lieu de 80 francs comme l'avait espéré Vincent, la pension en 3e catégorie, celle des indigents, coûte 100 francs. « On nous ferait payer 100 francs par mois toute une longue vie de fou durant. »

Théo insiste : il a les moyens. « Ma foi, va pour Saint-Rémy alors », répond Vincent. Va pour Saint-Rémy, à défaut de Gheel !

« Je m'y habituerai probablement à être cassé un peu plus tôt un peu plus tard, qu'est-ce que cela peut me faire. » Vincent emballe ; il vide sa maison jaune. Heures atroces. « Voici de ces jours-ci en déménagement, en transportant tous mes meubles, en emballant les toiles que je t'enverrai, c'était triste, mais il me semblait surtout triste qu'avec tant de fraternité tout cela m'avait

1. *Vermezelde Brieven, op. cit.*
2. Souligné par Van Gogh.

été donné par toi, et que tant d'années durant c'était pourtant toi seul qui me soutenais et puis d'être obligé de te dire toute cette triste histoire. » Et quelques jours plus tard : « Aujourd'hui je suis en train d'emballer une caisse de tableaux et d'études. Il y en a une sur laquelle j'ai collé des journaux, qui s'écaille, c'est une des meilleures et je crois qu'en la regardant, tu verras clairement ce qu'aurait pu être mon atelier qui a sombré. » Cet atelier où tout est abîmé par le salpêtre, détruit, même les souvenirs, « c'est si définitif et mon élan pour fonder quelque chose de très simple mais de durable était si voulu ». Détresse.

Combien d'hommes et de femmes au monde auraient supporté tout cela ? Combien auraient accueilli ce désastre absurde avec cette tristesse extrême, épouvantée, mais calme ? Ce deuil du passé, du présent, de l'avenir. Le pire advenu, preuve et poids du malheur antérieur, et devenu l'objet d'une réflexion si solitaire. Rien d'autre à faire que de réfléchir à cela, heure par heure, jour après jour, dans une ville étrangère, hostile. Avec cette décision à prendre, cette décision prise, et pour seul soutien un pasteur inconnu, sympathisant et froid. Une décision si redoutable. Pour horizon, l'asile. Quel ailleurs ? Dans cet état. Sans un sou. Assisté. Qui saurait comme lui maîtriser l'horreur, le désespoir... l'ennui ? Et ce qui s'annonce. Abominable. « La prison des fous ».

Van Gogh doit alors découvrir qu'au moins il est fier, et qu'il n'est plus jugé, même s'il est toujours aux prises avec « des mélancolies, des remords atroces », il n'est plus à la merci des Pa, des Tersteeg, des Moe, ni des Théo. Il n'a plus à résister, à prouver, à se défendre. A bout de course, il peut seulement aimer, travailler. Dans ce que cela a de plus rude, de plus austère, de moins attendri. Avec regrets, avec « remords », mais sans honte.

Théo, lui, ne sait pas aimer, ne sait pas qu'il aime. Il sait seulement qu'il doit aimer et qu'il doit le prouver. Il doit, à présent, aimer Jo. Il doit aimer moins Vincent. Il aime moins Vincent, croit-il. Il doit prendre en charge Jo. Il doit continuer d'aider Vincent, dans des limites raisonnables. Il doit. Mais en lui se déchaîne toujours, palpite sans fin la passion qu'il ignore, puisqu'il ne doit pas la vivre. Vincent n'est plus que le beau-frère de Jo. Un beau-frère envers lequel, tous deux, bons, décident d'être bons. C'est leur volonté. Et Théo se doit de réconforter Vincent.

Il n'y manque pas : « Sais-tu bien », écrit-il à son frère, si sensé, au peintre Van Gogh en pleine possession de son art et sur le point d'entrer, sans le sou, dans un asile d'aliéné, loin de tous et dans la catégorie des indigents, « sais-tu bien qu'à un point de vue, tu n'es pas à plaindre quoiqu'il paraisse autrement. Combien n'y en a-t-il pas qui voudraient avoir fait le travail que tu as livré, qu'est-ce que tu demandes en plus. N'était-ce pas ton désir d'avoir créé quelque chose ».

Un morceau d'anthologie. Et qui traduit bien l'opinion générale, en ce cas. C'était ton choix, n'est-ce pas ? « Qu'est-ce que tu demandes en plus ? » Tu voulais nous livrer « quelque chose » ; c'était « ton désir ». Tu l'as fait. Gratuitement. Qu'est-ce que tu demandes en plus ? Serais-tu avare, intéressé ? Qu'est-ce que tu demandes en plus ? Etre payé ? Mais il s'agissait de ton désir ! Un désir improductif ? C'était *ton* choix. Productif pour ceux qui placent ailleurs leur désir, pas dans la monnaie peinture, mais dans la monnaie argent, et qui pourront toujours s'offrir ton désir quand ton désir t'aura tué. Toi, tu as ton désir, on ne te doit rien. Pas même de te respecter. Pas même de vendre tes toiles de ton vivant. Pas même de le tenter avant ta mort. Ni de t'aimer personnellement. Combien auraient voulu faire ce que tu as la chance de nous avoir livré. Mais, sans se crever, eux, sans se briser à le faire. Ils ne sont pas fous, eux. C'était ton choix de crever. Non ? Ton choix, c'était de peindre. On ne peut pas *tout* avoir. Tu as eu la jouissance.

Ton choix, c'était de vivre ? C'était de vivre seulement ? Et pour ce faire il t'a *fallu* peindre ? Tu n'es pas à plaindre, n'était-ce pas ton désir, ce travail que tu nous as gratuitement livré ? N'était-ce pas ton désir de fou ? Ton choix ? On ne peut pas tout avoir. Tu as choisi, tu nous as livré quelque chose, et, en plus, tu vas avoir une cellule à l'asile Saint-Paul de Mausole à Saint-Rémy de Provence, des pois chiches et des fayots, avec des cafards dedans, la solitude. Qu'est-ce que tu demandes en plus ? On ne peut pas tout avoir. Tu as le pasteur Salles, le Dr Rey. Tu vas avoir le Dr Peyron, le surveillant Poulet, le surveillant-chef

Trabu, des verrous, des grillages, des portes de fer ; « à travers la fenêtre barrée de fer », tu apercevras « un carré de blé dans un enclos », qu'est-ce que tu demandes en plus ? Les médecins te donneront souvent la permission d'accomplir ton désir, d'aller peindre ce que tu vas nous livrer, d'aller, à moitié évanoui, peindre, accompagné, surveillé par le gardien Poulet ou le gardien Trabu, qui veilleront à ce que tu rentres à leur heure, sans tenir compte de tes livraisons ; ils t'apprendront à interrompre ce que tu crées, selon leur emploi du temps. N'était-ce pas ton désir d'avoir créé quelque chose ? Qu'est-ce que tu demandes en plus ? Tu pourras rentrer, réfléchir seul sur l'horreur qui t'habite depuis toujours, sur ta vie, tes ratages, sur tes espoirs démolis, sur ta force sexuelle déviée, peut-être tarie, sur ta misère absolue, sur ta pauvreté irréparable, sur ta longue vie de fou à 100 francs par mois et que je paie. Sur ta jouissance. Qu'est-ce que tu demandes en plus ? C'était ton désir, ton choix. Tu as livré quelque chose. On ne peut pas tout avoir. Qu'est-ce que tu demandes en plus ? Tu n'es pas à plaindre. N'était-ce pas ton désir ? Tu l'as livré. D'un certain point de vue, barré de fer, qu'est-ce que tu demandes en plus ?

« Je suis " mal pris " dans la vie », découvre enfin et avoue Vincent Wilhelm Van Gogh.

« Je suis ici à ma place », déclare le peintre à l'asile. Un an plus tard, après plusieurs crises, des tentatives de suicide et son univers effondré, il constatera... « je ne crois pas que j'ai eu de chance ici non plus ».

Ici, à deux kilomètres de Saint-Rémy, toute petite ville méridionale, patrie de Nostradamus, l'asile est une abbaye du XIIe siècle, construite pour abriter des moines augustiniens et qui contient une chapelle, un cloître très beau. Deux ailes ont été ajoutées, qui servent, au XIXe siècle, d'asile d'aliénés. Un parc superbe, désolé, négligé, de hauts pins, sévères. Tout autour des champs de blés, des vignes, des oliviers, les âpres montagnes des Alpilles. A l'intérieur, la désolation, de longs couloirs obscurs dans le quartier des hommes, ouverts sur des chambres minuscules, identiques, aux fenêtres garnies de lourdes barres de fer. Partout des barres de fer, des grilles, des portes verrouillées. En haut, en bas de l'escalier. Partout. Vincent les omettra dans ses tableaux. Et, pour gérer le tout : des nonnes.

Le 16 août 1888, moins d'un an avant l'arrivée de Van Gogh, le poète Mistral, grand homme de la région, se promène avec le célèbre acteur Mounet-Sully et sa femme. Ils marchent jusqu'à l'asile, attirés par le vieux monastère. De la chapelle échappent « des sons d'orgue paresseux, une musique d'enfermés tristes s'y traîne, qui serre le cœur. Ce cloître étouffant nous rappelle une chartreuse italienne où était partout exprimée la mélancolie de la mort. On n'y éprouvait pas de grâces mystiques. Ce n'était que l'effet d'une existence vouée au cercueil ! ». Mistral qui écrit, qui éprouve cela, ignore jusqu'à l'existence de Van Gogh, lequel sera dans moins de dix mois enfermé là ; dans un lieu métaphorique, une fois encore.

Ce n'est pas un asile pour rire, pour riches neurasthéniques. Les malades sont souvent mis en camisoles de force. « Ces malheureux », explique Vincent, « ne faisant absolument rien (pas un livre, rien pour les distraire qu'un jeu de boules et un jeu de dames) n'ont d'autres distraction journalière que de se bourrer de pois chiches, d'haricots et lentilles et autres épiceries et denrées coloniales par des quantités réglées et à heures fixes ». Les heures fixes tant vantées par Théo ! « La digestion de ces marchandises offrant de certaines difficultés, ils remplissent ainsi leurs journées, de façon aussi inoffensive que peu coûteuse » ; Van Gogh ne tombe pas dans le piège et préfère ne pas se nourrir que de perdre son énergie. D'ailleurs, « les choses se tiennent tellement qu'ici on trouve des cafards dans le manger parfois comme si on était vraiment à Paris, par contre il se pourrait qu'à Paris, tu aies une vraie pensée des champs... Vrai, j'en suis si content de ce que si ici parfois il y a des cafards dans le manger ! toi, il y a femme et enfant ».

La nourriture du couple Jo/Théo l'obsède. Il s'inquiète de savoir si Théo va encore au restaurant, comme de son temps à lui, ou s'il prend ses repas à la maison. Il fait part à Moe de son désir de voir Jo faire en sorte que Théo « retrouve autant que possible la nourriture hollandaise d'autrefois... qu'elle se fasse donc cuisinière plus ou moins, qu'elle prenne un extérieur rassurant fût-ce un peu rude » et que Théo « retrouve la cuisine hollandaise. C'est bien cela, la cuisine hollandaise... L'essentiel, c'est peut-être ceci : vous souvenez-vous de cette histoire dans le livre *De Pruuvers,* qui parlait d'un malade qui, chaque matin, regardait la bonne balayer le plancher et trouvait que la servante lui offrait " un spectacle reposant " » ? Si Jo pouvait n'être que cela !

Mais Jo lui écrit (en français), pas du tout comme la servante en question, mais en femme très charmante, habile, qui pratique fort bien la gentillesse et la candeur, et qui tient à se mettre en valeur, à mettre en valeur sa culture, à se poser en interlocutrice valable des deux frères et non en croupe de ménagère à mater. Se sait-elle un peu perfide ? Elle aime l'œuvre de son beau-frère plus que toute autre ; il est évident qu'on ne va pas au restaurant, à quoi servirait le mariage ? au contraire, les Pissaro, père et fils, Tersteeg, de Haan, le critique hollandais Isaacson, d'autres, viennent régulièrement dîner chez eux. Elle rafle tout, Jo : Moe, Wil, les amis. Même Shakespeare : « N'est-ce pas que c'est beau — et si peu de gens le connaissent. " C'est trop difficile " (dit-on) — mais ce n'est pas vrai. » Elle a même vu à Londres, au théâtre, *The Merchant of Venice*. *Hamlet* et *Macbeth* aussi, « mais en hollandais — et alors cela perd beaucoup ». Imbattable, Jo. Johana Bonger.

Imbattable. Car elle annonce elle-même « la grande nouvelle » à Vincent : elle est enceinte. « Vers février, probablement, nous espérons avoir un bébé — un joli petit garçon — que nous appellerons Vincent, si vous voulez bien être son parrain. » Et elle fait part de sa terreur ; elle a été très malheureuse d'attendre ce bébé et Théo a eu bien de la peine à la consoler ; elle adore les bébés pourtant, et son petit frère « qui a maintenant douze ans, je l'ai eu dans mes bras quand il avait à peine deux heures, je l'ai adoré ». Mais c'est un plaisir égoïste. Elle et Théo sont en mauvaise santé « et pour moi le plus grand trésor que les parents peuvent donner à leur enfant, c'est une bonne constitution[1] ». Un bébé Bonger c'est adorable, rassurant — mais un bébé Van Gogh ? Si seulement il pouvait ressembler au bébé Roulin ! à son portrait « que vous avez envoyé à Théo. Tout le monde l'admire beaucoup » (les terrifiants portraits de bébé de Van Gogh !) « et bien des fois déjà on a demandé " mais pourquoi avez-vous mis ce portrait dans un coin perdu ! " C'est que de ma place à table, je vois justement les grands yeux bleus et les jolies petites mains et les joues rondes de l'enfant et j'aime à me figurer que le nôtre sera aussi fort, aussi bien portant et aussi beau que celui-là — et que son oncle voudra bien un jour faire son portrait[2] ». Désire-t-elle vraiment faire ce bébé avec Vincent aussi, avec la force magique véhiculée par son œuvre, ce bébé de *la Berceuse* ? (« Il n'était pas le père et ce n'était pas son œuvre, mais il était le maître, et c'était son chef-d'œuvre. ») Une

1. *Verzemelde Brieven, op. cit.*
2. *Ibid.*

313

jeune femme assez merveilleuse, Jo ! En tout cas, piégée dans un terrible guépier, *obligée* d'exercer un pouvoir mortifère, elle si pleine de vie, d'énergie, qu'elle saura d'ailleurs employer à « ressusciter » ce qu'elle aura tué. Mais tué avec un tel respect, tant de tact. Et d'innocence ?

C'est elle qui collectera et qui traduira seule, en anglais, les lettres de Vincent, et qui les publiera en 1916, en les censurant, il est vrai, avec ruse, avec intelligence afin de protéger la respectabilité des « vrais » Van Gogh et de se protéger, de protéger surtout la couronne de Théo. « Bébé, les tableaux et moi. » Longtemps, elle exercera une sorte de surveillance sur les travaux relatifs à l'oncle de son fils, surveillance qui ne se relâchera que lorsque l'ingénieur ne sera plus sous la coupe, même posthume, de sa mère — elle meurt en 1925.

A travers les ouvrages parus, on perçoit une sorte d'attitude commune aux auteurs lorsque, tremblants, ils révèlent un détail que Jo avait caché et s'empressent de l'en excuser — et de s'excuser. Car l'ingénieur détient tous les documents que, peu à peu, il libérera. L'édition du centenaire contient enfin toutes les lettres (ou presque ?) de Vincent. Mais c'est Jo, l'intruse, qui met sur le chemin de la « gloire » Van Gogh, et qui contribue pour beaucoup à son « immortalité » ! Elle a *vraiment* épousé Théo. A moins qu'elle n'ait pris, avec plus d'efficacité, sa place. Mais sait-elle de *qui* elle est la veuve ? Et l'ingénieur Vincent Wilhelm, de qui est-il l'héritier ? Ici, Vincent et Théo sont tout à fait unis, en osmose, de par le fait de ceux qui les ont séparés.

Veuve depuis un an, Jo, qui s'active déjà autour de l'œuvre de Vincent et qui vit en Hollande (bébé, les tableaux et moi) écrit, seule avec bébé et les tableaux, dans son journal intime, le 24 février 1892 : « Ce soir il y a à Arti l'exposition des dessins de Vincent. » Arti où, quatre ans plus tôt, Tersteeg refusait de faire exposer les impressionnistes de Théo. « Je m'en fais beaucoup d'illusions. C'est un sentiment qu'enfin l'appréciation supplante le mépris — j'y vais pour écouter ce que l'on dit — pour voir l'attitude de ceux qui, autrefois, se moquaient de Vincent — le considéraient comme fou [1]. » Ceux de la Hollande, Tersteeg,

1. *Ibid.*

oncle Cor, tant d'autres. Mais pas elle. Elle, elle avait, au moins, le sens de l'histoire. Et, si elle a considéré Vincent comme un étrange rival, comme un poids financier, si à Auvers, elle l'a terrifié et terrifié Théo, sans doute pour protéger le troisième des Vincent, elle l'a fait, en sachant, mieux que Théo, qui était le parrain de son propre Vincent, et ce qu'elle et son fils lui « devaient ».

Jo se remarie en 1901, l'année du mariage de Sien, avec un peintre plus jeune qu'elle (il a vingt-huit ans), qui mourra avant elle, en 1912. Deux maris et deux peintres cadavérisés. Il s'appelle Johan Cohen Grossalte, ce deuxième mari de Jo.

Jo, qui terminait cette lettre écrite en juillet 1889 à ce beau-frère redoutable et pitoyable, vampirique et vampirisé, enfermé dans un asile où il travaille à remplir le musée du bébé à peine conçu, en demandant à Vincent d'écrire son opinion sur le futur Vincent « sur notre garçon car un garçon cela doit être ». Evidemment ! Et un autre vampire encore. A moins que le vampire ne soit Jo !

Une lettre du 5 juillet.

Le 16 juillet, Théo, le futur père, écrit qu'il se sent si faible. Tout le fatigue extrêmement et le 29, un an, jour pour jour, avant la mort de Vincent, c'est Théo qui écrit : « Moi j'ai l'air d'un cadavre. »

A l'annonce de la naissance « projetée » d'un troisième Vincent, pour le second c'est la crise, presque aussitôt. Longue. Elle dure six semaines. C'est la première depuis Arles. Des hallucinations atroces.

« Cette crise nouvelle, mon cher frère, m'a pris dans les champs et lorsque j'étais en train de peindre par une journée de vent... Durant bien des jours j'ai été *égaré* comme à Arles et il est à présumer que les crises viendront encore, c'est *abominable*[1]. » A présent, il a peur. Peur des autres malades. Et... peur. « J'exagère peut-être dans le chagrin que j'ai d'être encore foutu en bas par la maladie — mais j'ai comme peur... La faute doit en être au-dedans de moi et non aux circonstances ou à d'autres personnes. Enfin, c'est pas gai. »

1. Souligné par Van Gogh.

315

Le Dr Peyron, qui dirige l'hospice Saint-Paul de Mausole, assiste à tout cela, avec une incompétence sans pareille. Il a d'abord été médecin de la marine, puis oculiste à Marseille. L'asile est une planque pour ce gros homme avare. Une fois à Auvers, Vincent déclarera qu'à Saint-Rémy « la dernière crise, qui fut terrible, était due, en considérable partie, à l'influence des autres malades, enfin la prison m'écrasait et le père Peyron n'y portait pas la moindre attention, me laissant végéter avec le reste corrompu profondément ».

Vincent peint sans arrêt entre les crises, dès que l'autorisation lui en est donnée. Il tente au moins une fois de se suicider en avalant des couleurs. Les crises ne sont pas nombreuses, mais elles sont effroyables. Et toutes ont lieu à des dates, si l'on peut dire, privilégiées : « En dedans de moi, il doit y avoir eu quelque émotion trop forte, qui m'a foutu cela et je ne sais pas du tout ce qui a pu l'occasionner... C'est drôle que toutes les fois que j'essaie de me raisonner pour me rendre compte des choses pourquoi je suis venu ici, un terrible effroi et horreur me saisit et m'empêche de réfléchir... C'est stupéfiant d'avoir peur ainsi de rien et de ne pas pouvoir se rappeler. » Et pourtant !

Une crise donc à Noël. Il s'y attendait. Elle sera brève. Le 29 janvier, alors que la naissance du Vincent « projeté » par Jo est imminente, le Dr Peyron avertit Théo : « M. Vincent allait très bien et était parfaitement revenu à lui, lorsque la semaine dernière il voulait aller à Arles pour voir quelques personnes, et deux jours après avoir effectué ce voyage, l'accès s'est déclaré. Aujourd'hui, il est incapable de se livrer à un travail quelconque et ne répond que par des paroles incohérentes aux questions qu'on lui adresse. J'espère que tout cela se dissipera, comme les autres fois [1]. »

En effet, Vincent est déjà remis lorsqu'arrive une lettre de Théo qui a croisé celle du Dr Peyron, et qui annonce, le 1er février, la naissance d'un garçon. Dans la même lettre il envoie l'article d'Emile Aurier (la réaction de Vincent au critique doit beaucoup à la confusion qu'il fait entre les deux événements).

Au reçu du faire-part, Vincent sort et va peindre une branche

1. John Hulsker, *op. cit.*

d'amandier blanc en fleur contre un fond de ciel bleu. La plus heureuse, la plus lumineuse, la plus franche de ses toiles. Presque trop « jolie », mais dépasse cela par cette exagération même, en un sens un peu comme chez Ver Meer de Delft. *C'est un cadeau pour le nouveau Vincent,* destiné à être accroché dans sa chambre. Et c'est la crise. Inévitable. « Tu verras, c'était peut-être ce que j'aurai fait le plus patiemment et le mieux, peint avec calme et sûreté de touche plus grande, et le lendemain fichu comme une brute. » Effet du nouveau Vincent. « Et voilà que je désespère presque tout à fait de moi. » La saison des arbres en fleurs s'achève, il se désole. « Je suis tombé malade, donc, au moment où je faisais les fleurs d'amandier, à présent, c'est déjà presque fini les arbres en fleurs. Vraiment, j'ai pas de chance. »

Les crises, désormais, se succèdent. Celle du début de février s'atténue. Mais Théo cherche des solutions au désir de Vincent, qui, dès septembre 1889, désirait quitter cet asile-là, même pour entrer dans un autre (il ne partira qu'en mai 1890). Théo propose : « Il y a Gheel, en Belgique. » Est-ce étonnant si Vincent s'effondre ? Le 24 février, le Dr Peyron annonce un nouvel accès après un voyage à Arles : « J'ai été obligé d'envoyer deux hommes avec une voiture pour le prendre à Arles, et l'on ne sait pas où il a passé la nuit de samedi à dimanche. Il avait emporté avec lui un tableau représentant une Arlésienne, on ne l'a pas retrouvé. »

Cette fois la crise est de longue durée. Le 1er avril, le médecin prévient Théo, à qui Vincent n'écrit plus : « J'ai le regret de vous annoncer que M. Vincent n'a pas encore retrouvé toute sa lucidité d'esprit... Par moments on croirait qu'il va revenir à lui, il rend compte des sensations qu'il éprouve, puis quelques heures après la scène change, le malade redevient triste et soucieux et ne répond plus aux questions qu'on lui adresse. J'ai confiance qu'il reviendra à la raison comme les autres fois, mais c'est beaucoup plus long à venir. »

Et pourtant « le travail allait bien, la dernière toile de branche en fleur », soupirera Vincent, qui se remet encore.

Il envoie « divers tableaux » à Théo avec ses remerciements « pour toutes les bontés que tu as pour moi, car sans toi je serai bien malheureux ». Mais, surtout, il supplie que l'on dise à

317

Aurier « de ne plus écrire sur ma peinture, dites-le-lui avec insistance, que d'abord il se trompe sur mon compte puis que réellement je me sens trop abîmé de chagrin pour pouvoir faire face à de la publicité ».

L'article a fait sensation. Il lance le critique davantage que le peintre, mais c'est un événement. C'est un texte critique superbe, sulfureux, flamboyant à la Huysmans. Van Gogh y apparaît génial, tel un démiurge, très roi Lear. « Dans sa catégorique affirmation du caractère des choses, dans son insolence à regarder le soleil face à face, il se révèle un puissant, un mâle, un oseur, un terrible et affolé génie... un cerveau en ébullition, déversant sa lave dans tous les ravins de l'art », mais « sublime souvent, grotesque parfois, toujours relevant presque de la pathologie » et « c'est un hyperesthésique nettement symptomatisé, percevant avec des intensités anormales » ; un peintre « aux mains brutales, aux nervosités de femme hystérique ». Texte très long ; Van Gogh y est exalté, mais sa logique y est ignorée. Son exactitude. Aurier (il a vingt-quatre ans et mourra trois ans plus tard, après avoir écrit un premier roman) se situe en homme « normal », en modèle, auquel Van Gogh ne se conforme pas. Ce qu'il y a de technicité, de science dans ce dépassement, cette outrance, qui rendent compte de la simplicité, est tenu pour une anomalie maladive. Mais qui est le malade ? Celui qui *sait* peindre ou celui qui ne peut pas ? Celui qui n'est pas savant représente, hélas ! la normalité ! Etre exceptionnel, est-ce être anormal ? Percevoir, éprouver davantage, et à quel prix : symptômes aberrants ! Jouir ! Certes, Aurier, jouant du romantisme de la démence, obtient des effets spectaculaires et littéraires, mais on comprend l'horreur de Vincent car, après tout, le diagnostic d'un Aurier n'est pas si éloigné de celui d'un Tersteeg. La différence ? Aurier est attiré par ce qui rebute l'autre. Mais aucun des deux n'admet le regard de Vincent, sa présence, son écoute. Ils sont, chacun, un juge, qui détient la loi. Cette loi, ils ne reconnaissent pas en Vincent celui qui la discerne et, la traduisant, la crée.

Vincent ne tient pas à faire carrière dans la folie. « Tu sens assez bien que je n'aurais pas précisément choisi la folie s'il y avait à choisir », et prend soin d'exposer des toiles qui « n'expriment pas quelque chose de trop fou …quelques-uns de mes tableaux, lorsque je les compare à d'autres, portent bien la trace que c'est un malade qui les peint, et je t'assure que je ne le fais pas exprès. Mais c'est malgré moi à des tons rompus qu'aboutissent mes calculs ».

Ce qui le soutient dans son travail, c'est que d'autres peintres font exactement comme lui et que les impressionnistes sont « tout aussi névrosés » que lui et pour cela « très sensibles à la couleur et à son langage particulier », alors « pourquoi un article sur moi, et pas sur six ou sept autres ? ». Lesquels ? Et s'agit-il bien de peintres ? Ou des six enfants vivants de Pa et de Moe… et du septième ?

L'article, selon lui, décrit comment il devrait être : « Faudrait être comme ça et je me sens si inférieur » et, surtout, « l'article est fort juste dans le sens qu'il indique une lacune à remplir ». Non, Vincent n'échappe pas au premier Vincent. Et lorsqu'il est glorifié, il se voit encore « secondaire, très secondaire », et un remplaçant. La même souffrance, la même culpabilité. Le même manque, le même crime dont il se sent responsable et qu'il ne parvient pas à combler. La mort, un exercice, dont il faut faire de la vie. Aurier a écrit, explique-t-il à Wilhelmine, « pour guider non seulement moi, mais les autres impressionnistes et même plutôt pour faire la brèche au bon endroit. Il propose donc un idéal collectif aux autres, tout autant qu'à moi ». C'est faux. Si cela a même un sens ! Aurier parle de Van Gogh et le met seul en scène, et même au-dessus de tous. Rien de plus désastreux pour Vincent que d'usurper encore, de tuer — de ne plus être entouré d'une cohorte de frères — cette association de peintres dont il rêve en vain. Des frères pour le cacher à l'autre, celui vêtu de noir, terrifiant et qui, justement, renaît. Il faut que l'on sache, il le faut, qu'Aurier se trompe et « que je n'ai pas assez bon dos pour accomplir une affaire pareille ».

Mais tandis que Vincent vit dans la prison des fous, « sans crainte, c'est-à-dire que je ne le trouve pas plus atroce que si ces gens seraient crevés d'autre chose, de la phtisie ou de la syphilis par exemple. Car quoi qu'il y en ait qui hurlent ou déraisonnent… je peux par exemple causer quelquefois avec un, qui ne répond qu'en sons incohérents parce qu'il n'a pas peur de moi ».

Et, tandis qu'il avoue « le soir, je m'embête à mourir », et confie : « je me le dis souvent, que si j'avais fait comme toi, si j'étais resté chez les Goupil, si je m'étais borné à vendre des tableaux, j'aurai mieux fait » — il peint ses plus belles toiles. Et puis son nom commence à être un peu connu. Il expose aux Indépendants, et Théo qui assiste au vernissage avec Jo, en présence du président Carnot (Théo qui cirait si modestement ses bottes, à ses débuts, pour se trouver, alors, non loin de Thiers, au grand éblouissement de Pa et de Moe), rapporte à son frère l'enthousiasme de Monet, qui estime son envoi le meilleur de l'exposition. Pour Gauguin, c'en est « le clou ». Gauguin écrit d'ailleurs : « Je vous fais mon sincère compliment et pour beaucoup d'artistes vous êtes dans l'exposition le plus remarquable. Avec des choses de nature vous êtes là *le seul qui pense.* J'en ai causé avec votre frère et il y en a un que je voudrais *vous changer pour une chose* de votre choix. Celui dont je parle c'est un paysage de montagne. Deux voyageurs tout petits semblent monter là à la recherche de l'inconnu : c'est beau et grandiose. » Et cela ressemble bien aux personnages d'un tableau de Boughton décrit par un jeune prédicateur, à Londres, quinze ans plus tôt, et qui montait en chaire pour la première fois, en pensant « Abba Père » et en pleurant de bonheur.

Un prédicateur, peintre aujourd'hui, et qui voudrait se « faire excuser de ce que mes tableaux sont pourtant presque un cri d'angoisse ».

Plus important qu'aux Indépendants, Van Gogh est invité à exposer à Bruxelles par Maus (un découvreur génial) à la très importante exposition annuelle des Vingtistes. Ce groupe, que préside Octave Maus, a su repérer, exposer les meilleurs peintres du temps. Après la mort de Vincent, ils organiseront, au sein de l'exposition, une petite rétrospective Van Gogh.

En 1890, en même temps que Van Gogh, Cézanne (découvert par Maus chez le père Tanguy) y expose pour la première fois. Il y aura aussi Puvis de Chavannes, Forain, Signac, Lucien Pissarro, Renoir, Sisley et Toulouse-Lautrec. Lautrec, signalé deux ans plus tôt aux Vingtistes par Théo Van Rysselberghe : « Le petit Bas-du-Cul pas mal du tout. Le bonhomme a du talent ! Carrément au XX ! *Jamais exposé.* Fait en ce moment des choses très drôles, Cirque Fernando, putains, et tout ça. L'idée d'être aux XX avec des " rues de Sèze " et des " rues Laffitte " (bordels), il trouve ça d'un chic[1] ! »

En 1890, Lautrec manque de se battre en duel pour Vincent avec un peintre scandalisé à l'idée d'exposer dans la même salle que « l'exécrable *Pot de soleil* de M. Vincent ou de tout autre provocateur ». Au cours du dîner de vernissage, il traite Van Gogh (en son absence, évidemment) d'ignare, de charlatan. Lautrec se dresse, l'insulte. On choisit des témoins. Signac, celui de Lautrec, décide de se battre à la place de celui-ci, s'il est tué.

Le peintre, ennemi de Vincent, c'est Henry de Groux, fils de Charles de Groux, cet autre peintre tant admiré de Vincent et qu'insultait (en son absence) l'oncle Cor à La Haye — il y a seulement huit ans ! De Groux est expulsé des XX.

« Dans un journal », écrit Théo à Vincent, « je lisais que les toiles qui excitent le plus la curiosité sont les études de plein air de Cézanne, les paysages de Sisley, les symphonies de Van Gogh et les œuvres de Renoir ». Du vivant de Van Gogh. Et l'année de sa mort.

Théo annonçait aussi, avec la naissance de son fils et l'envoi de l'article d'Aurier, qu'il avait vendu une toile de son frère, *les Vignes rouges,* 400 francs à Anna Boch. Mais, contrairement à la légende, ce n'est pas l'unique tableau de Vincent acheté de son temps. Sans compter celles plutôt bradées, il est vrai, par Tanguy, il existe une autre vente, au moins. En octobre 1888, Théo écrit à la galerie Sulley & Lori de Londres et fait état de l'envoi de deux tableaux « régulièrement achetés et payés » par la galerie. Il s'agit d'un Corot et d'un « portrait de lui-même par V. Van Gogh »[2]. Pourquoi n'en est-il jamais question dans la correspondance, alors que la vente d'une toile à Anna Boch (que Vincent connaissait) fait sensation, comme s'il s'agissait de la première vente sérieuse de Vincent, qui s'empresse d'en avertir sa famille en Hollande ?

Là-bas, Cor s'engage dans l'armée des Boers, et part pour

---

1. M. O. Maus *Trente Ans de vie pour l'art,* Souvenirs de la veuve de Maus, qui dédicace l'ouvrage à Jo « A ma vieille Jo ». Entre veuves ! (Les italiques sont de Théo Van Rysselberghe.)

2. M. E. Trabault, *op. cit.*

l'Afrique du Sud, où il va mourir en 1900, un suicide, à trente-trois ans.

Cor, le petit frère anodin, « devenu plus fort et plus gros que nous autres, et il est stupide s'il ne se marie pas », car, remarquait aimablement Vincent deux ans plus tôt, « il n'a que ça et ses bras ». C'est, sans doute, un mariage manqué qui le pousse à fuir, à présent. Théo donne de ses nouvelles à Vincent. Il vit dans un pays « bien sauvage, où il faut se promener toute la journée avec un revolver ». Puis : « Il écrit souvent du Transvaal. La vie là-bas ne doit pas être bien amusante. Des plantes et des fleurs, il n'y en a pas. Rien que du sable. Il n'y fait pas une chaleur torride il pleut de façon que tout est blanc. Les jours se ressemblent absolument, c'est pourquoi il dit qu'il déteste les dimanches et les autres jours de repos [1]. »

Moe est très atteinte par ce départ. Avec Wil, elle quitte Breda, où elle habitait depuis son veuvage, pour Leyden où elle a des petits-enfants. Vincent lui donne raison : « Mais il n'y aura plus guère personne de nous autres en Brabande. »

Moe le fascine toujours, même davantage encore ici, où il se perd dans les effets des vieux cloîtres, de la présence des nonnes, de la catholicité de l'endroit et qui donnent à ses crises une tournure religieuse. Lui qui se bat avec énergie contre le travail d'Emile Bernard, en pleine allégorie religieuse ! « Du factice, de l'affectation !... ma foi, je m'en sens triste, et te redemande par la présente, à hauts cris et t'engueulant ferme de toute la force de mes poumons, de vouloir bien un peu redevenir toi... Tenez, dans *l'Adoration des mages,* le paysage me charme trop pour oser critiquer et, néanmoins, c'est trop fort comme impossibilité de supposer un enfantement comme ça, sur la route même ; les grosses grenouilles ecclésiastiques agenouillées comme dans une crise d'épilepsie sont là, Dieu sait comment, et pourquoi ! »

Mais trêve de plaisanterie. Moe a gagné. *Stabat Mater* effrénée. *La Berceuse* est devenue *Pietà* : Vincent, à Saint-Rémy, copie un tableau de Delacroix. Toujours axé vers le « secondaire », il copie souvent et, à l'asile, vingt-trois tableaux de Millet. Mais il s'agit de « les traduire dans une autre langue

---

1. *Verzalmede Brieven, op. cit.*

plutôt que de les copier ». Les reproductions dont il dispose sont en noir et blanc ; sur les toiles, la lumière devient la nature même de toute chose, le chant. Copier, c'était auparavant ne pas avoir à payer un modèle pour peindre des figures ; ici, cela permet de peindre, même lorsqu'il lui est interdit de sortir et de travailler sur le motif, cela lui permet aussi de garder par devers lui un exemplaire des toiles expédiées à Théo. Et ces reproductions, ces copies « cela me fait une collection à moi et lorsque ce sera important et complet assez, je donne tout cela à une école ». L'aurait-elle accepté ?

« La religion me fait tant peur, depuis déjà tant d'années », après Londres, Amsterdam, tant de murs froids, de cimetières de pasteurs et de tombes ; or, il lui vient « des idées religieuses embrouillées et atroces, telles que je n'en ai jamais eu dans ma tête dans le Nord. Le séjour prolongé dans les vieux cloîtres que sont l'hospice d'Arles et la maison ici serait seul suffisant pour expliquer ces crises... Je ne suis pas indifférent et dans la souffrance même quelquefois des pensées religieuses me consolent beaucoup », mais le catholicisme, qui n'occulte pas la mère, terrifie ce protestant : « Ce qui me gêne, c'est de voir à tout moment de ces bonnes femmes qui croient à la vierge de Lourdes et fabriquent des choses comme ça, et de se dire qu'on est prisonnier dans une administration qui cultive très volontiers ces aberrations religieuses maladives, alors qu'il s'agirait de les guérir. Alors je dis encore mieux vaudrait aller sinon au bagne au moins au régiment. »

Mais il est dans le couvent des fous. Une des lithographies envoyées par Théo, après la rencontre de Bruyas peint par Delacroix, est détériorée au cours d'une des périodes de crises de Vincent. C'est la *Pietà*. « Pendant ma maladie, il m'était arrivé un malheur — cette lithographie de Delacroix la *Pietà* avec d'autres feuilles était tombée. » Et Vincent s'attriste de cette chute d'une mère tombée avec son fils « dans de l'huile et de la peinture ». La *Pietà* (ou Moe ?) s'est « abîmée » ? Vincent la répare... il reproduit cette mère.

Une *Pietà* qui sera parmi les tableaux disposés par Théo dans la salle de l'auberge Ravoux, autour du cercueil de son frère, le mercredi 30 juillet. Emile Bernard, en 1890, raconte à Aurier, aussitôt après l'enterrement, cette fin de la passion de Vincent : « Sur les murs de la salle où le corps était exposé, toutes ses toiles dernières étaient clouées lui faisant comme une auréole et rendant, par l'éclat du génie qui s'en dégageait, cette mort plus pénible encore aux artistes. Sur la bière, un simple drap blanc, puis des fleurs en quantité, des soleils qu'il aimait tant, des dahlias jaunes, des fleurs jaunes partout. C'était sa couleur favorite s'il vous en souvient, symbole de la lumière qu'il rêvait dans les cœurs comme dans les œuvres. Près de là aussi son chevalet, son pliant et ses pinceaux avaient été posés devant le cercueil à terre. Beaucoup de personnes arrivaient, des artistes surtout, parmi lesquels je reconnais Lucien Pissarro et Lauzel, les autres me sont inconnus, viennent aussi des personnes du pays qui l'avaient un peu connu, vu une ou deux fois et qui l'aimaient. Il était si bon, si humain. Nous voilà réunis autour de cette bière qui cache un ami, dans le plus grand silence. Je regarde les études : une très belle page souffrante interprétée d'après Delacroix : la Vierge et Jésus. Des galériens qui tournent dans une haute prison, toile d'après Doré, d'une férocité terrible de symbole pour sa fin. Pour lui, la vie n'était-elle pas cette prison haute de murs si hauts, si hauts. »

Cette *page souffrante*, « c'est une *Pietà* », écrit Vincent à Théo, « c.à.d. un Christ mort avec la *Mater Dolorosa*. A l'entrée d'une grotte gît incliné, les mains en avant sur le côté gauche, le cadavre épuisé et la femme se tient derrière ». Vincent l'a découverte enfin, et la peint « sous un ciel où flottent des nuages violets brodés d'or » : aux couleurs de Moe.

Et, si une *Dolorosa* illustrait *Quatre-vingt-treize,* maintenant, il y a deux figures, comme Cimourdain et Gauvain, dont « les âmes s'envolèrent ensemble, l'ombre de l'une mêlée à la lumière de l'autre [1] ». Ici « le visage du mort étant dans l'ombre, la tête pâle de la femme se détache en clair contre un nuage » violet bordé d'or, « ces deux têtes paraîtraient une fleur sombre avec une fleur pâle ».

Et, pendant que Vincent travaille à cette toile ou, plutôt, copie celle de Delacroix, sans savoir ce qu'est devenu l'original,

1. V. Hugo, *op. cit.*

dont il possède une lithographie en noir et blanc, il tombe par hasard sur un article de Pierre Loti, « l'auteur de *Mon frère Yves,* de *Pêcheur d'Islande,* de *Madame Chrysanthème* », précise-t-il. Un frère ! Une Japonaise surgie des fameux crépons et les pêcheurs d'Islande, « sur la triste mer », pour qui il a peint une *Berceuse,* celle qui tient machinalement dans ses mains une corde qui ne relie aucun berceau, mais, peut-être, la remorque du navire — peut-être est-ce ce lien dont elle est la Parque ?

L'article de Loti a pour sujet Carmen Sylva. « C'est une reine — est-elle reine de Hongrie ou d'un autre pays, je l'ignore » ; elle écrit des poèmes, Vincent croit que Théo les a lus. Loti décrit « son boudoir ou plutôt son atelier », car cette reine est un peintre, elle aussi. Un peintre à boudoir et atelier, comme Gauguin ! Et, dans ce boudoir, se trouve la *Pietà* de Delacroix !

Cette reine qui peint et qui possède la *Pietà,* qui possède cette *Mater Dolorosa* aux bras vides, et qui possède aussi le cadavre épuisé, est une femme, un peintre sans enfant ; comme Vincent est un peintre sans enfant ; comme Moe est une femme sans un certain enfant.

Moe, à qui Vincent, comme on l'a vu, se confie, de Saint-Rémy de Provence :

« Très chère mère,

« C'est il y a un an que je suis tombé malade et il m'est difficile de dire dans quelle mesure je suis guéri ou non. Je me fais d'affreux reproches concernant les choses du passé. Car ma maladie m'est arrivée en somme par ma propre faute et chaque fois je doute si jamais je pourrai réparer mes erreurs.

« Mais raisonner, penser tout cela est parfois difficile, et le sentiment que j'en ai m'accable parfois plus qu'avant. C'est alors que je pense tellement à vous et au passé. Vous et Pa avez tellement compté pour moi et si c'est possible encore plus que pour les autres. Il ne me semble pas que j'aie eu un heureux caractère. J'ai pu voir à Paris combien Théo a fait, bien plus que moi, ce qu'il a pu pour aider pratiquement Pa, à tel point que son intérêt propre en était souvent entamé. Théo a plus d'abnégation que moi, c'est un trait profondément enraciné dans son caractère.

« Quand Pa ne fut plus là, et que je suis allé, près de Théo à

Paris, mon frère s'est attaché si fort à moi que j'ai appris à comprendre combien il avait aimé notre père. Aujourd'hui (je vous le dis à vous et pas à lui) il n'est que bon que je ne sois pas resté à Paris ; nous nous serions, lui et moi, trop absorbés l'un dans l'autre. La vie n'est pas faite pour cela. »

Vincent retrouve cette tendresse d'enfant que l'on ne peut se permettre qu'une fois adulte et peut enfin parler à Moe, parce qu'il a, sans le savoir, trouvé l'essentiel, ou presque, à lui révéler, comme à une partenaire éclairée ; une Moe qui n'est plus une Berceuse, ni une Pietà — celles-là, il les a vues, produites — mais comme à une femme plus âgée, et un témoin très sensé d'un passé qu'il expie et qui est le sien, à elle, aussi bien. Le premier Vincent circule dans l'inconscient du second et dans celui de Moe. Et Moe circule encore de la *Berceuse* à la *Pietà* et à la *Résurrection de Lazare*, une des toutes dernières toiles peintes à Saint-Rémy, une copie aussi, traduite de Rembrandt, qui pour « peindre ainsi » était mort plusieurs fois.

Aucune reproduction photographique ne peut exprimer ce tableau de Van Gogh où, dans la pulsion, dans les directions tragiques des coups de main, de la brosse, se produit l'événement ; un mouvement statique, violent et sans fin. Dans les trajectoires du jaune exaspéré jusqu'au blanc advient le cadavre livide qui coule, sur la gauche, des blés, dans les blés, et glisse, résorbant la lumière dans sa forme blafarde, incluse dans la couleur et la concluant. Arrivée d'un mort dans le sens d'une descente depuis un ventre. Naissance d'un cadavre, corps éteint à la vie ; toute couleur achevée ; et le jaune, à sa fin.

Devant la naissance d'un mort, d'un homme mort qui naît, les femmes, hagardes, effarées lèvent les bras dans un geste d'épouvante, découvrant le désastre, non un miraculé.

« La grotte et le cadavre sont violet et jaune blanc. » La grotte et le cadavre. Scène initiale. Symbolique de Moe. Symbolique de la mère. L'enfant mort qu'elle contient. Ou l'homme, avec sa mort. Naissance. Suspension de l'absence. Insertion du cadavre. La vie. Virtuelle.

Mais le corps de la mère ? Le maternel ? « J'ai un peu horreur de toute exagération religieuse... Degas dit que c'est payer trop cher de boire dans les cabarets en faisant des tableaux, je ne dis pas non, mais voudrait-il que j'aille dans les cloîtres ou les églises, là c'est moi qui ai peur. » Et Vincent va quitter Saint-Rémy pour Auvers.

C'est Pissarro qui a signalé à Théo le village habité par le Dr Gachet, ami des impressionnistes. Vincent part « le cerveau clair et les doigts si sûrs » mais persuadé qu'il lui est interdit d'avoir « des prétentions dans mon cas, j'en ai encore trop tel que c'est... Faut pas oublier qu'une cruche cassée est une cruche cassée et donc en aucun cas il faut entretenir des prétentions ». Il part, espérant, sans doute, trouver ce qu'il cherche depuis toujours : à s'insérer dans la banalité de la vie, lui, voyant. Et de là, à vivre. « J'ai eu la vie trop dure pour en crever ou pour perdre la puissance de travailler... Je sais bien que la guérison vient — si on est brave — d'en dedans par la grande résignation à la souffrance et à la mort, par l'abandon de sa volonté propre et de son amour-propre. Mais cela ne me vaut pas, j'aime à peindre, à voir des gens et des choses, et tout ce qui fait notre vie — factice — si l'on veut. Oui, la vie serait dans autre chose, mais je ne crois pas que j'appartiens à cette catégorie d'âmes qui sont prêtes à vivre et aussi à tout moment à souffrir... Mais je ne peux vivre, ayant si souvent le vertige que dans une situation de quatrième, de cinquième rang. »

Avant le départ, un dernier sursaut, une dernière révolte, encore un combat, qui semble au premier abord, dérisoire, et qui prend du sens, beaucoup de sens.

Théo, inquiet, voudrait faire accompagner Vincent dans le train jusqu'à Paris. Et Vincent, qui a tant enduré, tant accepté, sursaute, il s'indigne avec une véhémence inattendue : « J'ai essayé d'être patient, jusqu'ici je n'ai fait de mal à personne, est-ce juste de me faire accompagner comme une bête dangereuse ? »

Le chien hirsute, qu'il va abattre lui-même, garde-champêtre, dans les champs.

« J'écarte catégoriquement ce que tu dis qu'il faudrait me faire accompagner tout le trajet. Une fois dans le train, je ne risque plus rien, je ne suis pas de ceux qui sont dangereux. » Vincent ! Pour qui *tout le monde* a été dangereux ! S'il avait une crise au cours du voyage « n'y a-t-il pas d'autres passagers dans le wagon et d'ailleurs ne sait-on pas dans toutes les gares comment faire en pareil cas » ? Et cette fois-ci il crie : « Je t'assure que c'est déjà quelque chose de se résigner à vivre sous de la surveillance, et de sacrifier sa liberté, se tenir hors de la société et de n'avoir que son travail sans distraction. Cela m'a creusé des rides qui ne s'effaceront pas de sitôt. Je crois qu'il n'est que juste qu'il y ait un halte-là. »

Et, plus doucement, un aveu pathétique de défaite, lui qui était parti à la conquête du Midi, y fonder un phalanstère de peintres : « J'ai tant de chagrin de quitter comme cela, que le chagrin sera plus fort que la folie. »

Et enfin, à la toute dernière ligne de cette lettre, le sens qu'elle avait :

« J'espère à bientôt — et, voyons, épargnez-moi ce compagnon de voyage forcé. »

Ce compagnon, ce double. Et qu'ils ont, là où il va, vers Jo et Théo, redoublé. Ce compagnon dont ils ne l'ont pas épargné, réplique du premier Vincent, le spectre réanimé.

« Mais oui, c'est bien fini, ce voyage-ci. » Fini, le « murmure d'un verger d'oliviers » qui a « quelque chose de très intime ; d'immensément vieux ». Fini, le Sud. « Je considère cela comme un naufrage — ce voyage-ci. »

Mais, c'est à Auvers qu'il va, dans la houle des blés, s'enfoncer davantage encore et, définitivement coincé dans la vie telle quelle, y jouer l'acte de celle-ci, véritable, dans le décor exigé par celui du bureau d'un pasteur de village hollandais où, face à la *Dolorosa,* se déroulait sans fin *l'Enterrement dans les blés.*

A Paris, le 17 mai 1890, Théo est parti chercher son frère à la gare. Vincent doit passer quelques jours chez eux. Jo s'attend à voir arriver un malade, raconte-t-elle (et sans doute un dément, dont elle connaît cependant les lettres si tranquilles et belles, si doucement violentes, et qu'elle est capable d'apprécier). Or, devant elle, se tient soudain un homme robuste, aux épaules larges, bronzé, qui sourit et dont l'apparence exprime une telle résolution.

« Il a l'air en parfaite santé, et tellement plus solide que Théo ! fut ma première pensée[1]. »

Vincent est entraîné par son frère vers le berceau du troisième Vincent. Les deux hommes regardent en silence, les yeux remplis de larmes, dormir le bébé. Ce n'est plus le monde des fantasmes, Vincent se tourne vers Jo et sourit en montrant du doigt la couverture au crochet qui recouvre l'enfant :

1. Souvenirs de Vincent Van Gogh par sa belle-sœur, in *Verzamelde Brieven, op. cit.*

329

« Ne le couvre pas de trop de dentelles, petite sœur[1]. »

Trois jours passent où, réunis à Paris, les trois Hollandais ne parlent, à l'amusement de Jo, que français et n'évoquent pas une seule fois Saint-Rémy. Et c'est vrai, le cauchemar, pour l'heure, est oublié. Seule trace du Midi, Vincent va acheter des olives qu'il a l'habitude de manger chaque jour et il insiste pour les partager. Jo découvre le vrai Vincent, celui que les mots et la légende dissimulaient déjà.

Dès l'aube, il est debout et regarde, en bras de chemise, ses toiles dont l'appartement déborde. Il y en a partout, sur tous les murs, sous les lits, sous les divans, sous les armoires, dans les placards, encadrés ou non. Il les dispose à plat sur le sol et les étudie avec attention. Vincent Van Gogh. Aux murs de la chambre à coucher, le *Verger en fleurs,* au-dessus de la cheminée dans la salle à manger *les Mangeurs de pommes de terre,* dans le salon (une toute petite pièce confortable) le grand *Paysage d'Arles* et la *Nuit étoilée.* Vincent face à son œuvre.

Fatigué par la ville, Vincent gagne Auvers qui, dès l'abord, lui plaît.

Il écrit aussitôt au critique hollandais Isaacson, qui avait publié quelques lignes sur lui au mois d'août précédent dans *De Portefeuille,* un hebdomadaire. Mais quelles lignes : « Qui est l'interprète de la vie fulgurante, celle du XIXᵉ siècle ? Qui prend conscience d'elle, par la forme et la couleur ? Je connais un homme, un seul, un pionnier unique ; il se tient debout, luttant dans la vaste nuit. Son nom, Vincent, pour la postérité. » Il ajoute : « J'espère pouvoir bientôt en dire davantage sur ce héros. Il est hollandais. » Une menace, pour Vincent, qui a dû apprendre par Théo l'imminence d'un nouvel article et qui, de toutes ses forces, s'emploie à dissuader le critique, « étant décidément assuré que jamais je ferai des choses importantes », lui affirme-t-il.

Et c'est la rencontre avec le Dr Gachet : « Il me paraît certes aussi malade et ahuri que toi et moi. Sa figure raidie par le chagrin redevient souriante » lorsqu'ils parlent tous deux de la

1. *Ibid.*

Belgique « et des jours des anciens peintres. Je crois bien que je resterai son ami et que je ferai son portrait ».

Le Dr Gachet, roux, comme Vincent, est surnommé le docteur Safran. Il conseille à Vincent de travailler hardiment, sans plus penser à ce qu'il a eu.

Ils seront amis... ils cesseront de l'être ; on ne sait guère, en principe, pourquoi... Mais le Dr Gachet était un nouveau frère — désiré, rejeté : « Le père Gachet est beaucoup, mais là beaucoup, comme toi et moi. » Et puis ses mains. Sur le portrait du docteur « les mains, des mains d'accoucheur, sont plus pâles que le visage ». Un frère aux mains d'accoucheur, le Dr Gachet, qui soignera si mal Vincent agonisant.

Peu avant le suicide, Vincent écrivait : « Je crois qu'il ne faut aucunement compter sur le Dr Gachet. » Bien étrange la conduite du médecin, lorsqu'il sera appelé avec un autre médecin, le Dr Mazery, celui de la région (Gachet, en principe, n'y exerçant pas), auprès de Van Gogh, blessé à mort. Après avoir examiné la plaie, Gachet fera un pansement sommaire. Les deux médecins constateront que la balle logée dans le thorax ne semble pas mettre la vie du blessé en danger, mais elle est difficile à extraire et ils laisseront là le mourant, sans plus de soins, sans faire appel à personne d'autre, à aucun chirurgien, sans envisager de transporter Vincent, qui mourra plus de vingt-quatre heures plus tard, assis dans son lit, près de son frère. Gachet voulait-il protéger le projet de Vincent, qu'il pouvait comprendre ? Et le protège-t-il lorsque, plus étrangement encore, il prétend ignorer l'adresse personnelle de Théo, que Vincent refuse de donner. Une adresse que le Dr Gachet connaît, car il a reçu plusieurs lettres de Théo, conservées encore aujourd'hui, sur lesquelles sont indiquées chaque fois l'adresse de la galerie et celle du domicile. Il écrira un billet que Hirschig, le peintre hollandais qui séjourne à Auvers, ira porter lui-même au matin à Paris, chez Boussod-Valadon. Vincent aurait pu mourir sans revoir son frère. Il l'a tenté.

« Aussi fatigué de son métier de médecin de campagne que je le suis de ma peinture », Gachet plaît, au début, à Vincent. « Je lui ai dit que j'échangerais volontiers métier pour métier. » Le médecin se passionne pour le travail de Vincent. Il est lui-même un personnage. En médecine, en politique, en peinture, il a pris de l'avance et des risques, mais toujours en dilettante, plus ou moins. Très ami de Cézanne, qui vivait un temps à Auvers, il a été son premier « client ». Il est ami de Renoir, de Monet, de Degas, mais un peu délaissé, à présent. Dans « sa maison pleine de vieilleries noires, noires, noires » et qui ressemble plutôt à l'antre d'un sorcier ou d'un alchimiste, malgré son aspect extérieur de pavillon cossu de banlieue et les innombrables animaux domestiques, de ferme ou de basse-cour, qui circulent du jardin à l'intérieur de la maison, Vincent admire les seules notes de couleur « deux beaux bouquets de Cézanne et un village, et un très beau Pissarro ». D'autres impressionnistes, un Guillaumin aussi, qui sera peut-être à l'origine de la brouille, Vincent s'étant mis en colère à le voir non encadré.

Le portrait du Dr Gachet, Vincent le peint « comme de l'attente et comme un cri ». Le modèle est « fanatique absolument » de son portrait. Sur le déclin d'une vie jusque-là frénétique, attristé par un veuvage récent (il vit avec une fille de dix-neuf ans, un fils plus jeune et une vieille servante), Gachet trouve en Vincent une sorte de jeune frère, et pour lui ce terme n'a rien de trouble, ni d'effrayant. « Il vient voir tout le temps les études des deux portraits et il les admet en plein, mais en plein », et devant un des portraits d'*Arlésienne,* cette Arlésienne « sabrée en une heure » (!) il murmure, impressionné : « Comme c'est difficile d'être simple. »

Vincent peindra le portrait de Mlle Gachet ; le frère de celle-ci s'en souviendra et voici Vincent au travail, qui fait changer le décor où doit poser son modèle et qui « s'affaire pour aider au déménagement, ranger la table, mettre le piano en lumière, avoir le maximum de place autour du chevalet, prêté par le docteur et plus stable que celui de Vincent, surtout avec une toile étroite et d'un mètre de haut.

« Plein d'entrain, ses préparatifs personnels furent brefs : la boîte à couleurs sur le parquet, la palette garnie, le modèle assis au piano, plaquant quelques accords. Debout, au chevalet, Vincent avançait, s'éloignait, s'approchait, se baissait, un genou à terre, se relevait, s'inclinait presque sans arrêt. »

Le fond motive une seconde séance. Il revient le 29 juin (un mois jour pour jour avant sa mort), impatient de travailler ; il préférerait ne pas déjeuner (en plein air) mais les repas du Dr Gachet sont solennels, ses invitations péremptoires. A peine le repas terminé, Vincent se précipite au salon, afin de reprendre son travail de la veille. Il ouvre sa boîte à couleurs. Désespoir ! Il a oublié sa palette chez les Ravoux et se prépare, désolé, à y retourner, mais le docteur en a une demi-douzaine, dont celle de Cézanne, aujourd'hui au Louvre. Il prête à Van Gogh une de ces palettes qui... ira aussi au musée.

Vincent travaille. Théo vient déjeuner un jour chez le Dr Gachet avec Jo et le nouveau Vincent. C'est cette dernière journée heureuse, ensoleillée dont se souviendra Jo.

Et puis, à nouveau, tout s'effondre.

Et cette fois, très manifestement, ce n'est pas du fait de Vincent, mais d'événements qu'il ne peut contrôler.

Peut-être, aussi, a-t-il trop espéré de cette arrivée euphorique et se voit-il à nouveau, plus cruellement que jamais, écarté, « mis de côté » perpétuel. Un détail d'abord : un fait moins dramatique que la situation tragiquement délabrée du trio (ou du quatuor) et que la mise à mort de Vincent (et à travers elle, celle de Théo) ; une histoire toute bête d'été et de vacances. Mais Vincent n'écrivait-il pas de Saint-Rémy : « Mon brave, n'oublie pas que les petites émotions sont les grands capitaines de la vie, et qu'à elles nous obéissons sans le savoir. »

Il se tuera (il se blessera à mort, du moins) un dimanche, après le départ de Théo et Jo pour la Hollande, comme il s'était mutilé l'oreille un dimanche à Arles, à la veille de leur départ encore pour la Hollande.

Il avait tant espéré les voir passer toutes leurs vacances, ou au moins une partie de ces vacances, à Auvers, comme Théo l'avait un temps projeté, au risque de voir Moe frustrée, là-bas à Leyden. « Je m'en fais une fête de faire les portraits de vous tous en plein air : le tien, celui de Jo et celui du petit. »

Mais c'est pour la Hollande qu'ils partent, laissant Vincent à son travail, aux Ravoux, à Gachet. Jusqu'au départ Vincent lutte : « Je redoute que ce serait un comble pour nous tous. » Un comble, car ils vivent tous déjà, cela a été soudain, dans les décombres de leurs vies. Jo, Théo s'acharnent contre un homme épouvanté, écorché et fragile, eux-mêmes à bout de force, égarés. Et là, c'est le couple qui a un rôle de fou.

Peut-être Jo ne peut-elle supporter ce lien qu'elle perçoit entre les deux frères ? Peut-être, à bout, excédée par les difficultés financières, inquiète de la mauvaise santé, des soucis de Théo, veut-elle en rendre responsable ce frère parasite dans tous les sens du mot, ignorant à quel point chaque frère est parasite de l'autre et vit de sa vie ?

Pour Théo, la naissance d'un troisième Vincent, d'un fils, semble un événement trop violent, et trop violente la lutte pour renoncer au second Vincent. Il va écrire une lettre funeste, qui le révèle perdu dans des lieux maléfiques.

Mais, d'abord, il songe à quitter les éternels Goupil, et c'est l'agitation, la déroute. Vincent avait bien décelé le rôle étrange, essentiel de Goupil dans leur vie. Il semble alors qu'un axe se dérobe et que tout se détraque. Théo ne prend pas de décision, mais il met tout leur système en cause, et la condition de Vincent. Il y aura un dimanche tragique (encore un !) à Paris, d'où Vincent venu pour deux jours partira le soir même, sans savoir « sous quelles conditions je suis parti — si c'est comme dans le temps à 150 francs par mois en trois fois. Théo ne m'a rien fixé et donc pour commencer je suis parti dans l'ahurissement ».

Tout se démantèle. Vincent lutte, mais « ahuri ». « Là — je suis revenu ici, je me suis remis au travail — le pinceau pourtant me tombait presque des mains. »

Avant même son passage à Paris, il a reçu la lettre fatale, la lettre meurtrière de Théo, où la guerre souterraine soudain s'énonce, comme inconsciemment. Théo, si inarticulé en regard de son frère, émet le pire, brusquement, en un français étrange ; ce qui peut tuer Vincent et le tuer lui, à travers cette mort. Vincent défaille déjà : « Ma vie à moi est aussi attaquée à la racine même, mon pas aussi est chancelant. » Vingt-sept jours plus tard, il se suicidera. Au bout du chemin ? Pas tout à fait. Il reste une étape : la mort de Théo. Cette mort que Théo cherche, peut-être, avec cette lettre périlleuse où il remonte aux sources interdites, secrètes, qui prennent leur cours vénéneux dans des racines pourries, comme celles qui, si lentement, devenaient de la tourbe dans la boue de la Drenthe.

Il est question, au début de cette lettre, d'une menace qui, si elle se réalisait, aurait l'air d'être agie par Vincent. Un Vincent qui tue les Vincent nouveau-nés. Mais celui qui mourra, qui va mourir, ne sera pas le Vincent supposé (proposé ?) par Théo. « Nous avons été dans la plus grande inquiétude, notre chéri a été très souffrant, mais heureusement le médecin qui était très inquiet lui-même, disait à Jo : « Vous ne le perdrez pas l'enfant de cela. »

Une plainte affreuse (que Vincent doit tant redouter, et qui lui a fait — peut-être pour la calmer ? — peindre des chants de nourrice et de Berceuse) a blessé Théo : « Jamais tu n'as entendu quelque chose de si douloureux que cette plainte presque continuelle durant plusieurs jours et plusieurs nuits... C'est abominable... Jo a été admirable comme tu le penses bien. Une vraie mère, mais elle s'est beaucoup fatiguée, de trop même, puisse-t-elle ne pas avoir de nouvelles épreuves à subir. En ce moment, heureusement elle dort, mais dans son sommeil elle se plaint... En général la vie est dure pour elle en ce moment. Nous ne savons pas ce que nous devons faire, mais il y a des questions. »

Et Vincent en est une. Majeure. Il le sait bien. Alors suivent les problèmes que se pose Théo. Il les énumère, sous forme de demande de conseils, mais de manière si confuse que l'on n'y comprend rien — sinon qu'il tient toujours à sa couronne et que, s'il se prépare à couper les vivres à Moe et à Vincent, il tente de le faire avec toute l'onction des Van Gogh, avec leur pompe morale et, surtout, sans se l'avouer. Un discours démuni de sens où il exalte de vagues et futurs sacrifices partagés, et les termes reviennent de devoir, de tâche, de bouchée de pain. On croit entendre l'oncle Cor, à La Haye. Sécurité, courage, amour mutuel. Les mots avec lesquels on a chassé, la conscience tranquille, Vincent, et que Théo, jusqu'alors, n'employait pas. Sous le fatras des faux-fuyants, on perçoit qu'il s'agit surtout d'éviter « des soucis à cette bonne Jo », au point de vue financier, « puisque ces rats de Boussod et Valadon me traitent comme si je venais d'entrer chez eux et me tiennent à court

335

d'argent ». Il pousse Vincent à s'offrir en sacrifice, et il le fera en se tuant. Car il ne *peut pas* vivre, pas vivre, rester vivant, sans l'argent de Théo. L'impasse est là. Van Gogh n'a pas, de son vivant, de quoi vivre. Les « mis-de-côté » risquent cela. D'ordinaire, ça se remarque moins, ça laisse moins de trace, mais les musées, évidemment...

Théo rejoint son propre enfer, dont il s'était gardé jusqu'à présent. Il retarde l'instant où va déferler la vraie malédiction, l'effroyable message qui va briser son frère. Il hésite, il contourne, il pastiche Vincent. « Dis vieux », et d'affirmer qu'ils « n'oublieront pas les pâquerettes » (!), ni les « branches de buissons qui germent au printemps, ni le ciel gris uniforme en hiver, ni le soleil comme il se levait au jardin des tantes, ni le soleil rouge se couchant dans la mer à Scheveningen ».

Et Théo passe à l'acte.

« Moi j'ai et tu auras, je l'espère un jour, une femme à qui tu pourras dire ces choses-là, et moi, dont la bouche est souvent close et dont la tête est souvent vide, c'est par elle que les germes qui plus que probable viennent de très loin mais qui ont été trouvés par notre père et notre mère bien-aimée, ils pousseront peut-être pour que je puisse devenir au moins un homme et qui sait si mon fils s'il peut vivre et si je peux l'aider, qui sait ne sera-t-il pas quelqu'un. »

Qui parle ? Qui est celui dont la bouche est close et la tête vide ? Quels sont ces germes raflés par Théo et qui sautent une génération et vont, par le canal de Jo, faire naître un Vincent enfin. Enfin, un Van Gogh qui sera « quelqu'un ». Un Vincent qui prouvera qu'il n'y a pas eu *Van Gogh*. D'ailleurs, « Vieux frère ta voiture est déjà calée », décide Théo, sous couleur de préciser ce qu'il vient de dire : « toi, tu as trouvé ton chemin ». Et moi, poursuit Théo, bifurquant pour de bon de celui de Vincent « j'entrevois mon chemin grâce à ma femme chérie. Toi, calme-toi ».

C'est net. Vincent va se calmer. Dans moins d'un mois, il ira se calmer dans ces blés, dévalorisés par les germes qui poussent en Théo et qu'il a fourgué à son fils, à sa femme, pour réparer cette triste affaire Vincent, avec l'aide de Pa, de Moe, de la famille ralliée à la cause générale, par l'intermédiaire de Jo.

« Tu as déjà trop de feu », juge Théo — trop de nuits étoilées, trop de chars d'Elie et d'Elisée, trop de jaunes sulfureux. « Toi, calme-toi. » Le véritable Vincent est né. Celui qui, s'il peut vivre — si tu quittes le chemin — peut-être sera « quelqu'un », qui sait ? « Vieux frère, ta voiture est déjà calée et solide et moi j'entrevois mon chemin. » Théo ! Ce qu'il a toujours voulu crier. « Etre un homme, au moins », à défaut d'être peintre, ne plus être un fœtus. « Retiens un peu ton cheval pour qu'il n'y ait pas d'accident », ordonne-t-il à son frère, réclamant, suscitant par là même l'accident. A partir de là, Vincent est tué.

Mais qui parle ? Qui tue ? Est-ce vraiment Théo ? Est-ce Pa ou Moe, qui ont trouvé les germes ? Est-ce la pauvreté ? Est-ce Jo ? Est-ce celui qui n'a pu parler jusqu'alors, celui dont la tête était vide et la bouche close, à moins que Pa, d'une voix d'ange, ne prêche en son nom ou que les murmures, les sarcasmes d'un spectre n'épuisent un peintre qui peignait les chants de nourrice tus devant un enfant mort en même temps que né, et que la Berceuse, en vain, tente, frigide, de bercer. Est-ce l'enfant mort qui parle, la gorge gargouillante de germes frelatés ?

Est-ce Théo qui parle, comme soudain ébranlé, investi d'un rôle brutalement révélé ? Quelle voix occupe Théo ? Théo qui se tue à tuer son frère ? Théo qui va mourir, hébété, dans une maison de santé, nommée Wilhelm ! à Utrecht, six mois plus tard, avec, à son chevet, le médecin qui lui lira dans un journal, le *Haachelsblad,* un article écrit à propos de son frère, tandis qu'il demeurera amorphe, sauf lorsqu'il tressaillera, chaque fois, au nom de Vincent. Sur la feuille d'admission est noté, à la colonne « Cause de maladie » : « Maladie chronique. Surmenage et chagrin. Il a mené une vie pleine de tension émotive. »

Camille Pissarro écrira à son fils Lucien : « Théo Van Gogh était, paraît-il, malade avant sa folie ; il avait une rétention d'urine. Il y avait une huitaine qu'il n'urinait pas. Joint à cela les tracas, les chagrins et une violente discussion avec ses patrons à propos d'un tableau de Decamps. Par suite de ces faits il a dans un moment d'exaspération, remercié les Boussod, et tout d'un coup, il est devenu fou. » Les Goupil quittés. Cela aussi, un aboutissement. De leur étrange rôle, discerné par Vincent. Vincent, à l'amour duquel se laisse aller Théo ; Théo déchaîné sur les traces de son frère et se laissant aller à toutes les haines qu'il avait dû réfréner contre ceux qui l'empêchaient de s'y livrer avant. « Il voulait louer le Tambourin pour faire une association de peintres. Il est ensuite devenu violent. Lui qui aimait tant sa femme et son enfant, il a voulu les tuer. Bref, on a dû l'emmener à la maison du Dr Blanche. »

Avant d'être, à son tour, enfermé chez ce Dr Blanche, qui a soigné Nerval et Maupassant (et qui avait acheté un important Degas à Théo), Théo envoie un télégramme à Gauguin, qui, d'abord, y croit : « Départ assuré pour Tropiques. Argent suit. Théo directeur. »

Pauvre Gauguin, plus que jamais aux abois et qui tentait toujours de partir, afin, comme il l'écrivait récemment à Vincent, que « le sauvage retourne à la sauvagerie ».

Deux jours plus tôt, le 10 octobre, André Bonger, affolé, envoyait un pli urgent au Dr Gachet : « Depuis hier, mon beau-frère Van Gogh est dans un état de surexcitation tel que nous nous inquiétons sérieusement. Venez le voir demain à l'improviste... Tout l'irrite et le met hors de lui. La surexcitation est causée par un différend avec ses patrons à la suite duquel il veut s'établir sans souffrir aucun délai. Le souvenir de son frère le hante à tel point qu'il en veut à tous ceux qui n'entrent pas dans ses idées. Ma sœur est à bout de force et ne sait quoi faire. J'espère qu'il vous sera possible de venir, sinon, veuillez avoir l'obligeance de m'écrire un mot en conseil. »

Mais rien ne peut retenir Théo d'aller vers son frère, à présent.

A sa lettre terrible, Vincent a répondu en juillet, sans en faire mention sauf : « Si mon mal revenait, tu m'excuserais. J'aime encore beaucoup mon art et la vie, mais quant à jamais avoir une femme à moi, je n'y crois pas très fort. Je crains plutôt que, mettons vers la quarantaine — mais ne mettons rien —, je déclare ignorer mais absolument, absolument, quelle tournure cela puisse prendre encore. »

Alors, vient le dimanche dramatique à Paris. Le retour à Auvers et l'angoisse : « De ces premiers jours-ci, j'aurais dans des conditions ordinaires espéré un petit mot de vous déjà. » Mais la guerre est déclarée. Voilà cet homme « chancelant », assailli, livré. Jo aura toute sa vie pour essayer d'effacer cela. « Je me sens — raté », écrit Vincent. Jo lui écrit une lettre, qui est pour lui « comme un Evangile, une délivrance d'angoisse. C'est pas peu de chose lorsque tous ensemble nous sentons le pain quotidien en danger, pas peu de chose lorsque pour d'autres causes que celle-là aussi nous sentons notre existence fragile... J'ai craint — pas tout à fait, mais un peu pourtant — que je vous étais redoutable étant à votre charge ».

Théo part pour la Hollande présenter le vrai Vincent à Moe. Le comble peut arriver.

Les grains de blé, serrés maintenant, envahissent toute la surface de la toile, pris dans la masse et l'étouffant, tout devient insoutenable à force de vie vive. Torsions véhémentes ou champs fixes, bloqués, proies des corbeaux. Lieux coffrés. Tombe reversible à l'infini. D'où l'on tombe dans la tombe. Chutes dans tous les sens. Obturation.

« Je voudrais bien t'écrire sur bien des choses, mais j'en sens l'inutilité. » Lorsque Théo lira cette lettre, trouvée dans les vêtements de son frère, celui-ci sera mort.

A l'auberge Ravoux, il est rentré un soir de dimanche en retard, lui qui ne l'est jamais. Les pensionnaires ont déjà dîné, ils sont partis. Les Ravoux prennent l'air avec le peintre Hirschig. C'est le 27 juillet 1890.

Vincent marche, un peu courbé, la main pressée sur le ventre. Que lui arrive-t-il, s'inquiète Mme Ravoux. La voix basse de Vincent, il s'appuie à une table : « Rien, je me... » et il monte dans sa chambre. Le père Ravoux l'entend gémir, le rejoint, l'interroge ; Vincent se retourne, la chemise tachée de sang dans la région du cœur. « J'ai voulu me tuer. Je me suis raté. »

On ignore encore où Vincent s'est tué, on n'a jamais retrouvé l'arme.

Les médecins le soignent à peine. Gachet fait un pansement en silence, pas un mot n'est échangé. Il part, laissant son fils, qui le rejoindra quelques heures plus tard. Vincent demeure seul, encore une fois, avec un étranger : le père Ravoux le veille. Gachet ne reviendra plus, sauf pour l'enterrement, ni le Dr Mazery. Entre le dimanche 27 au soir et le mardi 29, où il meurt vers une heure du matin, personne ne tente de sauver, ni même de

339

soigner Vincent Van Gogh. Théo, prévenu chez Goupil par le mot de Gachet, prendra le premier train, et ne tentera rien non plus, mais sans doute par respect.

Si la légende préfère décrire un Van Gogh calme, serein, qui, fumant sa pipe, attend la mort, la première nuit au moins, Vincent souffre. Ravoux en témoigne, à qui il demandait d'écouter le gargouillement de l'hémorragie interne dans son ventre, et sans pouvoir retenir ses cris — peut-être sa panique. Et Hirschig : « Je le vois encore sur son lit étroit dans la petite mansarde, torturé par une douleur terrible. " N'y a-t-il personne pour m'ouvrir le ventre ? " Il faisait une chaleur étouffante dans la chambre, sous le toit. »

Au matin, avant l'arrivée de Théo, une dernière visite, celle de... deux gendarmes. Plantés au pied du lit, courroucés, ils interrogent l'agonisant : « Pourquoi s'est-il suicidé ? D'où tenait-il son arme ? » Vincent fume sa pipe, adossé contre les oreillers. Il répond, la voix calme, avoir agi comme il était libre de le faire. Les autres insistent, s'acharnent, Vincent fume, regarde en silence devant lui, tandis que les représentants de cette autorité à laquelle il échappe enfin, s'obstinent, puis, découragés, s'en vont.

C'est la fin. Une fois encore, Théo s'est allongé auprès de son frère blessé. « Encore raté », a regretté Vincent. Puis Théo et lui se parlent en hollandais. Jusqu'au coma. Heures peut-être heureuses d'être si désespérées. « Il ne désirait pas continuer de vivre », écrira Théo à sa sœur Lies ; et à Jo, comme Vincent respire encore : « Il dit qu'il ne croyait pas que la vie lui apporterait tant de chagrin. » Vincent murmure : « Je voudrais rentrer maintenant. » Quelques minutes, et c'est achevé.

« Une fois encore, il fut terrible, plus terrible encore à supporter que lorsqu'il était vivant. De son cercueil, qui était mal fabriqué », écrit Hirschig, « coulait un liquide puant, tout était terrible à propos de cet homme ? »

Le curé refuse un corbillard au suicidé. On a recours au maire d'une commune voisine. « Sous un soleil atroce », Théo suit, en sanglots, l'enterrement dans les blés. Il porte sur lui la lettre trouvée dans la poche de son frère. Dernière lettre de Vincent à Théo.

« Je voudrais bien t'écrire sur bien des choses mais j'en sens l'inutilité...

« Les autres peintres, quoi qu'ils en pensent instinctivement, se tiennent à distance des discussions sur le commerce actuel. Eh bien, vraiment nous ne pouvons faire parler que nos tableaux.

« Mais pourtant, mon cher frère, il y a ceci que toujours je t'ai dit et je le redis encore une fois avec toute la gravité que puissent donner les efforts de pensée assidûment fixée pour chercher à faire aussi bien qu'on peut — je te le redis encore que je considérerai toujours que tu es autre chose qu'un simple marchand de Corot, que par mon intermédiaire tu as ta part à la production même de certaines toiles, qui même dans la débâcle gardent leur calme... Dans un moment de crise relative, dans un moment où les choses sont fort tendues entre marchands de tableaux d'artistes morts et d'artistes vivants. Eh bien, mon travail à moi j'y risque ma vie et ma raison a sombré à moitié — bon — mais tu n'es pas dans les marchands d'hommes que je sache, et tu peux prendre parti, je le trouve, agissant réellement avec humanité. Mais que veux-tu ! »

A quel frère s'adresse-t-il ? Suggérant un constat. Quêtant un désir, n'obtenant qu'une dette, reconnue déjà, deux années plus tôt : « Mais mon cher frère, ma dette est si grande, que lorsque je l'aurai payée, le mal de produire des tableaux m'aura pris ma vie entière et il me semblera ne pas avoir vécu. »

Quelques ouvrages consultés

Artaud A., *Van Gogh ou le suicidé de la société,* Gallimard.
Aurier A., *Un isolé,* Mercure de France, 1890.
Bernard E., « Souvenirs sur Van Gogh », *L'Amour de l'art,* 1924.
Bourniquel C., *Le Drame de Vincent Van Gogh,* Hachette, 1968
Cabanne P., *Van Gogh,* Somogy, 1961.
Caldano P., *Van Gogh,* Flammarion, 1961, 2 vol.
Cézanne P., *Correspondance,* Grasset, 1978.
Charensol, *Van Gogh par lui-même,* Hachette, 1968.
Dickens C., *The Haunted Man,* Penguin, 1973.
Doiteau V., Leroy E., *La Folie de Vincent Van Gogh,* Paris, 1928.
Duret T., *Van Gogh,* Paris, 1916.
Duret-Robert F., *Destin des tableaux de Van Gogh,* Hachette, 1968.
Faille J.-B. de la, *Vincent Van Gogh,* Paris, 1939.
— *Catalogue raisonné de l'œuvre de Van Gogh,* Bruxelles, 1928, 4 vol.
Fernandez D., *Amsterdam,* Seuil, « Petite Planète », 1977.
Gauguin P., *Avant et Après,* Crès, 1923.
— *Lettres à sa femme et à ses amis,* Mercure de France, 1946.
Hugo V., *Quatre-vingt-treize,* Livre de poche, Hachette.
Hulsker J., *Rebellion in Nuenen,* in Bulletin musée Van Gogh, Amsterdam, n° 3, 1971.
— *Critical Days in the Hospital of Arles,* in ibid, n° 1, 1970.
— *1878, A Decisive Year in the Lives of Theo and Vincent Van Gogh,* in ibid, n° 3, 1974.
— *Letters to Anton Kerssemakers,* in ibid, n° 6, 1973.
Huygues R., *Van Gogh,* Paris, 1958.
Jaspers K., *Strindberg et Van Gogh,* Minuit, 1953.
Leymarie, *Qui était Vincent Van Gogh ?,* Skira, 1968.
Mack G., *Paul Cézanne,* Jonathan Cape, 1935.
Mauron C., *Notes sur la structure de l'inconscient chez Van Gogh,* Paris, 1953.
— *Vincent et Théo Van Gogh, une symbiose,* Amsterdam, 1953.
Maus. M. O., *Trente Ans de lutte pour l'art,* L'Oiseau bleu, Bruxelles, 1926
Nagera Di H., *Vincent Van Gogh,* Buchet-Chastel, 1967.

Paris J., *Le Soleil de Van Gogh*, Hachette, 1968.

Piérard L., *La Vie tragique de Vincent Van Gogh*, Paris, 1924.

Pissarro C., *Lettres à son fils Lucien*, Paris, 1934.

Ravoux A., « Souvenirs sur Van Gogh », *Nouvelles littéraires.*

Robert M., « Vincent Van Gogh, le génie et son double », *Preuves*, n° 204, 1968.

Rewald J., *Le Post-impressionnisme*, Albin Michel, 1961.

Roger-Marx C., « Lettres inédites de Gauguin », *Europe, 1934.*

Roetlandt A., « La légende de Vincent Van Gogh », *Art Document*, 1954.

Rotonchamp, J. de, *Gauguin*, Cres, 1925.

Styles Willie A., *Vincent's Childhood and Adolescence*, in Bulletin musée Van Gogh, Amsterdam, 1971.

— *Vincent and Kee and the Municipal Archives in Amsterdam*, in *ibid.*, 1973.

Trabault M. E., *Vincent Van Gogh le mal-aimé*, Vilo, 1967.

Van Gogh E., *Vincent Van Gogh raconté par sa sœur*, Fernand Hazan, 1982.

Verzemelde Brieven, Amsterdam, 1973 (Edition du centenaire de la correspondance complète de Vincent Van Gogh, préfacé par Johana Van Gogh, 1953).

Toutes les citations des lettres de Van Gogh, sauf celles mentionnées comme inédites, proviennent de l'édition du centenaire : *Correspondance complète de Vincent Van Gogh*, commentaires de Georges Charensol, Gallimard-Grasset, 1961.

Index

L'index ne comprend pas les noms des trois Vincent Wilhelm Van Gogh, ni celui de Théo, ni ceux de Théodorus et Anna Cornelia Van Gogh (Pa et Moe).

INDEX

IMP. SEPC A SAINT-AMAND (6-83).
D.L. AVRIL 1983 : N° 6444-3. (1030).

DANS LA MÊME COLLECTION

Gertrude Stein, Ida (trad. Daniel Mauroc) ; Autobiographie de
tout le monde (trad. M.-F. de Paloméra)
Jacques Teboul, Vermeer ; Cours, Hölderlin
Frédéric Vitoux, Fin de saison au palazzo Pedrotti
Kurt Vonnegut, Le Breakfast du champion (trad. Guy Durand) ;
R comme Rosewater ! (trad. Robert Pépin) ;
Le Cri de l'engoulevent dans Manhattan désert
(trad. Philippe Mikriammos) ;
Gibier de potence (trad. Robert Pépin)
Tom Wolfe, Acid Test (trad. Daniel Mauroc)